**Da Revolução Francesa
até nossos dias:
um olhar histórico**

O selo DIALÓGICA da Editora InterSaberes faz referência às publicações que privilegiam uma linguagem na qual o autor dialoga com o leitor por meio de recursos textuais e visuais, o que torna o conteúdo muito mais dinâmico. São livros que criam um ambiente de interação com o leitor – seu universo cultural, social e de elaboração de conhecimentos –, possibilitando um real processo de interlocução para que a comunicação se efetive.

Da Revolução Francesa até nossos dias: um olhar histórico

Samara Feitosa

EDITORA intersaberes

EDITORA
intersaberes

Rua Clara Vendramin, 58 . Mossunguê
CEP 81200-170 . Curitiba . PR . Brasil
Fone: (41) 2106-4170
www.intersaberes.com
editora@editoraintersaberes.com.br

Conselho editorial
Dr. Ivo José Both (presidente)
Dr.ª Elena Godoy
Dr. Nelson Luís Dias
Dr. Neri dos Santos
Dr. Ulf Gregor Baranow
Editora-chefe
Lindsay Azambuja
Supervisora editorial
Ariadne Nunes Wenger
Analista editorial
Ariel Martins

Preparação de originais
Entrelinhas Editorial
Capa
Ilustrações/*design*:
Laís Galvão dos Santos
Projeto gráfico
Bruno de Oliveira
Diagramação
Cassiano Darela
Iconografia
Regina Claudia Cruz Prestes

Dados Internacionais de Catalogação na Publicação (CIP)
(Câmara Brasileira do Livro, SP, Brasil)

> Feitosa, Samara
> Da Revolução Francesa até nossos dias: um olhar histórico/ Samara Feitosa. Curitiba: InterSaberes, 2016.
>
> Bibliografia.
> ISBN 978-85-5972-098-3
>
> 1. China – História – Revolução, 1913 2. Cuba – História – Revolução, 1959 3. França – História – Revolução, 1789–1790 4. História – Estudo e ensino 5. Revolução Industrial I. Título.
>
> 16-04718   CDD-907

Índices para catálogo sistemático:
1. História: Estudo e ensino 907

1ª edição, 2016.
Foi feito o depósito legal.
Informamos que é de inteira responsabilidade da autora a emissão de conceitos.
Nenhuma parte desta publicação poderá ser reproduzida por qualquer meio ou forma sem a prévia autorização da Editora InterSaberes.
A violação dos direitos autorais é crime estabelecido na Lei n. 9.610/1998 e punido pelo art. 184 do Código Penal.

Sumário

9 *Apresentação*
13 *Como aproveitar ao máximo este livro*

Capítulo 1
17 **Mas, afinal, para que tantas revoluções?**

(1.1)
21 As revoluções na contemporaneidade

(1.2)
21 Revolução Francesa: como chegamos até aqui?

(1.3)
43 Revolução Industrial: para onde estamos indo?

Capítulo 2
73 **Vamos jogar monopólio?**

(2.1)
79 Novos estados, novos jogadores e um único "jogo" para ser jogado

(2.2)
87 O primeiro ato: uma guerra e sua racionalidade

(2.3)
104 No meio do caminho tinha uma revolução: a Revolução Russa

Capítulo 3
119 **Quem é o dono do mundo?**

(3.1)
122 Um intervalo: o mundo entreguerras

(3.2)
130 Quem precisa de um líder? Os totalitarismos: por que, para que e para quem?

(3.3)
148 Começa o segundo ato: uma guerra, várias razões

Capítulo 4
171 **Um mundo, um diagnóstico: bipolaridade**

(4.1)
174 Elas voltaram: Revolução Chinesa e Revolução Cubana

(4.2)
195 O que há de frio na Guerra Fria?

(4.3)
204 Enquanto isso, ao sul da América

Capítulo 5
217 **As voltas que o mundo dá**

(5.1)
227 O que é que a gasolina tem a ver com tudo isso?

(5.2)
231 Um muro, uma queda e o fim das certezas

(5.3)
239 Mudanças e mais mudanças

Capítulo 6
261 **Para onde vamos, afinal?**

(6.1)
264 Um olho na economia, o outro na política

(6.2)
269 Diferenças e diversidades

(6.3)
281 Direitos humanos para humanos direitos?

(6.4)
288 Temos saída?

297 *Considerações finais*
299 *Referências*
305 *Bibliografia comentada*
313 *Respostas*
315 *Sobre a autora*

Apresentação

No dicionário Michaelis da língua portuguesa (2016) a palavra *contemporâneo* aparece definida como: "Adj (*lat contemporaneus*) 1 Que é do mesmo tempo; que vive na mesma época; coetâneo, coevo. 2 Que é do tempo atual. sm 1 Homem do mesmo tempo. 2 Homem do nosso tempo. Var: contemporão".

Assim, não é de todo incomum que se estranhe, quando falamos em história, que a Idade Contemporânea tenha seu início marcado pela Revolução Francesa. Como conjugar "o que vive na mesma época" com uma revolução que aconteceu no século XVIII? Pois bem, esperamos que este livro ajude você a resolver essa questão.

Quando falamos em Idade Contemporânea, queremos falar de uma divisão temporal, feita de forma proposital e que busca facilitar a compreensão dos fenômenos históricos. Essa divisão, embora possa ser discutida, intenta agrupar períodos de tempos que possam apresentar entre si certa unidade, possibilitando dar uma "identidade" ao período que se está estudando. De certa forma estamos criando um "tempo histórico", que facilite a compreensão do processo histórico que nós, como sociedade, viemos criando ao longo dos séculos. Assim, quando pensamos em Idade Contemporânea, falamos de um período de longa duração, no qual processos históricos se desenvolveram auxiliando na organização da sociedade em que vivemos hoje. Nesse sentido, a Revolução Francesa e seus ideais de igualdade, liberdade e fraternidade são tão contemporâneos e mobilizadores hoje quanto eram no século XVIII.

Falar da Idade Contemporânea é, portanto, falar de fenômenos históricos desenvolvidos nos últimos três séculos e que ainda repercutem de forma intensa em nossas relações sociais.

Desse modo, este livro busca apresentar alguns processos históricos importantes desse período, articulando-os de maneira que você consiga entendê-los como processos. Trata-se de um livro de formação, cujos temas discutidos em cada um dos capítulos e tópicos podem e devem ser aprofundados pelo leitor. Para isso, em cada capítulo indicamos obras que podem auxiliar nesse aprofundamento, além, é claro, das referências bibliográficas que nortearam a escrita de cada um deles.

O livro está dividido em seis capítulos. No primeiro deles – "Mas, afinal, para que tantas Revoluções?" –, procuramos discutir as duas grandes revoluções burguesas da contemporaneidade e sua influência em nosso dia a dia.

No Capítulo 2 – "Vamos jogar monopólio?" –, apresentamos o neocolonialismo, a Primeira Guerra Mundial e a Revolução Russa, buscando evidenciar o entrelaçamento desses fenômenos e sua expansão.

Já no Capítulo 3 – "Quem é o dono do mundo?" –, apresentamos o cenário pós-Primeira Guerra, a crise econômica, a ascensão do nazifacismo e a Segunda Guerra Mundial, deixando o panorama aberto para o Capítulo 4 – "Um mundo, um diagnóstico: bipolaridade". Nesse capítulo, refletimos acerca da bipolarização do mundo entre capitalistas e comunistas, discutindo sobre as revoluções do século XX, chinesa e cubana, o incremento da Guerra Fria e a ascensão dos regimes militares ao sul do continente norte-americano.

O Capítulo 5 é dedicado à reflexão das transformações que ocorreram a partir de meados do século XX. "As voltas que o mundo dá" volta-se para as questões do Oriente Médio (principalmente aquelas relativas ao petróleo e sua influência na economia e na política mundiais), bem como para a queda do muro de Berlim, o término da URSS e o final da "Era das Certezas".

Por fim, o Capítulo 6 – "Para onde vamos?" – traz algumas reflexões sobre questões que estão na pauta do dia em todo o mundo, como a relação entre economia e política e as questões relativas ao direito à diferença e aos direitos humanos, terminando com um questionamento: Temos saída?

Como já dissemos, trata-se de um livro de formação; assim, foram feitos, obrigatoriamente, recortes e escolhas, tanto do ponto de vista teórico-metodológico como na eleição dos temas a serem discutidos.

A intenção clara é iniciar as discussões, deixando para o leitor interessado o trabalho de continuá-las.

O convite está feito! Espero que você, leitor, o aceite!

Samara Feitosa

Como aproveitar ao máximo este livro

Este livro traz alguns recursos que visam enriquecer seu aprendizado, facilitar a compreensão dos conteúdos e tornar a leitura mais dinâmica. São ferramentas projetadas de acordo com a natureza dos temas que vamos examinar. Veja a seguir como esses recursos se encontram distribuídos no decorrer desta obra.

Introdução do capítulo

Logo na abertura do capítulo, você é informado a respeito dos conteúdos que nele serão abordados, bem como dos objetivos que o autor pretende alcançar.

Síntese

Você conta, nesta seção, com um recurso que o instigará a fazer uma reflexão sobre os conteúdos estudados, de modo a contribuir para que as conclusões a que você chegou sejam reafirmadas ou redefinidas.

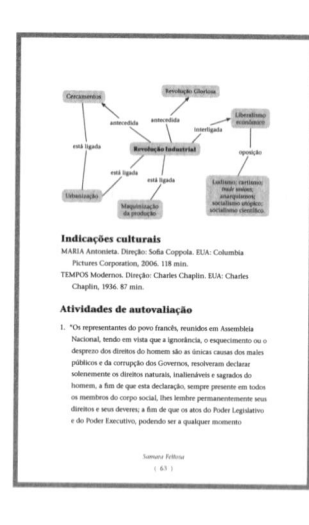

Indicações culturais

Ao final do capítulo, a autora oferece algumas indicações de livros, filmes ou *sites* que podem ajudá-lo a refletir sobre os conteúdos estudados e permitir o aprofundamento em seu processo de aprendizagem.

Atividades de autoavaliação

Com estas questões objetivas, você tem a oportunidade de verificar o grau de assimilação dos conceitos examinados, motivando-se a progredir em seus estudos e a se preparar para outras atividades avaliativas.

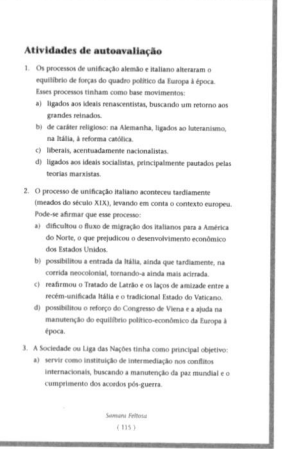

Atividades de aprendizagem

Aqui você dispõe de questões cujo objetivo é levá-lo a analisar criticamente determinado assunto e aproximar conhecimentos teóricos e práticos.

Bibliografia comentada

Nesta seção, você encontra comentários acerca de algumas obras de referência para o estudo dos temas examinados.

Capítulo 1
Mas, afinal, para que tantas revoluções?

Viva a Revolução
Eu sei, eu sinto no meu sangue
Está no ar, está para acontecer
[...]
Com flores no cabelo
E lágrimas nos olhos
Fumaça na cabeça
E flechas no seu coração
(Capital Inicial)

Neste capítulo, buscaremos compreender o papel das revoluções na contemporaneidade, razão por que vamos lançar nosso olhar sobre duas das mais importantes revoluções da Idade Contemporânea: a Revolução Francesa e a Revolução Industrial.

A ideia principal é, para além de reconhecer as duas revoluções de forma mais próxima, entender como elas refletem em nossa vida cotidiana ainda hoje.

Talvez você já tenha se perguntado: Como acontecem as transformações sociais? Porque é certo que as sociedades têm passado por muitas mudanças desde sua constituição até hoje. Mas, como isso ocorre?

Sobre esse tema, há várias teorias, desde aquelas que falam acerca da natureza processual da história[1], entendendo, portanto, todas as transformações sociais como resultado de longos processos históricos, passando por aquelas que apostam mais pesadamente na relação

---

1 *Conferir a esse respeito: Sztompka (2005, p. 111), que diz: "A sociedade está, portanto, em constante movimento do passado para o futuro. O presente é apenas uma fase transitória entre o que aconteceu e o que está por acontecer".*

Samara Feitosa

entre as movimentações sociais[2] e as mudanças sociais, até aquelas que apontam as revoluções como movimentos marcantes e determinantes para as grandes transformações sociais.

Nesse momento nosso olhar irá se focar nas Revoluções. Para muitos, as revoluções são a forma mais "espetacular" de mudança social. Vivem em nosso imaginário social atuando como cenário "modelo": enquanto alguns a pensam como um cenário que deve ser evitado a qualquer custo, outros a percebem como algo necessário para que grandes transformações ocorram.[3]

Mas, enfim, o que é uma revolução? Segundo o dicionário Michaelis *on-line* (2016), *revolução*[4] seria: "Ação ou efeito de revolucionar-se; revolta, sublevação". Assim, quando pensamos em revoluções em contextos históricos, invariavelmente elas estão ligadas a processos de ruptura em padrões estabelecidos, alterações profundas, capazes de desorganizar a sociedade humana em suas estruturas e os indivíduos em sua subjetividade.

Geralmente atingindo todas as dimensões sociais – econômica, política, cultural, territorial, vida cotidiana, individualidade, entre outras –, as revoluções são rápidas[5], exemplares e podem ser pensadas como as "verdadeiras" operadoras das grandes mudanças sociais na história. Por isso mesmo, como já citado, estão presentes no

---

2 Ainda segundo Sztompka (2005), os movimentos sociais são uma das mais importantes forças de transformações nas sociedades contemporâneas.
3 Não há dúvidas sobre a diversidade de leituras acerca da revolução, entretanto, no momento não caberia neste texto discutir as várias nuances que o conceito pode receber. Para discussões mais aprofundadas acerca do conceito de revolução e as várias maneiras como ele pode ser pensado e utilizado, sugerimos a leitura de Berman (1986), Anderson (1986), entre outros autores.
4 Há ainda, no citado dicionário, outras 21 definições para o termo, o que reforça sua ideia polissêmica.
5 **Rápidas** no sentido histórico do termo.

imaginário social, constituindo-se em temas obrigatórios para quem se interessa pela história.

(1.1)
AS REVOLUÇÕES NA CONTEMPORANEIDADE

Mas não seria exagerado considerarmos esta dupla revolução – a francesa, bem mais política, e a industrial (inglesa) – não tanto como uma coisa que pertença à história dos dois países que foram seus principais suportes e símbolos, mas sim como a cratera gémea de um vulcão regional bem maior. (Eric Hobsbawm, 1977, p. 18)

Uma boa parcela do mundo que conhecemos – e, em muitos sentidos, a forma como, na contemporaneidade, conhecemos o mundo em que vivemos – foi constituída por meio de processos revolucionários. Hobsbawm, em seu livro *A era das revoluções* (1977), aponta que várias palavras que reconhecemos e usamos cotidianamente estão sendo gestadas no bojo desses processos; ideias, conceitos e estilos que hoje nos são caros resultaram diretamente das dinâmicas envolvidas em processos revolucionários, como a Revolução Francesa, a Revolução Industrial, a Revolução Russa, entre outras. Assim, conhecer um pouco mais a respeito desses momentos nos ajuda a entender e a desvendar como se organiza a sociedade em que vivemos.

(1.2)
REVOLUÇÃO FRANCESA:
COMO CHEGAMOS ATÉ AQUI?

A Revolução Francesa talvez seja a revolução mais estudada pelos pensadores contemporâneos. Acerca dela já se produziram "bibliotecas" de obras que buscam dar conta de toda sua complexidade e seu impacto na organização das sociedades que a sucederam. Segundo Manfred (1986), "figuras como Robespierre, Marat, Danton e outros; termos como jacobino, girondino, frases autênticas ou inventadas referentes ao período, fazem parte hoje do patrimônio cultural da humanidade em geral e dos historiadores em particular".

É certo que será essa revolução a tornar muitas ideias que hoje temos como "naturais" – conceitos como igualdade e liberdade – conhecidas, aceitas e reivindicadas na atualidade. O fato de hoje podermos contestar definições e encaminhamentos políticos, de nos organizarmos e reinvindicarmos posicionamentos do Estado no que se refere a demandas da população, entre muitas outras coisas, iniciou-se com o processo revolucionário originário na França. Se hoje os indivíduos têm cada vez mais aversão a posturas fascistas e restritivas aos direitos – sejam eles civis e políticos, sejam econômicos e humanos –, tal postura é, inegavelmente, fruto da tradição que terá origem nos tempos revolucionários franceses.

A França era, à época da revolução, o modelo exemplar de consolidação do Estado absolutista e encontrou em Luís XIV, o Rei Sol (1643-1715), seu momento mais extremado. Embora bastante desenvolvida em termos industriais e comerciais, a França ainda era eminentemente agrícola/rural às vésperas da revolução, mantendo várias instituições feudais norteadas pelas relações sociais, principalmente no campo e nas aldeias mais distantes dos centros urbanos. Sua constituição rural fazia com que os antigos proprietários de terra mantivessem as tradições feudais ligadas às taxações, aos direitos e aos costumes na busca da manutenção de seus rendimentos, sem perceber, no entanto, que essa dinâmica acabaria destruindo os próprios fundamentos de sua existência e manutenção. Outro fator a ser considerado, quando nos referimos aos problemas relacionados ao campo à época da revolução, está ligado a uma queda expressiva e contínua dos preços dos produtos agrícolas; assim, com o lucro diminuindo, os proprietários rurais foram obrigados a procurar outras formas de arrecadar recursos, razão por que a exploração dos camponeses no período foi se acirrando.

> No decurso dos vinte anos que precederam a Revolução, os senhores de terra começaram a se apropriar dos bens pertencentes às comunas, tão importantes para os camponeses. A maneira mais difundida desse gênero de usurpação era aquela a que davam o nome de triagem, que consistia em atribuir ao senhor um terço das terras comunais. Aliás, esse "terço", às vezes era metade, ou mais, das terras das comunas. Dessa forma, a triagem permitia que os senhores feudais se apossassem da maior parte das terras comunais, em detrimento dos camponeses. (Manfred, 1986, p. 12)

Com relação à industrialização, embora já tivesse tomado impulso, a França encontrava-se bastante distante de sua vizinha, a Inglaterra. O sistema de corporações[6] se mantinha, em boa medida, resistindo com suas tradições conversadoras, avessas às grandes modificações técnicas ou às rotinas de trabalho; no entanto, as manufaturas se desenvolviam, principalmente nos centros ligados à metalurgia, ao carvão e às indústrias algodoeiras. Dessa forma, no que tange à economia, a indústria ocupava lugar importante, produzindo quase a

---

6 *Por volta do século XII, começaram a surgir na Europa organizações que agrupavam indivíduos que desenvolviam o mesmo tipo de atividade profissional, as chamadas Corporações de Ofícios. Embora não se saiba exatamente como e onde elas começaram a se organizar, elas se espalharam e se fortaleceram até se tornarem poderosas e importantes. Essas associações tinham o papel de organizar a função laboral a qual estavam ligadas, atuando desde a formação de novos profissionais – aprendizes – até a formulação de especificações de produção, preços, circulação de mercadorias, entre outras coisas. Atuavam também como forma de proteção aos profissionais, cobrindo, muitas vezes, despesas médicas, funerais, pensões às viúvas, enfim, assumindo funções protetivas aos trabalhadores, já que não havia leis trabalhistas que os resguardassem.*

metade de tudo o que a França exportava naquele momento – de tecidos a produtos da indústria de transformação. Entretanto, o regime feudal absolutista ainda era um grande entrave ao desenvolvimento da atividade industrial em solo francês.

A produção estava submetida a uma minuciosa regulamentação governamental. A fabricação de um grande número de mercadorias deveria ser feita de acordo com padrões rigorosamente estabelecidos, geralmente desusados há muito tempo; a menor fuga aos padrões estabelecidos levava à destruição dos artigos fabricados, mesmo que a sua qualidade fosse irrepreensível. Uma multidão de inspetores e de fiscais velava para que nenhum produto da indústria ou da agricultura sofresse qualquer inovação perigosa. (Manfred, 1986, p. 18)

Seu mercado interno insignificante, principalmente devido à pobreza em que eram mantidos os camponeses, não se constituía em fomento à produção; o regime corporativo atrasava a incorporação das novas máquinas e técnicas que se desenvolviam; somava-se a isso a regulamentação governamental da produção desses itens, o que tornava o desenvolvimento desse setor mais lento do que em outros países próximos.

Entraves feudais atingiam também o comércio, muito embora a França comercializasse com todos os países europeus, com a América do Norte e com o Oriente. Mesmo assim, o comércio interno e externo sofria com as taxações e os obstáculos gerados pela administração do Estado. Limites aduaneiros, proibições relativas à circulação de mercadorias e o aparelho burocrático da monarquia que se desenvolvia de maneira irregular e desigual entre as províncias que formavam o reino atrasavam a produção e encareciam os produtos franceses, fazendo com que, muitas vezes, fossem preteridos por similares produzidos em outros países.

Administrativamente, com relação a sua população, a França era dividida em três Estados: nobreza, clero e o restante da população, também chamados de *Terceiro Estado*. É bastante comum explicar essa divisão utilizando um velho dito popular: "*O clero serve o Rei com a prece, a nobreza, com a espada, e o Terceiro Estado, com seus bens*". De fato, nobreza e clero, isentos da maior parte das taxas e dos impostos, protegidos pelas leis e pelos costumes, constituíam a menor parte da população francesa e compunham o entorno mais próximo ao rei, enquanto que ao Terceiro Estado cabia o papel de produzir toda a riqueza que deveria suprir as necessidades do rei e de sua corte. Vale lembrar que nenhum desses grupos era homogêneo, o que significa dizer que dentro de cada um deles havia tensões, disputas e posicionamentos conflitantes. Entre a **nobreza**, podemos perceber que a aristocracia da Corte se diferenciava da nobreza togada e da nobreza provinciana, e cada um desses grupos tinha interesses diferentes a serem defendidos diante do Estado. Com relação ao **clero**, havia o alto clero – bispos, arcebispos e cardeais –, originariamente ligado à aristocracia feudal e muitas vezes chamados de *príncipes da Igreja*, que era muito diferente dos curas e vigários das paróquias rurais; o baixo clero, de origem camponesa, ou burguesa, que estava, pela natureza de sua função, muito mais próximo do Terceiro Estado do que seus superiores. Todo o restante da população formava o **Terceiro Estado**, ou seja, nele estavam incluídos desde camponeses, cada vez mais extorquidos pelos proprietários de terras, até comerciantes bem-sucedidos de Paris, aos quais cabia o papel de manutenção econômica do Estado – como já vimos.

No entanto, essa manutenção se tornava cada vez mais difícil, já que a França vinha atravessando, havia algum tempo, sérios problemas econômicos. O reinado de Luís XV havia terminado, deixando para seu sucessor cofres vazios e uma enorme dívida. Como já visto, a situação no campo era bastante delicada e o comércio e a indústria eram constantemente "atravessados" pela intervenção administrativa do Estado. Luís XVI iniciou um processo de reformas encetadas por seu ministro Turgot; encontrando na nobreza forte resistência, o rei foi forçado a demiti-lo; outra tentativa de implementar as reformas necessárias foi feita por Necker, e novamente a nobreza resistente acabou abolindo todas as medidas tomadas. Entretanto, a crise econômica agravou-se sem que o rei e sua corte alterassem seus hábitos dispendiosos, forçando os ministros controladores das finanças a levantar empréstimos constantes para cobrir despesas, o que dilapidou os cofres públicos e aumentou o *déficit* do orçamento.

Em 1789, a dívida pública havia atingido o total monstruoso de 4,5 bilhões; não havia mais dinheiro para pagar os próprios juros das dívidas acumuladas. Tornara-se impossível levantar novos empréstimos. Ninguém mais queria conceder crédito ao Tesouro. O Estado estava em véspera de uma bancarrota total. (Manfred, 1986, p. 61)

Medidas urgentes eram necessárias, principalmente porque boa parte da nobreza já vinha se mostrando descontente desde a chamada *Assembleia dos Notáveis* (1787), composta por elementos da nobreza selecionados pelo rei. Nela, Callone, então ministro das Finanças, sugeriu reformas no sistema fiscal em que uma pequena parcela da arrecadação cairia sobre os ombros da nobreza e do alto clero. Inconformados, nobreza e alto clero mostraram toda sua insatisfação ao rei. Callone foi demitido e Necker reassumiu, orientando o rei a convocar os Estados Gerais.

Luís XVI decidiu, então, dissolver a Assembleia dos Notáveis e convocar os Estados Gerais – assembleia que reunia os três estados –, o que não ocorria desde 1614. A proposta era de que dessa reunião surgissem as diretrizes da reforma a ser implementada para a superação da crise econômica que sufocava a França. Cada Estado deveria eleger e enviar seus representantes para participar do processo; assim, em 5 de maio de 1789, os Estados Gerais foram instalados. Mais tarde surgiu a primeira grande questão: Como votariam os deputados representantes de cada Estado? Tradicionalmente, o voto era computado por Estado, o que tornava o Terceiro Estado praticamente decorativo, já que nobreza e clero aliançavam-se para a defesa de seus interesses. Assim, os deputados do Terceiro Estado, somados a alguns representantes dos demais estados, organizaram forte pressão sobre o rei para que ele adotasse a votação por cabeça, pois dessa forma a diferença seria controlada. A disputa seguiu acirrada e por mais de um mês nada foi resolvido. O clima tenso nos Estados Gerais repercutiu em toda a população e várias manifestações populares começaram a acontecer, pois boa parcela da população apoiava os deputados do Terceiro Estado em sua demanda pelo voto por cabeça.

A totalidade do país seguia, fremente, a luta travada em Versailles. *O povo de Paris e de outras cidades da França conservava-se em permanente efervescência. Os jornais, as inumeráveis brochuras e os panfletos que apareciam eram disputadíssimos. A paixão pela política era geral. Todo mundo vivia na expectativa impaciente de mudanças. Reuniões públicas improvisadas tinham lugar nas praças e boulevards de Paris.* (Manfred, 1986, p. 69)

Decidido a não ceder, Luís XVI determinou a dissolução dos Estados Gerais. Rebelando-se, os deputados do Terceiro Estado refugiaram-se na sala do Jogo de Péla e decidiram que só sairiam de lá quando o rei convocasse uma Assembleia Nacional.

Figura 1.1 – *Juramento na sala do Jogo de Péla*, de David

DAVID, Jacques Louis. **Juramento na sala do Jogo de Péla**. 1789. 1 óleo sobre tela: color.; 0,65 × 0,88 m. Carnavalet Museum, Paris.

Sem opções, Luís XVI cedeu e aceitou o estabelecimento da Assembleia Nacional. Os representantes eleitos juraram, então, não interromper a reunião até que uma nova constituição fosse escrita. Ainda tentando reverter a situação, Luís XVI demitiu Necker e, em resposta, o Terceiro Estado organizou uma milícia armada – a Guarda Nacional –, incumbindo-a de proteger a Assembleia das tropas leais ao rei.

A crise foi agravada por manifestações populares, as quais buscavam demonstrar a insatisfação com a situação econômica do país, principalmente porque entendiam a demissão de Necker e a concentração das tropas em Paris – ordenada por Luís XVI – como um claro sinal de que as forças contrárias aos propósitos revolucionários estavam se organizando. Em 14 de julho de 1789, manifestantes auto-organizados invadiram a prisão da Bastilha – símbolo da opressão política – e libertaram seus prisioneiros considerados inimigos da nobreza. Esse evento marcou simbolicamente o início da Revolução Francesa.

Nos dias 13 e 14 de julho, a força decisiva – as massas populares – entrou na luta. Era o começo da Revolução. A tomada da Bastilha foi sua primeira vitória. Nesta etapa inicial da Revolução, no decorrer de seus primeiros dias, o Terceiro Estado entrou na luta contra o regime feudal absolutista como um só bloco. Na revolta popular de 13 e 14 de julho tomaram parte operários e negociantes, artesãos e manufatureiros, pequenos comerciantes e jornalistas, músicos ambulantes e ricos advogados. Indivíduos de profissões, condições e situações sociais diversas, mas igualados nas camadas do Terceiro Estado, uma vez que estavam todos privados de direitos políticos e unidos no mesmo impulso revolucionário, marcharam lado a lado contra o absolutismo execrado. (Manfred, 1986, p. 72)

A sequência dos fatos irá mostrar, entretanto, que essa unidade inicial não iria durar muito tempo. De qualquer modo, à tomada da Bastilha seguiram-se manifestações em várias outras cidades e em várias delas; pequenas "Bastilhas" – prédios como prisões, câmaras municipais, residências oficiais de autoridades – foram tomadas e destruídas, antigas autoridades foram destituídas e em seus lugares ascenderam ao poder conselhos municipais eleitos, compostos principalmente por membros da burguesia.

A aristocracia, assustada com o rumo dos episódios, começou uma emigração forçada. Já no dia 16, o Conde d'Artrois, irmão do rei, deixou precipitadamente o país, seguido pela alta aristocracia.

Enquanto isso, no campo, violentos motins começaram a se organizar e, antes mesmo que a população tomasse conhecimento da queda da Bastilha, a situação já era de enfrentamento.

Na região de Belforte e de Vesoul, as rebeliões camponesas explodiram no dia 16 de julho, antes, evidentemente, que fosse conhecida a notícia da queda da Bastilha. Nos fins de julho e em agosto, quando chegaram as notícias dos acontecimentos de Paris, os motins estenderam-se por toda a Lorraine. No Franco Condado, as insurreições começaram em 20 de julho. Os camponeses puseram-se a saquear castelos e solares: 40 castelos foram saqueados só nessas províncias [...]. Aliás, desde as primeiras desordens e tumultos, os proprietários e suas famílias, tomados de terror, fugiram das respectivas terras. (Manfred, 1986, p. 76-77)

Essa fase da Revolução, que vai de **1789 a 1791**, pode ser pensada como uma fase relativamente moderada, marcada pelo domínio da "grande" burguesia no poder. O marquês de La Fayette – conhecido como herói dos dois mundos por sua participação na independência norte-americana – assumiu o comando da Guarda Nacional, a qual estava cada vez mais tomando características de uma guarda da alta burguesia francesa e a serviço dela.

Inicialmente, a Assembleia Constituinte não sentiu claramente as divisões e tensões dos representantes do Terceiro Estado; ainda assim, aos poucos os representantes foram se "organizando" espacialmente por afinidades. Desse modo, não demorou muito tempo para que grupos distintos passassem a ocupar lugares diversos na sala de reuniões da Assembleia. A direita congregava os mais conservadores, representantes do alto clero e da nobreza, bem como alguns representantes do Terceiro Estado que se opunham ao rumo revolucionário que o movimento havia tomado. À esquerda ficavam os representantes do Terceiro Estado e a nobreza liberal, assim como uma parte do clero que se unira ao movimento. Somente ao longo das discussões acerca da nova Constituição foi que as demandas e dinâmicas internas a cada um dos grupos que compunham tanto a direita quanto a esquerda começaram a se desenhar mais claramente; entretanto, nesse momento ainda havia, por parte da maioria, um discurso de unidade nacional.

Os primeiros resultados dessa aparente união seriam sentidos com a abolição dos privilégios feudais que ainda resistiam na França. Assustados com os movimentos e as revoltas no campo, coube aos deputados da nobreza propor medidas que aniquilassem de vez com os resquícios da ordem feudal que ainda sobreviviam. Nobres e alguns burgueses abriram mão de suas terras, indenizações e privilégios em nome de um "bem maior". Assim, foram abolidos os dízimos e as obrigações feudais, assim como foram eliminados a servidão – ainda existente em algumas aldeias – e os privilégios, como monopólios e concessões, entre outras questões. O argumento mais usado estava ligado à necessidade de que fossem anuladas as distinções sociais ligadas ao sangue para que todos os franceses pudessem estar, perante a lei, em igualdade de situação; nesse mesmo processo, foram também abolidas as corporações de ofício e os trabalhadores foram proibidos de organizar outras associações. Esse episódio ficou conhecido como **Jornadas de Agosto**.

Fortemente influenciados pelos ideais liberais do Iluminismo e pela *Bill of Rights*[7] inglesa, os deputados da Assembleia compuseram

---

7   Documento resultante da Revolução Gloriosa (1688 e 1689). Nele, o Parlamento afastou a Inglaterra permanentemente do absolutismo e aprovou a **Bill of Rights** (declaração de direitos), na qual se proibia que um monarca católico voltasse a governar o país, eliminava a censura política, reafirmava o direito exclusivo do Parlamento em estabelecer impostos e o direito de livre apresentação de petições. A declaração ainda garantia ao Parlamento a organização e a manutenção do exército, tirando qualquer possível margem de manobra política e institucional possível do monarca.

também nessa fase a **Declaração dos Direitos do Homem e do Cidadão**, promulgada em setembro de 1789. Embora possa ser pensada como um grande avanço à época, não é possível deixar de perceber os traços tipicamente burgueses desse documento. Nele, tanto a propriedade privada como a liberdade, a segurança e o direito de resistência à opressão são declarados como direitos naturais. Ninguém mais poderia ser privado de seus bens – à exceção do interesse público e de indenizações – nem ser punido à revelia; todos tinham direito à liberdade de expressão, à tolerância religiosa e a tratamento igual diante da justiça. Enfim, todos eram considerados iguais. Entretanto, a própria Revolução deixou claro que todos eram iguais somente quando fossem iguais. Não há referências, por exemplo, às disparidades causadas pela apropriação desigual da riqueza produzida pelo trabalho ou mesmo ao papel das mulheres na sociedade.

Outro feito desse período está ligado à **secularização da Igreja**. Como já vimos, durante todo o período absolutista, a Igreja, e principalmente o alto clero, haviam sido privilegiados, por isso mesmo ela – Igreja – passou a ser identificada como elemento opressor fortemente criticado. Dona de vasta fortuna e grandes propriedades, não demorou a se tornar alvo da intervenção da Assembleia. Seus bens foram confiscados e usados como garantia para a emissão de papel-moeda. Foi posta em vigor a Constituição Civil do Clero, na qual se dispunha que bispos e padres passariam a ser eleitos pelo povo, ficando submetidos ao poder do Estado; assim, receberiam salários pagos pelo Estado e estariam obrigados a jurar obediência à nova Constituição. Na prática, isso minava a autoridade de Roma sobre a Igreja francesa. Por isso mesmo, o Vaticano se opôs a esse dispositivo, fazendo com que houvesse uma ruptura no clero francês. Uma minoria prestou juramento à Constituição, ficando conhecidos como clero "juramentado"; entretanto, muitos outros buscaram abrigo em outros países; outra parcela se uniu aos nobres e passou, a partir de então, a se opor aos caminhos revolucionários tomados pelos deputados. Somente em **1791 a Constituição** ficou pronta. Nela, a França foi declarada uma monarquia moderada (posto que agora havia uma constituição a ser respeitada), e não uma república democrática. O voto ficou restrito a uma parcela da população: somente aqueles que pudessem pagar impostos equivalentes a três dias de salário teriam direito ao voto e só poderiam ser eleitos candidatos aqueles que comprovassem possuir posses. Os poderes eram divididos e autônomos, pautados no modelo montesquiano; o rei foi privado do controle do exército, seus ministros não poderiam comparecer à Assembleia legislativa e ele próprio não exerce nenhuma interferência no processo de criação das leis, embora a Constituição lhe resguardasse o poder de veto. Embora regulasse as atividades do rei e extirpasse de vez com o poder absoluto, a Constituição estava longe de satisfazer as demandas da maior parte da população que havia participado ativamente do processo revolucionário, impossibilitando a identificação das massas com a forma de governar estabelecida.

Há bastante tempo que, em Paris, seguia-se com inquietação a política da Corte. Ainda que a maioria da população de Paris pensasse ser conveniente manter o regime monárquico, o espírito revolucionário progredia mais rapidamente na população que na Assembleia, cujos membros pertenciam, na sua maioria, às camadas superiores das classes possuidoras.
(Manfred, 1986, p. 86)

Durante todo o tempo em que trabalhou, a Assembleia foi acompanhada atentamente pelas massas, que, nas ruas, bares, clubes e praças, discutiam os caminhos tomados pelas decisões dos deputados. Figura de destaque nesse cenário, Marat, com seu jornal *L'Ami du Peuple*, serviu como porta-voz e intermediário dos acontecimentos da Assembleia e das ruas da cidade, razão por que foi várias vezes chamado a prestar esclarecimentos e, em outros momentos, obrigado a se esconder para evitar sua prisão. Isso demonstra que, embora avançasse, a Assembleia não ecoava as demandas de uma boa parcela da população francesa.

Figura de destaque foi também Robespierre, identificado tanto pela Assembleia quanto pela população como defensor do povo. Robespierre constantemente se posicionava contra as tentativas contínuas de uma parte da Assembleia em restringir os direitos do povo.

Aos poucos, os conflitos foram se tornando claros e deixando transparecer que não havia uma unidade na composição do Terceiro Estado: enquanto uma parcela deste já estava satisfeita com as modificações conseguidas na estrutura do Estado, outra continuava pressionando para que alterações mais efetivas fossem tomadas no sentido de eliminar as desigualdades, como propunha a **Declaração dos Direitos do Homem e do Cidadão**. Passo a passo essa diferenciação foi se acirrando, e os **jacobinos** (revolucionários) iniciaram um movimento de contenção das demandas trazidas à tona pelos *girondinos* (nome dado aos conservadores).

Luís XVI, mesmo tendo jurado à Constituição, continuou buscando maneiras de reverter a situação. Secretamente e apoiado por uma parcela da nobreza que havia fugido para o exterior, fez uma forte campanha para que as monarquias vizinhas se organizassem, intervindo na França de forma a garantir seu retorno ao trono de maneira absoluta. Um movimento foi organizado para que Luís XVI e o restante de sua família fugissem de Paris para, no exterior, organizarem a ofensiva. Assim, em 21 de junho de 1791, o rei e a rainha fugiram de Paris; ao saber da notícia a população francesa se enfureceu e saiu às ruas destruindo bustos e representações do poder real, armando-se novamente espontaneamente.

Os fugitivos foram encontrados próximos à fronteira em 25 de junho e trazidos novamente à capital. Então, era preciso responder à questão que se colocava: O que fazer com os traidores? Não havia mais como esconder que, embora jurasse reconhecer os direitos garantidos pela constituição, Luís XVI traíra seu juramento e, além disso, aliançara-se com nações estrangeiras para invadir a França e destruir a monarquia constitucional. Aproveitando o ensejo, a parcela revolucionária dos deputados exigiu que fosse proclamada uma República e que o rei e seus apoiadores fossem julgados como traidores. Diante da seriedade da situação, as divergências internas à Assembleia acentuaram-se, os conservadores apresentaram a versão de que o rei e sua família haviam sido sequestrados por forças estrangeiras, montando uma farsa na tentativa de salvar o que haviam conseguido. Assim, enquanto alguns queriam que o processo revolucionário cessasse, outros aproveitaram as movimentações populares para acelerá-lo.

Em 17 de julho, no Champ de Mars, a população parisiense se reuniu para discutir uma petição condenando a monarquia; a Guarda Nacional foi chamada para dissolver a manifestação e entrou em confronto com o movimento, do qual resultaram cerca de 50 mortes, marcando, assim, o início de uma disputa interna feroz entre os deputados da Assembleia. Numa tentativa de conter totalmente o movimento revolucionário, líderes mais conservadores, entre eles La Fayette, propuseram uma revisão da Constituição, na qual vários poderes antes retirados do rei voltaram a suas mãos. Um novo texto é organizado às pressas e aprovado pelo rei. Em 30 de setembro, a Assembleia Constituinte se dissolveu.

Samara Feitosa

Entretanto, a questão anterior ficou sem resposta. Sequestro ou fuga, a população francesa estava consciente de que forças externas estavam sendo organizadas para conter o ímpeto revolucionário. A verdade é que a Revolução na França se constituia uma ameaça real às nações absolutistas que lhe faziam fronteira. Esse foi o mote que determinou as ações que se seguiram. O discurso da ameaça externa foi usado para desviar a atenção da guinada à direita que a Assembleia havia tomado. Em abril de 1792, a França declarou guerra a Francisco I, rei da Boêmia e da Hungria e Imperador da Áustria. Segundo Manfred (1986, p. 137), "o povo francês acolheu com ardente entusiasmo o decreto que proclamava o estado beligerante do país. Na consciência do patriota francês, o amor da pátria era inseparável do devotamento à Revolução".

Assim, muito embora líderes como Marat e Rosbespierre alertassem sobre a manobra que significava a declaração de guerra, os franceses foram à luta para defesa de sua pátria e da Revolução. Entretanto, seguiram-se derrotas em sequência, evidenciando que havia outras intenções por trás da guerra.

Os chefes franceses – La Fayette, Rochambeau, Luckner – não desejavam uma vitória da França, e assim facilitavam as operações militares do inimigo de um modo deliberado. Os oficiais, na sua maioria nobres, estavam animados no espírito contrarrevolucionário. [...] Traídos pelos seus generais e oficiais, as tropas francesas recuaram diante dos austríacos, abrindo ao inimigo as vias de acesso ao coração da França. (Manfred, 1986, p. 137)

Em consequência disso, ocorreu um vigoroso movimento de reação contrário aos "desleais" à Revolução e um forte movimento de alistamento nas forças armadas alastrou-se pelo país, com vários batalhões de voluntários se organizando ao mesmo tempo. A população exigia que medidas fossem tomadas para proteção da pátria. Sem alternativa, a assembleia foi obrigada a convocar todos os homens capazes de pegar em armas e as autoridades municipais foram advertidas para que permanecessem em estado de alerta constante.

Essa organização, denominada **Comuna Insurrecional de Paris**, atuou, entretanto, em duas frentes. Por um lado, buscava eliminar os inimigos externos, jurando defender Paris da invasão; por outro, cobrava que fossem eliminados também os inimigos internos à revolução. À frente do movimento, Marat, Robespierre e Danton trabalhavam para que fossem corrigidos os desvios antirrevolucionários que acabaram prevalecendo na Constituição. Desse modo, e aos poucos, tiveram o apoio de toda a população de Paris, que cada vez mais clamava pela destituição do rei. Somado a isso, estava em circulação na cidade um manifesto das tropas invasoras, no qual o imperador e rei da Prússia anunciava que sua missão seria cessar a anarquia revolucionária e restabelecer o poder legal. Ele afirmava ainda que qualquer ofensa feita ao rei e/ou a sua família seria punida com execução militar. Esses elementos deram força à organização de uma nova onda revolucionária.

Assim, na madrugada de 10 de agosto, a população organizada invadiu o palácio com o intuito de depor o rei, que se refugiou na Assembleia, a qual também foi invadida. O rei foi levado preso e a Assembleia obrigada a convocar a Convenção Nacional, sendo os antigos ministros destituídos. Assim, uma nova fase da Revolução se iniciou.

O período de **1792 a 1794/1795** é entendido como a segunda fase da Revolução na França, também conhecida como *Convenção*.

Não podemos esquecer que uma parcela da população francesa que havia participado da Revolução não tinha visto uma boa parte de suas demandas atendidas ou mesmo discutidas durante a confecção da Constituição, portanto, via nessa segunda onda revolucionária a possibilidade de pautar suas reivindicações.

> Tratava-se de um bloco heterogêneo que compreendia a burguesia democrática média, a pequena burguesia, o campesinato e o operariado. Essas várias classes, apesar de possuírem aspirações e finalidades diferentes, estavam unidas por um objeto comum: defender as conquistas da Revolução e fazê-las progredir, lutando, para isso, contra o inimigo interno e contra os intervencionistas. (Manfred, 1986, p. 145)

Com relação aos inimigos externos, apesar da desigualdade entre os exércitos, os franceses, animados pela ideia de salvação da Revolução, conseguiram expulsar as tropas inimigas do território francês e, um dia após a vitória na batalha de Valmy, declararam-se *República*. Na nova Assembleia que tomou posse, entretanto, os problemas com a tentativa de invasão estavam longe de terminar, muito pelo contrário:

> No grande elã de entusiasmo nacional provocado pela vitória das armas revolucionárias e a proclamação da República, os jacobinos, procurando criar uma unidade nacional, estavam prontos a concluir um armistício com os girondinos. Os seus principais chefes, Robespierre, Danton e Marat, tinham consciência de que a rude guerra contra a Europa reacionária estava apenas começando, de modo que, sem a união de todas as forças populares, seria impossível uma vitória. (Manfred, 1986, p. 151)

Esse não era, entretanto, o desejo dos girondinos; ao contrário, eles apostavam na cisão interna para retomar a frente da revolução. Um ponto sensível do processo precisava ser resolvido: O que fazer com o rei e a rainha que estavam presos? Desde a prisão da família real, uma investigação acerca de sua lealdade havia sido montada, e em novembro de 1792 foram descobertas as cartas trocadas entre a família real francesa e a nobreza europeia nas quais se articulava o movimento contrarrevolucionário. Diante disso, boa parte da população francesa exigia o julgamento e a execução do rei e da rainha e, enquanto os jacobinos ecoavam essa demanda, os girondinos propunham saídas alternativas, numa tentativa de salvar a família real. Em dezembro, o rei foi levado a julgamento e assumiu como estratégia de defesa negar todos os crimes de que o acusavam; esse ato teve repercussões bastante significativas, mesmo porque Luís XVI reafirmava o direito divino de reinar e decidir os caminhos da nação. A não retratação do rei diante do tribunal frustrou, em certo sentido, os desejos jacobinos, que pretendiam ver um rei derrotado e humilhado. Assim, acabou-se apenas com um rei derrotado, mas que, longe da humilhação esperada, manteve-se digno diante da execução. Como era esperado, a execução do rei e da rainha teve repercussões profundas no tocante às forças reacionárias estrangeiras. Inglaterra e Espanha já haviam se posicionado com relação à possibilidade da execução da família real, deixando claro que não aceitariam tal fato sem revidá-lo. A França se viu novamente diante de ataques das forças estrangeiras.

É preciso considerar, ainda, que havia uma série de transformações levadas a cabo pela nova Constituição (1793) que alarmava ainda mais os países vizinhos. A nova Constituição permitia que todos os homens, maiores de idade, votassem; aprovava a venda de bens públicos (pertencentes anteriormente à família real), bem como a venda de bens dos nobres emigrados da França; estabeleceu um programa de reforma agrária, confiscando terras dos emigrados e da Igreja Católica; instituiu um piso mínimo e um teto máximo para os salários em solo francês e extinguiu a escravidão negra nas colônias francesas.

Internamente, constituiu o **Comitê de Salvação Pública**, o **Comitê de Segurança Pública**, encarregado de descobrir os suspeitos de traição, e o **Tribunal Revolucionário**, que julgava os opositores da Revolução e geralmente os condenavam à guilhotina.[8]

A situação econômica francesa era precária, atingida interna e externamente pela guerra revolucionária e também pela guerra contra as nações estrangeiras, passava por períodos de escassez de alimentos. Tentando resolver o problema, os jacobinos instalaram uma "economia de guerra", na qual havia racionamento e controle da circulação de mercadorias; como esperado, os especuladores começaram a lucrar com a crise, o que aumentou o descontentamento da população.

O Tribunal Revolucionário passou a ser uma espécie de mecanismo utilizado como forma de refrear qualquer posicionamento contrário aos radicais jacobinos. Várias pessoas foram acusadas e julgadas como simpatizantes dos girondinos e dos antirrevolucionários. Danton, o próprio chefe do Tribunal, foi processado por ele, julgado e executado quando começou a denunciar seus abusos. Robespierre assumiu o Tribunal e, a partir de sua ascensão, a França passou a viver seu período de terror.[9] Aristocratas que ainda estavam no país, membros do clero e a alta burguesia eram cotidianamente presos, julgados e executados, e até mesmo deputados jacobinos, contrários ao radicalismo de Robespierre, foram perseguidos. Temerosa dos poderes que Robespierre vinha acumulando, a Convenção se sentiu acuada, até que, em julho, após um discurso no qual disse que iria denunciar uma lista de deputados corruptos e desleais, Robespierre encontrou resistência da Convenção. Os convencionais impediram-no de discursar,

---

8   Nesse momento, os jacobinos tiveram o fundamental apoio dos **sans-culottes**. Os **sans-culottes** *eram indivíduos populares – normalmente desempregados e assalariados, a plebe urbana – que eram identificados pelo* ***frígio ou barrete vermelho que usavam sobre a cabeça.***

9   *De 11 de junho a 27 de julho de 1794, o Tribunal Revolucionário expediu 1.376 condenações, só em Paris.*

acusando-o de tirania, e o declararam fora da lei. No dia seguinte (9 Termidor), ainda que ferido por um tiro, ele e mais 22 seguidores foram julgados e condenados à imediata execução.

A revolução entrou, então, em uma nova etapa, conhecida como **Diretório** (1795-1799). Nessa fase, uma parcela da burguesia se aliou ao exército – que vinha se destacando por conta das vitórias alcançadas sobre as forças estrangeiras – e ascendeu ao poder, instituindo uma nova Constituição. O poder executivo passou para as mãos do Diretório (comissão formada por cinco diretores eleitos, com mandatos de cinco anos), o legislativo foi dividido em duas câmaras – o Conselho dos Quinhentos (deputados) e o Conselho dos Anciões (senadores) – e vários mecanismos constitucionais que garantiam a participação popular nas decisões do Estado foram suprimidos; o voto voltou a ser censitário e permitido apenas para os alfabetizados.

Seguiram-se aproximadamente quatro anos de um governo de constantes movimentações populares, entre elas a Conspiração dos Iguais, de 1796, liderada por Babeuf. Nesse movimento radical, foi proposta a abolição da propriedade privada e a comunidade de bens e trabalho. A revolta acabou sendo derrotada pelo Diretório, que decretou a pena de morte a todos os participantes da conspiração e o enforcamento de Babeuf.

Embora derrotado, o movimento serviu para alertar a burguesia acerca de sua fragilidade no poder e das ameaças internas e externas que ainda sofria. Buscando um governo conciliador, a burguesia voltou seus olhos para o exército, que há tempos vinha sendo considerado, pela maioria da população francesa, a única instituição confiável que restava.

Nesse período, um jovem general francês, Napoleão Bonaparte, vinha se destacando no cenário nacional graças a sua atuação brilhante. No início da Revolução, Napoleão era apenas um dos vários tenentes com que contava o exército francês, mas, há época do Diretório, e com 24 anos apenas, já era um general de brigada.

Em 1795, defendeu o Diretório de uma tentativa de golpe, e membros realistas iniciaram uma conspiração na tentativa de restabelecer uma monarquia. Eles pretendiam, ainda, executar todos os membros do Diretório, mas Napoleão exterminou o movimento e, como recompensa, recebeu o comando do exército que estava atuando na Itália. Em 1796, houve outra tentativa de golpe realista e novamente a intervenção napoleônica; no entanto, dessa vez por meio de um general enviado por ele para acabar com a rebelião, já que Napoleão estava na Áustria assinando acordos de paz.

Diante dos ataques frequentes, a burguesia temerosa se associou a Napoleão, buscando resolver o problema da instabilidade na França. Assim, em 9 de novembro de 1799 (18 Brumário), Napoleão Bonaparte chefiou, com o apoio da alta burguesia francesa, um golpe. Comandando tropas sediadas na capital francesa, dissolveu o legislativo e o Diretório e convocou um plebiscito para referendar a posição que passou a assumir. Com 3 milhões de votos, principalmente da alta burguesia e das classes médias urbanas – vale lembrar que somente os alfabetizados podiam votar –, tornou-se, então, cônsul da República, pondo fim ao conturbado período revolucionário que já durava dez anos.

Rapidamente dominou o cenário político interno e externo, acirrando ainda mais a política expansionista que a França vinha assumindo desde o fim do período do terror, e em 1804 foi consagrado **imperador** com o título de ***Napoleão Bonaparte-I***.

(1.3)
REVOLUÇÃO INDUSTRIAL: PARA ONDE ESTAMOS INDO?

Quanto menos comes, bebes, compras livros e vais ao teatro, pensas, amas, teorizas, cantas, sofres, praticas esporte, etc., mais economizas e mais cresce o teu capital. És menos, mas tens mais. Assim todas as paixões e atividades são tragadas pela cobiça.

(Karl Marx)

Se é inegável a influência da Revolução Francesa na contemporaneidade, o mesmo precisa ser dito acerca da Revolução Industrial. Uma série de objetos, costumes, atitudes e afins que compartilhamos cotidianamente são resultados do processo ativado por esse movimento revolucionário. Segundo Hobsbawm (1977, p. 20), "sem ela não podemos entender o vulcão impessoal da história sobre o qual nasceram os homens e acontecimentos mais importantes de nosso período e a complexidade desigual de seu ritmo".

Entretanto, ao contrário da Revolução Francesa[10], não há como se precisar, mesmo que simbolicamente, um início para a Revolução Industrial. No geral, tomamos como grande modelo o processo revolucionário pelo qual passou a produção inglesa para compreender como se deu essa revolução, mesmo porque esse processo teve singularidades e temporalidades diferenciadas, dependendo de sua localidade, mas, de maneira geral, foi vivenciado por todo o mundo. Nas palavras de Hobsbawm (1977, p. 20):

---
10 Referimo-nos aqui à tradição de marcar o início da Revolução Francesa com a queda da Bastilha em 14 de julho de 1789. Isso não significa, entretanto, que não se reconheça essa revolução como um processo que se desenvolveu ao longo do tempo.

Comecemos com a revolução industrial, isto é, com a Inglaterra. Este, à primeira vista, é um ponto de partida caprichoso, pois as repercussões desta revolução não se fizeram sentir de uma maneira óbvia e inconfundível – pelo menos fora da Inglaterra – até bem o final do nosso período; certamente não antes de 1830, provavelmente não antes de 1840 ou por essa época.

Mas, afinal, o que foi a Revolução Industrial? Resumidamente, podemos pensar que essa revolução alterou profundamente a forma de produção de bens – materiais e imateriais – nas sociedades, tendo como consequências mudanças efetivas nas configurações sociais que organizam os grupos humanos desde então.

De forma geral, podemos dizer que durante muito tempo o comércio orientou a economia das sociedades burguesas que estavam emergindo. Tomando o caso da Inglaterra, por exemplo, não podemos deixar de lembrar que esse país ocupava uma posição pioneira. Como grande exportador, mantinha entrepostos de comércio com as Américas, as Índias, a Europa Mediterrânica, a Europa do Báltico, entre outros, e todas as relações necessárias para a manutenção desse intenso comércio teve influência direta nas transformações que, aos poucos, a Inglaterra sofreria. É possível pensar, por exemplo, que o desenvolvimento do comércio triangular[11] e da marinha mercante

---

11 Forma como o comércio externo à Europa se organizou durante um longo período. No comério triangular, nações como Holanda, Inglaterra, França, Espanha e Portugal mandavam para as costas africanas navios com produtos (armas de fogo, rum, tecidos de algodão asiático, ferro, joias de pouco valor, entre outros artigos de menor valor comercial) para serem comercializados (trocados) por escravos. De lá, esses navios, lotados de escravos, partiam para as Américas. De fato, os escravos africanos eram o leitmotiv desse tipo de comércio, dada a importância econômica que tinham naquele momento. Nas Américas, os escravos eram vendidos (trocados) aos donos das minas e das plantações, e os navios voltavam para a Europa com "matérias-primas", que posteriormente seriam "industrializadas" e revendidas mais uma vez para as Américas.

foi fundamental na constituição das cidades portuárias londrinas. É importante frisar, também, que a necessidade de escoar os produtos até os portos pressionava constantemente o sistema de transporte inglês a se desenvolver mais e mais rápido. A abertura dos canais de navegação no interior da Inglaterra está ligada a esse contexto, pois esses canais influenciaram fortemente o desenvolvimento de uma indústria têxtil e do transporte de hulha, carvão e ferro.

Entretanto, se precisar uma data de início é algo muito complicado, não há como negar que os **cercamentos** podem ser pensados como o primeiro movimento no sentido de mudar as relações de produção que orientavam a Inglaterra no período. Esse conjunto de leis se iniciou ainda no século XVI, mas tomaram fôlego a partir do século XVIII. De forma simplificada, essas leis consistiam num processo de privatização de terras que usualmente seriam de uso coletivo. Desde a Idade Média, os senhores feudais deixavam uma parcela de suas terras para o uso comum, nas quais geralmente estavam uma reserva de caça, a fonte de água e de madeira e os lugares usados para armazenamento e beneficiamento da produção. Aos poucos o processo de cercamento foi retirando dos camponeses a possibilidade de utilizar essas terras, transformando-as em terras a serem arrendadas. Em longo prazo, esse processo acabou expulsando do campo uma parcela considerável da população, que, impedida de acessar os bens comuns – agora arrendados –, não conseguiu mais manter-se com a produção de suas pequenas propriedades. Disso resultou uma migração para as cidades, onde esses antigos camponeses buscavam melhores condições de vida.

Dessa forma, aos poucos, constituiu-se uma população urbana que mais tarde se transformaria na mão de obra necessária para o desenvolvimento das fábricas e das indústrias. Vale lembrar que tanto o arrendamento das terras como a saída dos camponeses delas alteraram a relação existente com a apropriação de bens e com o trabalho, ou seja, o trabalho assalariado passou a ser considerado, também, uma mercadoria a ser negociada no mercado. Obviamente que esse novo tipo de relação não se evidenciava a princípio, mas essa alteração foi fundamental para que as novas configurações nas relações de trabalho se desenvolvessem sem os entraves "tradicionais" que o período feudal carregava. Outro elemento a ser considerado nesse processo é a mecanização da produção no campo, também resultante da política dos cercamentos. Essa mudança aumentou o volume de produção no campo, sem, entretanto, aumentar a demanda de uso de mão de obra. Dessa forma, as cidades, que começavam a crescer, devido à migração dos camponeses, eram abastecidas pela produção dos campos, mas, paradoxalmente, esse aumento de produção expulsou o camponês de seu local de origem. Segundo Hobsbawm (1977, p. 21):

as condições adequadas estavam visivelmente presentes na Grã-Bretanha. [...] A solução britânica do problema agrário, singularmente revolucionária, já tinha sido encontrada na prática. Uma relativa quantidade de proprietários com espírito comercial já quase monopolizava a terra, que era cultivada por arrendatários empregando camponeses sem terra ou pequenos agricultores. [...] As atividades agrícolas já estavam predominantemente dirigidas para o mercado; as manufaturas de há muito tinham-se disseminado por um interior não feudal. A agricultura já estava preparada para levar a termo suas três funções fundamentais numa era de industrialização: aumentar a produção e a produtividade de modo a alimentar uma população não agrícola em rápido crescimento; fornecer um grande e crescente excedente de recrutas em potencial para as cidades e as indústrias; e fornecer um mecanismo para o acúmulo de capital a ser usado nos setores mais modernos da economia.

O intenso comércio inglês também constituía a tônica da procura cotidiana pela melhoria e pelo aumento da produção, já que, para que o comércio flua, a produção e a distribuição de mercadorias não podem encontrar entraves. Assim, desde cedo as manufaturas inglesas buscavam alternativas para melhoria da produção. Assim, se num primeiro momento essa produção ainda mantinha laços com o modelo produtivo anterior, ou seja, não se desenvolvia em larga escala, muitas vezes produzida por mercadores-fabricantes que ao mesmo tempo produziam e distribuíam seus produtos, essa configuração sofreria alterações perceptíveis na segunda metade do século, quando prevaleceu o sistema de fábricas. Para Hobsbawm (1977), as modificações necessárias para a grande produção não exigiram grandes esforços intelectuais em sua implementação, posto que uma boa parcela das técnicas que foram desenvolvidas nas fábricas já estava presente, muitas vezes incipientemente, na produção manufatureira que existia.

Felizmente poucos refinamentos intelectuais foram necessários para se fazer a revolução industrial. Suas invenções técnicas foram bastante modestas, e sob hipótese alguma estavam além dos limites de artesãos que trabalhavam em suas oficinas ou das capacidades construtivas de carpinteiros, moleiros e serralheiros: a lançadeira, o tear, a fiadeira automática. Nem mesmo sua máquina cientificamente mais sofisticada, a máquina a vapor rotativa de James Watt (1784), necessitava de mais conhecimentos de física do que os disponíveis então há quase um século – a teoria adequada das máquinas a vapor só foi desenvolvida ex post facto pelo francês Carnot na década de 1820 – e podia contar com várias gerações de utilização, prática de máquinas a vapor, principalmente nas minas. (Hobsbawm, 1977, p. 22)

Foram, portanto, as relações sociais, econômicas, culturais e de poder que viabilizaram a aceleração do processo de industrialização primeiramente na Inglaterra. Ainda segundo Hobsbawm (1977), muito mais que as inovações tecnológicas aplicadas à produção, foram as inovações sociais as que favoreceram às modificações.

> *Um considerável volume de capital social elevado – o caro equipamento geral necessário para toda a economia progredir suavemente – já estava sendo criado, principalmente na construção de uma frota mercante e de facilidades portuárias e na melhoria das estradas e vias navegáveis. A política já estava engatada ao lucro. [...]. No geral, todavia, o dinheiro não só falava como governava. Tudo que os industriais precisavam para serem aceitos entre os governantes da sociedade era bastante dinheiro.*
>
> (Hobsbawm, 1977, p. 22)

Somava-se a isso o fato de que, desde o século XVII, o absolutismo havia sido eliminado da Inglaterra; assim, a parcela política mais conservadora, geralmente ligada à monarquia, já não tinha mais tanta influência no comando do país; no seu lugar, a burguesia, mais aberta às transformações, ascendeu ao poder.

Com isso, é claro que não queremos deixar de lado a importância das inovações técnicas e tecnológicas na modificação da produção, mas tornar claro que não foram somente elas os motores dessa transformação. Desde meados do século XVIII, a mecanização da produção vinha aumentando, o que pôde ser sentido, primeiramente, no setor têxtil: em 1733, John Kay inventou a lançadeira mecânica volante, que aumentou a rapidez na fiação; no mesmo ano, John Wyatt e Lewis Paul inventaram a primeira máquina de fiar; em 1765, James Hargreaves criou a *spining-jenny* (uma máquina de fiar com oito fusos); em 1768, Arkwright inventou o tear hidráulico (movido à água ou à tração animal), por meio do qual os fios se tornaram mais resistentes; já em 1779, Crompton aliou a qualidade do fio conseguido por Arkwright à produtividade em sua nova máquina; e, em 1785, o reverendo Cartwrigth adaptou a máquina a vapor ao tear, aumentando significativamente a produção. Na esteira da produção das máquinas a vapor, entre 1804 a 1823, vários modelos de locomotivas a vapor foram criados, dentre as quais a de George Stephenson (1814) foi a mais eficaz. Antes disso, entretanto, surgiu o primeiro barco a vapor (nos Estados Unidos), criado por Robert Fulton (muito embora James Rumsey e John Ficht já tivessem idealizado um protótipo).

Mas não foi somente no setor têxtil que as inovações aconteceram. Segundo Beaud (1987, p. 106-107):

> *os Darby, mestres de forja em Coalbrookdale, melhoram a produção de ferro fundido com misturas de coque, de turfa e de pó de carvão, utilizando um potente fole de forja; e, nas minas, servem-se, para evacuar a água, de bombas atmosféricas a vapor [...]. Em 1735, os Darby realizam a fundição do ferro com coque, que será generalizada na Inglaterra por volta de 1760. Em 1749, Huntsmann, relojoeiro da região de Sheffield, fabrica aço fundido, mas em pequenas quantidades. De 1730 a 1760, a utilização do ferro aumenta em 507% (ferramentas e instrumentos para a agricultura e para a transformação, notadamente). [...] A produção do ferro progride: fabricam-se em 1776 os primeiros trilhos de ferro (cujo emprego vai se generalizar nas minas); em 1779, a primeira ponte de ferro; em 1787, apesar das zombadas dos incrédulos, o primeiro navio de ferro. A pudlagem do ferro, mediante descarburação do ferro fundido, é aperfeiçoada em 1783 por Henry Cort, mestre de forja, e Peter Onions, contramestre.*

Com isso tudo, não é preciso dizer que foram as relações sociais que mais sentiram o peso dessas mudanças. Como já apontamos anteriormente, uma parcela da população que antes estava ligada à terra e à produção agrícola foi forçada a migrar para as cidades em busca de melhores condições de vida, formando, assim, o novo grupo de trabalhadores que foi ocupado nas fábricas. Já salientamos, também, que as fábricas alteraram a forma de produção manufatureira; não que a produção artesanal já não mostrasse significantes modificações, mas esse processo acontecia de forma mais lenta e menos drástica e, de certa forma, conseguia manter minimamente a autonomia do trabalhador diante do sistema de produção. Com a introdução das fábricas e das inovações tecnológicas, esse processo sofreu rápidas mudanças. A fábrica tornou possível um maior controle, por parte do empregador, do trabalho desempenhado por seu empregado, do qual foram exigidas cada vez mais eficiência, rapidez e qualidade na produção. A mecanização do trabalho estabeleceu uma maior especialização das tarefas, fazendo com que os trabalhadores fossem cada vez mais distanciados do controle do sistema de produção; além disso, o agrupamento de todos os trabalhadores em um único lugar e sob a supervisão de alguém "externo" ao processo (gerente/contramestre) determinou o ritmo da produção.

Segundo Engels (1986), o surgimento dessas indústrias alterou as relações sociais que organizavam a Inglaterra nesse período.

Ao adquirir importância, a grande indústria transformou os utensílios em máquinas, as oficinas em fábrica e, desse modo, a classe trabalhadora média em proletário operário, e, os negociantes de outrora em industriais; [...] aos mestres e companheiros de outrora sucedera os grandes capitalistas e operários sem perspectiva de se elevarem acima da sua classe; o artesanato industrializou-se, a divisão do trabalho operou-se com rigor, e os pequenos artesãos que não podiam concorrer com os grandes estabelecimentos foram atirados para as fileiras da classe proletária. (Engels, 1986, p. 26)

No início desse processo, não havia uma unidade entre os indivíduos que compunham os operários empregados nas fábricas – foram os camponeses expulsos do campo, os soldados licenciados, os moradores da cidade sem profissão definida, enfim, todos os que precisassem de um trabalho. Portanto, cabia ao empregador o treinamento dessas pessoas para que pudessem operar e funcionar tão bem quanto as máquinas que passaram a ser utilizadas na produção. Se as oficinas de ofícios, lugares onde anteriormente eram produzidos os bens que circulavam na sociedade, tinham uma dinâmica específica na qual, muitas vezes, o trabalho era organizado no ritmo da "inspiração" de seu mestre, a fábrica não pôde, de forma alguma, conviver com essa instabilidade. Ela necessitava de operários que fossem disciplinados, eficientes e produtivos:

No interior da fábrica, cada um tem seu lugar marcado, a tarefa estreitamente delimitada e sempre a mesma; todos devem trabalhar regularmente e sem parar, sob o olhar do contramestre que o força à obediência mediante a ameaça da multa ou da demissão, por vezes até mesmo mediante uma coação mais brutal. (Beaud, 1987, p. 108)

Portanto, segundo Beaud (1987), o cenário inglês era o mais apropriado para o início do processo de industrialização:

Assim se inicia na Inglaterra a transformação capitalista da produção, da qual um aspecto será enfatizado sob o nome de "revolução industrial": a dominação colonial, o comércio mundial, o capitalismo mercantil ocasionam, com o desenvolvimento das trocas, o crescimento do fornecimento de produtos básicos (chá, açúcar, algodão) e o crescimento de mercados (têxteis, produtos manufaturados); as enclosures e a primeira modernização da agricultura fornecem um proletariado desenraizado e disponível; o espírito científico e técnico aplicado à produção suscita um seguimento de invenções que fazem uma bola de neve; capitais disponíveis, originários especialmente do comércio e da agricultura, permitem a construção de fábricas.

A produção vai crescer potentemente, o assalariado se expandir e as lutas operárias se multiplicarem e se organizarem. (Beaud, 1987, p. 107-108)

Cabe lembrar que essas transformações não acompanharam mudanças imediatas na estrutura jurídica vigente, pelo menos no que tange à regulamentação das relações de trabalho. Isso significa que, embora a organização da produção estivesse sendo alterada em um ritmo acelerado, isso não foi acompanhado por um aparato jurídico que garantisse qualquer segurança aos trabalhadores ou mesmo orientasse sobre quais parâmetros essas relações deveriam se desenvolver, ficando, então, ao encargo do empregador definir como se dariam tais relações. Isso tudo ocorria em um Estado que se constituía sob os moldes de um liberalismo econômico e político, assim, marcadamente não intervencionista no tocante às relações que se estabeleciam no mercado. Todavia, isso não pode ser dito quando o objeto de sua atuação era a contenção de movimentos que tentassem, de alguma maneira, organizar os trabalhadores. Nessa seara, segundo Beaud (1987, p. 108, grifo do original), a presença do Estado pode ser claramente notada:

> com a polícia dos pobres e a repressão das revoltas operárias: lei de 1769 qualificando de felony[12] a destruição voluntária de máquinas e dos prédios que as contêm, e instituindo a pena de morte aos culpados; tropa enviada contra o motim, como em 1779 em Lancaster e em 1796 em Yorkshire; lei de 1799 proibindo as coalizões operárias a fim de obter aumento de

---

12 **Felony** – *crime*.

salários, a redução da duração do trabalho ou qualquer outra melhoria do emprego ou do trabalho.

Assim, a classe trabalhadora estava exposta e disponível à total exploração dos capitalistas, que não encontravam no Estado nenhum tipo de restrição ou orientação legal para efetivação das relações trabalhistas. Jornadas de trabalho intensas, baixos salários, utilização de mão de obra infantil, entre outras coisas, faziam parte do cotidiano dos trabalhadores. As condições de salubridade nas fábricas eram as piores possíveis, como também eram insalubres as residências que os trabalhadores ocupavam.

Engels dedicou todo um livro à denúncia das condições de vida a que estavam expostos esses trabalhadores. Para tanto, apresentou relatos de comissários de investigação, pastores, padres e missionários que descreveram minuciosamente as condições a que estavam submetidos. Num desses relatos, um comissário apresentou o seguinte:

*Vi aqui e no continente a miséria em alguns dos seus piores aspectos, mas antes de ter visitado os **wynds** de Glasgow não acreditava que tantos crimes, miséria e doenças pudessem existir em qualquer país civilizado. Nos albergues de categoria inferior dormem, no mesmo chão, dez, doze e por vezes vinte pessoas dos dois sexos e de todas as idades, numa nudez mais ou menos total. Estes alojamentos estão normalmente (**generally**) tão sujos, úmidos e arruinados que ninguém se alojaria, neles, o seu cavalo.*
(Engels, 1986, p. 49, grifo do original)

Parte dessas condições está ligada ao pensamento econômico que orienta as práticas sociais em que o liberalismo econômico está no cerne desse processo revolucionário. Senão, vejamos: durante muito tempo, a ideia que organizava as relações econômicas – internas e externas aos Estados – esteve ligada ao mercantilismo e ao acúmulo de metais preciosos. Resumidamente, acreditava-se que a riqueza de um Estado estava ligada à capacidade de acumular, em seus cofres, metais preciosos advindos das "trocas" estabelecidas e, por isso mesmo, o Estado era um elemento importante na gestão econômica. Vale lembrar que muitas vezes o Estado detinha o direito de comércio de alguns bens, intervinha diretamente na determinação de parceiros econômicos externos (proibindo ou liberando o comércio entre eles), controlava estoques, preços, entre outras coisas. Entretanto, essa forma de pensar e gerir a economia foi se modificando; aos poucos os economistas perceberam que a produção era a grande geradora de riquezas, e não apenas o comércio. Além disso, essa mudança de perspectiva deu origem ao liberalismo econômico. De maneira resumida, é possível afirmar que o liberalismo propõe o fim da intervenção do Estado na economia, a diminuição de medidas protecionistas, a livre concorrência, a abertura do comércio entre as nações sem os entraves ligados aos Estados absolutistas, entre outras coisas.

Adam Smith é, talvez, o mais conhecido dos autores do liberalismo econômico. Posicionando-se claramente contrário à intervenção de instituições externas no mercado – principalmente as corporações de ofício, que, à época, ditavam normas para a produção dos bens –, o autor defendeu que, ao contrário do que era habitual, o Estado não deveria intervir nas relações que aconteciam no mercado, pois contava com suas próprias leis regulatórias, ou com uma "mão invisível" que o autorregulava. Para ele, a lei da oferta e da procura era suficiente para que a dinâmica dos mercados encontrasse seu próprio equilíbrio; outro elemento fundamental era a livre concorrência e a competição entre os produtores.

Smith acreditava que bastava deixar que essas forças internas ao próprio mercado agissem livremente para que a economia funcionasse perfeitamente. Afirmava também que o individualismo era muito importante para o desenvolvimento da sociedade; segundo ele, os indivíduos, ao perseguirem seus objetivos, criavam uma espécie de "propulsor" do desenvolvimento de toda a sociedade. Assim, um operário que buscasse o melhor para si se esforçaria em manter seu emprego (que garantiria seu salário) e, com esse gesto, conseguiria alcançar seu objetivo, mas também o de seu empregador, já que o trabalho benfeito tem como resultado um bom produto. Por outro lado, o empregador precisa concorrer no mercado, por isso não pode deixar de levar em conta o preço que será aplicado ao seu produto, mas também não poderá elevá-lo exageradamente. Segundo o autor, esse cenário beneficiaria o operário, que encontraria no mercado bons produtos a preços acessíveis; enfim, todos procurariam o lucro e isso levaria a uma "sinergia" desenvolvedora.

Thomas Malthus, outro autor do período, também bastante conhecido, teve uma leitura de mundo diferente. Para ele, o crescimento da população era mais rápido do que a capacidade de produção e dos recursos naturais da sociedade, e por isso mesmo a Inglaterra vivia, naquele momento, o descompasso entre esses dois elementos: o crescimento populacional era muito maior – principalmente entre os mais pobres – do que a capacidade do Estado de produzir riquezas.

Com base nesse princípio, Malthus posicionava-se contrário à intervenção do Estado na economia, principalmente no tocante a leis que protegessem os mais "pobres", já que esse tipo de intervenção só tornaria a situação cada vez mais incontornável. Para ele, bastaria que os salários cobrissem as despesas essenciais dos trabalhadores, nada além disso, o que faria com que a sua propensão à reprodução dos mais pobres fosse controlada, beneficiando a todos.

David Ricardo, outro teórico da economia no período, propôs que se desse um maior incentivo à produção industrial, já que ela seria a verdadeira geradora de riquezas. Ricardo afirmava que os produtores agrícolas tinham, em certa medida, já garantida a sua renda, senão, vejamos: o crescimento populacional gerava uma maior demanda por alimentos, isso fazia com que os produtores tivessem de aumentar a produção e, para tanto, teriam de acrescentar áreas a serem cultivadas. Essas novas áreas deveriam ser preparadas para o cultivo, o que geraria custos que seriam repassados para os produtos. Do outro lado, o industrial, verdadeiro produtor das riquezas para a nação, perderia nesse processo, visto que o aumento dos preços dos alimentos pressionaria o valor do salário de seus empregados. Esses empregados, tentando aumentar sua renda, tenderiam a ter mais filhos, o que faria crescer a população, que, por sua vez, pressionaria o aumento da produção agrícola, gerando uma espécie de círculo vicioso incontornável. Tentando solucionar o problema, Ricardo afirmava que deveria ser pago ao trabalhador apenas o mínimo necessário para sua subsistência, pautado no preço dos alimentos.

Pelo que expomos brevemente, não é difícil perceber que a situação da classe trabalhadora não era muito confortável: embora necessária para o aumento da produção industrial, nem por isso sua existência era vista com bons olhos pela maioria dos capitalistas no período. Principalmente porque, ao mesmo tempo que surgiram as doutrinas liberais (liberalismos econômico e político), foram também produzidas propostas de cunho socialista voltadas aos interesses das classes trabalhadoras.

Há algum tempo pensadores do período vêm discutindo a situação das classes trabalhadoras diante do processo da Revolução Industrial e apontando que elas necessitavam de mecanismos que as protegessem minimamente naquele cenário. Alguns movimentos de resistência acabaram aparecendo, na maioria das vezes, de forma não muito organizada. Foi o caso, por exemplo, do movimento **ludista**. Resumidamente, os ludistas culpabilizavam a entrada das máquinas no sistema produtivo pela situação em que se encontravam. Para eles, seriam as máquinas as responsáveis pelas alterações sentidas no sistema produtivo, uma vez que elas causaram o desemprego e o barateamento do custo da mão de obra. Assim, a solução seria a destruição das máquinas nas indústrias, razão por que se organizavam para invadir fábricas e destruir todo o maquinário existente. Rapidamente, o governo inglês se mobilizou no sentido de impedir que esse tipo de ação continuasse; o movimento foi disperso e alguns líderes foram presos, julgados e condenados à pena de morte.

Outro movimento desse período foi o **cartista**, que recebeu esse nome porque as reinvindicações ligadas ao operariado eram apresentadas em cartas distribuídas e enviadas às autoridades: cartas, petições e abaixo-assinados nos quais se exigiam reformas urgentes tanto no tocante às condições de trabalho da população quanto à possibilidade de representação desses trabalhadores diante do Estado. A mais famosa dessas cartas é a *People's Charter* (**Carta do Povo**, 1837), na qual exigiam coisas como: sufrágio universal, voto secreto, elegibilidade dos não proprietários, renovação anual do Parlamento, subsídio para os parlamentares, entre outras coisas – pontos inaceitáveis para a maior parte do Parlamento inglês, composto principalmente de aristocratas e burgueses. Não podemos esquecer que, muito embora as relações feudais já tivessem sido superadas, o patronato inglês ainda denominava seus empregados de *"servants"* (servos), portanto não os reconheciam como cidadãos de igual estatuto jurídico. Por isso mesmo, as comissões de arbitragem – criadas por lei, na tentativa de possibilitar negociações entre as partes – eram claramente sabotadas pelos patrões, que não aceitavam se sentar à mesa para negociar com "servos".

A composição da Carta do Povo resultou de um processo que mobilizou os trabalhadores em toda a Inglaterra, recebendo mais de um milhão de assinaturas. O Parlamento se recusou a discutir as demandas e movimentos de resistência foram desencadeados em todo o país; como resultado, houve novas prisões, novos julgamentos e muitas execuções. Ainda assim, o movimento não foi desarticulado e, por volta de 1848, uma segunda petição com propostas menos radicais foi enviada ao Parlamento. Nela – que contava com quase 3,5 milhões de assinaturas – os trabalhadores exigiam aumento de salário e redução da jornada de trabalho, tendo novamente resultados inócuos. Essas experiências fracassadas levaram a classe trabalhadora para posições mais radicais, uma vez que a percepção era de que os meios convencionais/formais de reinvindicação não estavam abertos à sua participação. Começaram então a surgir propostas que, para além das questões ligadas ao trabalho, levantaram importantes pontos com relação à própria organização do Estado.

Aos poucos, o movimento deu origem às **trade unions**, nas quais os trabalhadores reunidos discutiam problemas referentes à sua situação na sociedade. Elas foram responsáveis por inúmeras greves que ocorreram no período. Dessas **trades** surgiram, mais tarde, os sindicatos (segunda metade do século XIX). Agora de forma mais organizada e politizada, as ações passaram a fazer parte de uma agenda que, em muitos casos, tinha como proposta a reformulação do Estado como um todo e não só das condições de trabalho. Várias teorias sociais passaram, então, a pautar a ação desse operariado reunido e organizado.

Entre tais teorias está o **socialismo utópico**, corrente teórica que se originou no pensamento de Robert Owen, Saint Simon, Charles Fourier, entre outros. O nome da teoria se baseia na obra de Thomas More, *Utopia*, pois tem como objetivo a construção de uma sociedade ideal na qual o final da desigualdade seria alcançado por meios pacíficos e boas práticas. Para eles, o socialismo era o destino da sociedade e seria conquistado de forma lenta e gradual, sem a necessidade de ações mais radicais por parte dos trabalhadores. Em uma tentativa de demonstrar na prática o que propunha, Robert Owen aplicou em algumas de suas fábricas os princípios por eles pregados, aumentando os salários, diminuindo a carga de trabalho, providenciando moradias para seus trabalhadores, entre outras coisas. Entretanto, como essa experiência não teve muito sucesso, Owen terminou desacreditado e com problemas financeiros.

Outra corrente teórica que buscou resolver os problemas enfrentados pelos trabalhadores na Inglaterra e fora dela foi o **anarquismo**. Para os anarquistas, as sociedades deveriam se organizar pelo agrupamento de indivíduos em cooperação, livres e autônomos. Para eles, a auto-organização garantiria a coesão da sociedade e, por isso mesmo, todas as instituições tradicionais seriam abolidas, visto serem desnecessárias. Pautados na ideia de que os indivíduos têm uma série de direitos naturais, os anarquistas afirmavam que a autonomia deles deveria prevalecer sobre a coletividade, por isso acreditavam na autorrepresentação e na ação direta dos indivíduos. Eles apontavam claramente os preconceitos sociais, os quais diziam ser responsáveis pela incapacidade de reflexão e de crítica que acompanhava as sociedades; criticavam as instituições tradicionais, como família, monogamia, princípios religiosos, entre outras coisas; propunham a educação como forma de emancipar os indivíduos e apostavam fortemente nela como transformadora das sociedades; acreditavam ainda na constituição de uma sociedade global, não mais cerceada pelos Estados e suas fronteiras, mas na qual todas as pessoas pudessem circular livremente. Entre seus teóricos, encontram-se Godwin, Proudhon, Bakunin, Kropotkin, entre outros.

O **socialismo científico**[13] constitui-se outra corrente teórica criada no período e pautou-se em um referencial reflexivo baseado na história, na filosofia e na economia. Karl Marx e Friedrich Engels (criadores) fizeram oposição às propostas dos socialistas utópicos e também aos anarquistas. Esses pensadores estavam preocupados em entender o funcionamento do sistema capitalista e acreditavam que as contradições presentes no próprio sistema apresentariam a possibilidade de superação. Para eles, a forma como a produção se organizava no sistema capitalista – pautada na propriedade privada e na expropriação dos trabalhadores dos meios de subsistência – tinha levado as desigualdades a um patamar insuportável para a classe trabalhadora, razão por que mudanças urgentes eram necessárias. Assim, caberia ao proletariado, classe revolucionária em sua condição, alavancar esse processo de transformação que levaria as sociedades capitalistas ao comunismo – momento em que não haveria mais classes sociais, propriedade privada nem mesmo o Estado. Entretanto, antes do comunismo as sociedades passariam pela fase de transição – o socialismo –, na qual o Estado e os meios de produção seriam diri-

---

13 Vale ressaltar que a denominação dos "socialismos" dada no período está ligada a uma crítica dos socialistas científicos aos marcos teóricos e metodologia apresentados pelos socialistas utópicos.
Para os socialistas científicos, os utópicos tinham como característica certa passividade ligada à ideia de que era possível, pouco a pouco, que os capitalistas exploradores das classes trabalhadoras pudessem desenvolver uma "consciência moral", assim colocando em prática as reformas sociais necessárias para a transformação da sociedade, recebendo, por isso, o nome de **utópicos** – como uma fantasia que nunca será realizada. Segundo Marx, os socialistas utópicos não chegavam a discutir as origens das desigualdades sociais, apostando em reformas no próprio sistema capitalista como forma de solução dos problemas sociais enfrentados no momento, razão pela qual os acusou de serem "burgueses". Para os socialistas científicos, era preciso atacar a base da organização da sociedade capitalista, ou seja, a propriedade privada. Assim, acreditar que os capitalistas seriam capazes de fazer as mudanças necessárias era apostar na "utopia".

gidos pelo proletariado, que, cumprindo seu papel revolucionário, encaminharia as sociedades para o momento posterior em que as desigualdades seriam todas superadas.

Em suas análises, Marx e Engels apontavam a Inglaterra, por sua condição econômica, social e política, como o cenário possível em que esse movimento revolucionário deveria se desenvolver. No entanto, isso não aconteceu: a Inglaterra continuou como o modelo do desenvolvimento do capitalismo e, paulatinamente, as demandas das classes trabalhadoras acabaram encontrando acolhida na estrutura de poder existente.

Os dois processos revolucionários que discutimos marcam de forma inexorável as dinâmicas que organizaram a sociedade a partir de então.

Não há como deixar de perceber que as transformações ocorridas tanto no modo de produção quanto na ordenação social romperam com pressupostos constitutivos das relações sociais, forçando a novos arranjos e a novas correlações de forças. Em muitas medidas, a forma como a sociedade hoje se organiza é herança do que se desenvolveu nesses dois processos. Ideias, conceitos, posturas que antes não encontravam eco passaram a práticas e hoje são entendidos como essenciais.

Parece difícil acreditar ser possível viver na atualidade sem todos os dispositivos materiais desenvolvidos durante a Revolução Industrial, bem como sem os conceitos relativos aos direitos sociais gestados pela Revolução Francesa. Compreender essas transformações em todas as suas dimensões passa a ser, em certa medida, o propósito de várias áreas de conhecimento, as quais, muitas vezes, acabam surgindo como resultado do próprio processo que buscam compreender. Olhar para esses processos, então, é olhar para nossa sociedade, que ainda tenta compreender para onde estamos indo.

Samara Feitosa

Síntese

Observe o diagrama a seguir que sintetiza tudo o que vimos neste capítulo.

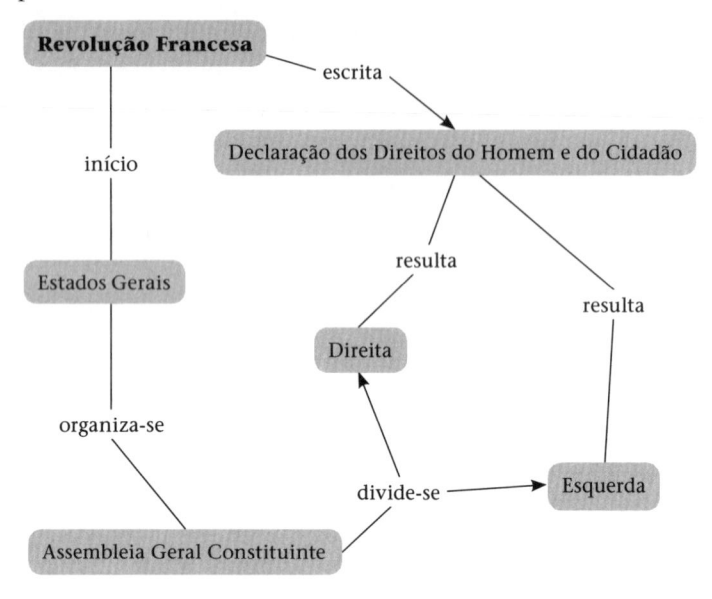

```
Revolução Francesa
    |           \ escrita
    | início     \
    |             Declaração dos Direitos do Homem e do Cidadão
    |                          /           \
Estados Gerais          resulta             resulta
    |                     /                    \
    |                  Direita                   \
    | organiza-se         ↑                       \
    |                     |                        \
    |              divide-se ──→ Esquerda
Assembleia Geral Constituinte
```

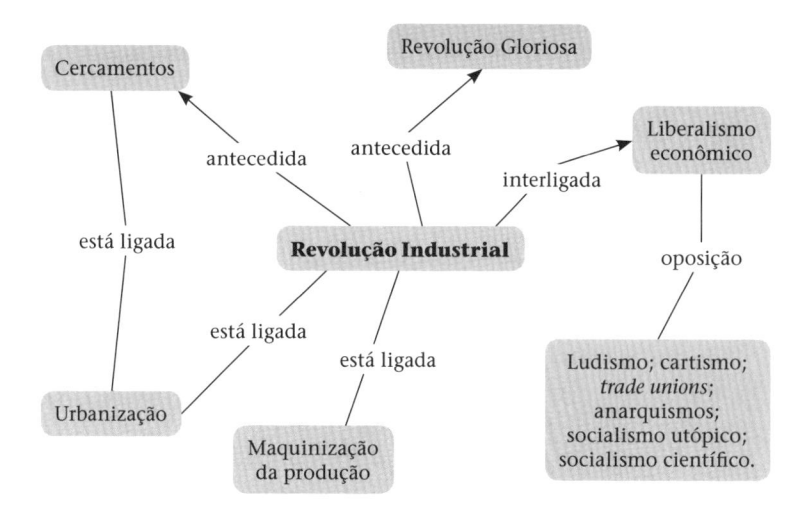

```
Cercamentos          Revolução Gloriosa
        ↖           ↗                    Liberalismo
         antecedida  antecedida  →       econômico
                          interligada
está ligada    Revolução Industrial       oposição
        está ligada
                    está ligada    Ludismo; cartismo;
Urbanização                        trade unions;
                                   anarquismos;
                  Maquinização     socialismo utópico;
                  da produção      socialismo científico.
```

Indicações culturais

MARIA Antonieta. Direção: Sofia Coppola. EUA: Columbia Pictures Corporation, 2006. 118 min.

TEMPOS modernos. Direção: Charles Chaplin. EUA: Charles Chaplin, 1936. 87 min.

Atividades de autovaliação

1. "Os representantes do povo francês, reunidos em Assembleia Nacional, tendo em vista que a ignorância, o esquecimento ou o desprezo dos direitos do homem são as únicas causas dos males públicos e da corrupção dos Governos, resolveram declarar solenemente os direitos naturais, inalienáveis e sagrados do homem, a fim de que esta declaração, sempre presente em todos os membros do corpo social, lhes lembre permanentemente seus direitos e seus deveres; a fim de que os atos do Poder Legislativo e do Poder Executivo, podendo ser a qualquer momento

Samara Feitosa

comparados com a finalidade de toda a instituição política, sejam por isso mais respeitados; a fim de que as reivindicações dos cidadãos, doravante fundadas em princípios simples e incontestáveis, se dirijam sempre à conservação da Constituição e à felicidade geral" (preâmbulo da Declaração dos Direitos do Homem e do Cidadão – França, 26 de agosto de 1789)

A respeito da Revolução Francesa, pode-se afirmar que, entre seus feitos mais reconhecidos, estão:

i) A junção entre o alto clero e as forças armadas para a manutenção do *status quo* e da monarquia absolutista.

ii) A criação de leis e de garantias constitucionais com o objetivo de implementar na França uma situação de igualdade de direitos.

iii) A Queda da Bastilha (principal prisão política da monarquia francesa), em 14 de julho de 1789.

iv) O apoio de Napoleão Bonaparte ao governo absolutista.

Assinale a alternativa que apresenta a resposta correta:

a) As afirmações I e II estão corretas.
b) Somente a afirmação III está correta.
c) As afirmações II e III estão corretas.
d) Nenhuma das afirmações está correta.

2. A situação econômica da França pré-revolução apresentava sérias dificuldades. Na agricultura, problemas climáticos interferiam profundamente na produtividade, a indústria enfrentava a concorrência da Inglaterra (muito mais avançada no período), ao mesmo tempo que lidava com entraves burocráticos da administração absolutista. A participação no

processo de independência americano aumentara ainda mais suas dívidas. Buscando uma solução, Luís XVI decidiu passar a cobrar tributos (ainda que apenas uma pequena parte) da nobreza e do alto clero. Tal decisão causou a fúria entre nobres e clero, tornando a situação ainda mais tensa.

A faut esperer q'eu se jeu la finira bentot. 1789. 1 gravura, p&b. Library of Congress Prints and Photographs Division Washington, D.C. 20540 USA.

Tomando como base a afirmação e a charge apresentadas acerca da composição da população francesa no período pré-revolucionário, é possível afirmar:

a) A imensa maioria das pessoas se encontrava empregada ou tinha rendimentos suficientes para manter-se sem grandes preocupações.

b) A nobreza detinha, sozinha, todos os privilégios econômicos, políticos e sociais.

Samara Feitosa

c) A nobreza e o alto clero estavam isentos da maior parte das taxas e recebiam a maior parte dos benefícios do Estado.

d) A burguesia detinha, sozinha, todos os privilégios econômicos, políticos e sociais.

3. A respeito da Revolução Industrial na Inglaterra, é possível afirmar:

   a) Melhorou sensivelmente as condições de trabalho nas fábricas, assegurando direitos e garantias para os trabalhadores.

   b) Trouxe uma melhora significativa para as cidades, principalmente as relativas à segurança e ao saneamento básico.

   c) Possibilitou a garantia de postos de trabalho assalariado para todos.

   d) Fez emergir uma classe de trabalhadores assalariados que tinha como única fonte de subsistência a venda de seu trabalho.

4. O processo de industrialização na Inglaterra (século XIX) está diretamente relacionado com:

   i) o surgimento de uma ideologia liberal.

   ii) o fortalecimento e a monopolização da produção por meio das corporações de ofício.

   iii) a extinção do processo de cercamento e a devolução de terras aos antigos proprietários.

   iv) o êxodo de mão de obra do campo para as cidades.

   Assinale a alternativa que apresenta a resposta correta:

   a) As afirmações I e IV estão corretas.
   b) As afirmações I e II estão corretas.
   c) As afirmações III e IV estão corretas.
   d) Todas as afirmações estão corretas.

5. Marque com V as afirmativas verdadeiras e com F as afirmativas falsas:

( ) Chamamos de *Revolução Industrial* o processo de transformações econômicas, sociais, políticas e tecnológicas que ocorreram entre os séculos XV e XVIII.

( ) A Revolução Industrial se deu inicialmente na Inglaterra, visto que agregava em seu território as condições materiais e subjetivas necessárias para o desenvolvimento desse processo revolucionário.

( ) A monarquia absolutista inglesa apostou pesadamente no desenvolvimento das indústrias na Inglaterra, por isso o pioneirismo inglês.

( ) Apesar do avanço ocasionado pela Revolução Industrial, a Inglaterra não conheceu, no período, grandes modificações no que tange às relações de trabalho.

Atividades de aprendizagem

Questões para reflexão

1. A charge a seguir pode ser pensada como uma das consequências das transformações advindas da Revolução Industrial. Pensando nisso, reflita sobre essas transformações e suas consequências para a vida dos trabalhadores e, depois, anote suas ideias no papel.

Samara Feitosa

2. "Os representantes do povo francês, reunidos em Assembleia Nacional, tendo em vista que a ignorância, o esquecimento ou o desprezo dos direitos do homem são as únicas causas dos males públicos e da corrupção dos Governos, resolveram declarar solenemente os direitos naturais, inalienáveis e sagrados do homem, a fim de que esta declaração, sempre presente em todos os membros do corpo social, lhes lembre permanentemente seus direitos e seus deveres; a fim de que os atos do Poder Legislativo e do Poder Executivo, podendo ser a qualquer momento comparados com a finalidade de toda a instituição política, sejam por isso mais respeitados; a fim de que as reivindicações dos cidadãos, doravante fundadas em princípios simples e incontestáveis, se dirijam sempre à conservação da Constituição e à felicidade geral" (Declaração..., 1978).

Em razão disto, a Assembleia Nacional reconheceu e declarou, na presença e sob a égide do Ser Supremo, os seguintes direitos do homem e do cidadão:

Art.1º. Os homens nascem e são livres e iguais em direitos. As distinções sociais só podem fundamentar-se na utilidade comum.
Art. 2º. A finalidade de toda associação política é a conservação dos direitos naturais e imprescritíveis do homem. Esses direitos são a liberdade, a propriedade a segurança e a resistência à opressão.
Art. 3º. O princípio de toda a soberania reside, essencialmente, na nação. Nenhuma operação, nenhum indivíduo pode exercer autoridade que dela não emane expressamente.
Art. 4º. A liberdade consiste em poder fazer tudo que não prejudique o próximo. Assim, o exercício dos direitos naturais de cada homem não tem por limites senão aqueles que asseguram aos outros membros da

sociedade o gozo dos mesmos direitos. Estes limites apenas podem ser determinados pela lei.

Art. 5º. *A lei não proíbe senão as ações nocivas à sociedade. Tudo que não é vedado pela lei não pode ser obstado e ninguém pode ser constrangido a fazer o que ela não ordene.*

Art. 6º. *A lei é a expressão da vontade geral. Todos os cidadãos têm o direito de concorrer, pessoalmente ou através de mandatários, para a sua formação. Ela deve ser a mesma para todos, seja para proteger, seja para punir. Todos os cidadãos são iguais a seus olhos e igualmente admissíveis a todas as dignidades, lugares e empregos públicos, segundo a sua capacidade e sem outra distinção que não seja a das suas virtudes e dos seus talentos.*

Art. 7º. *Ninguém pode ser acusado, preso ou detido senão nos casos determinados pela lei e de acordo com as formas por esta prescritas. Os que solicitam, expedem, executam ou mandam executar ordens arbitrárias devem ser punidos; mas qualquer cidadão convocado ou detido em virtude da lei deve obedecer imediatamente, caso contrário torna-se culpado de resistência.*

Art. 8º. *A lei apenas deve estabelecer penas estrita e evidentemente necessárias e ninguém pode ser punido senão por força de uma lei estabelecida e promulgada antes do delito e legalmente aplicada.*

Art. 9º. *Todo acusado é considerado inocente até ser declarado culpado e, se julgar indispensável prendê-lo, todo o rigor desnecessário à guarda da sua pessoa deverá ser severamente reprimido pela lei.*

Art. 10. *Ninguém pode ser molestado por suas opiniões, incluindo opiniões religiosas, desde que sua manifestação não perturbe a ordem pública estabelecida pela lei.*

Art. 11. *A livre comunicação das idéias e das opiniões é um dos mais preciosos direitos do homem. Todo cidadão pode, portanto, falar, escrever, imprimir livremente, respondendo, todavia, pelos abusos desta liberdade nos termos previstos na lei.*

Art. 12. *A garantia dos direitos do homem e do cidadão necessita de uma força pública. Esta força é, pois, instituída para fruição por todos, e não para utilidade particular daqueles a quem é confiada.*

Art. 13. *Para a manutenção da força pública e para as despesas de administração é indispensável uma contribuição comum que deve ser dividida entre os cidadãos de acordo com suas possibilidades.*

Art. 14. *Todos os cidadãos têm direito de verificar, por si ou pelos seus representantes, da necessidade da contribuição pública, de consenti-la livremente, de observar o seu emprego e de lhe fixar a repartição, a coleta, a cobrança e a duração.*

Art. 15. *A sociedade tem o direito de pedir contas a todo agente público pela sua administração.*

Art. 16. *A sociedade em que não esteja assegurada a garantia dos direitos nem estabelecida a separação dos poderes não tem Constituição.*

Art. 17. *Como a propriedade é um direito inviolável e sagrado, ninguém dela pode ser privado, a não ser quando a necessidade pública legalmente comprovada o exigir e sob condição de justa e prévia indenização.*

(Declaração ..., 1978)

Como você pode ver, a Declaração dos Direitos do Homem e do Cidadão trouxe avanços efetivos na construção das garantias mínimas para a formação de um Estado de direitos. Entretanto, esse mesmo documento tem limitações. Leia, reflita e opine: O que você alteraria ou acrescentaria nesse documento?

Atividade aplicada: prática

Você provavelmente já deve ter ouvido falar em mapas conceituais. Resumidamente, trata-se de estruturas esquemáticas – uma representação gráfica – de um conjunto de conceitos e ideias relacionados entre si. Comumente os conceitos estarão dispostos em caixas em destaque, enquanto as ideias podem ser colocadas menores, fazendo a ligação entre os conceitos.

Segue um exemplo:

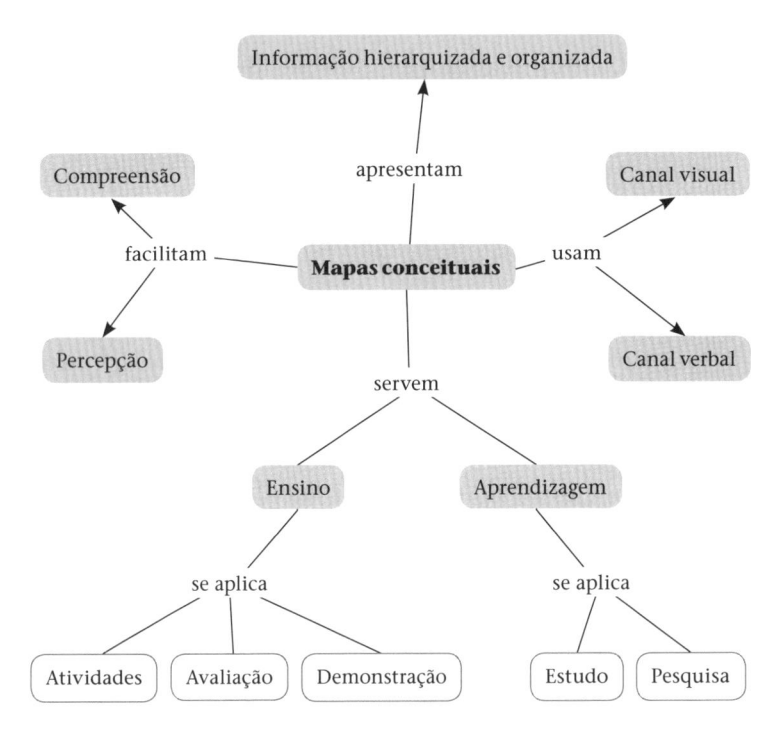

```
                    Informação hierarquizada e organizada
                                   ↑
  Compreensão              apresentam              Canal visual
       ↖                       |                       ↗
          facilitam ── Mapas conceituais ── usam
       ↙                       |                       ↘
   Percepção                                         Canal verbal
                            servem

                    Ensino            Aprendizagem

             se aplica                      se aplica

     Atividades  Avaliação  Demonstração    Estudo   Pesquisa
```

Fonte: Adaptado de Curso Moodle, 2010.

Samara Feitosa

Pois bem, a proposta é que você, com base em seus conhecimentos prévios e de tudo que acabou de estudar, construa um mapa conceitual sobre a Revolução Francesa. Vale lembrar que esse mapa poderá ser usado por você em suas próprias aulas. Então, mãos à obra.

Observação: a internet tem à disposição várias ferramentas livres que auxiliam na construção de mapas conceituais. Se você tiver interesse, com uma rápida pesquisa poderá conseguir resultados interessantes; e o melhor, são ferramentas que você pode baixar e usar gratuitamente.

Capítulo 2
Vamos jogar monopólio?

"*A maioria dos deuses joga dados, mas o destino joga xadrez, e você não descobre, até que seja tarde demais, que ele estava jogando com duas rainhas o tempo todo*". (Terry Pratchett)

Neste capítulo, pretendemos entender a relação que existe entre o neocolonialismo – como uma política "global" nesse período histórico –, a Primeira Grande Guerra e a Revolução Russa. Deixamos claro que não se trata de apontar causas e consequências, mas de entender esses fenômenos como um processo encadeado, em que as ações e as reações conformam uma configuração das relações de poder no período

Você certamente já ouviu falar em um jogo chamado *Monopólio*[1].

Resumidamente, trata-se de um jogo de tabuleiro em que o objetivo das estratégias a serem desenvolvidas é o enriquecimento dos jogadores; assim, várias propriedades e títulos serão negociados e, no fim do jogo, alguns ficarão ricos e outros irão à falência. De forma metafórica, podemos entender que esse era o cenário mundial no fim do século XIX e início do século XX.

Já vimos que o modelo de produção adotado a partir da Revolução Industrial requereu, cada vez mais, matérias-primas, mercados consumidores e mão de obra barata. Diante da expansão desse modelo por toda a Europa, começaram a surgir dificuldades em acessar os recursos necessários para o desenvolvimento no próprio solo europeu. A questão que se coloca é clara: De onde vieram os recursos, o mercado e a mão de obra que mantiveram o incremento dessa nova organização da economia?

---

1 *No Brasil, o jogo também é conhecido como* **Banco Imobiliário**. *A metáfora do nome usada para dar título ao capítulo está ligada à ideia de que a anexação de territórios, nesse momento, deu-se muito mais pelo interesse nos recursos e mercado que essas novas terras poderiam disponibilizar do que na anexação e na expansão de território que, em certa medida, marcam a expansão territorial do período anterior, como quando da ocupação da América Latina.*

Samara Feitosa

Para algumas nações, essas questões eram facilmente respondidas: as colônias² ocupavam esse papel; para outras, que não conseguiram participar, desde cedo, da corrida expansionista, não tendo assim colônias para manter o avanço de seu desenvolvimento, a situação era bastante complicada.

Entre essas nações estavam a Alemanha e a Itália, que, por se constituírem tardiamente como Estados nacionais, tiveram sua entrada no "jogo" da conquista de novas colônias adiado. Numa tentativa de diminuir esse atraso, Alemanha e Itália, após seu processo de unificação, buscaram acelerar o ritmo de suas conquistas, fato que acirrou a animosidade e a rivalidade entre as nações europeias. O resultado, entre outros, foi um grande conflito com proporções nunca antes vistas pela humanidade.

Para entendermos como Alemanha e Itália se constituíram como Estados nações, é preciso recuar no tempo e olhar, ainda que rapidamente, o cenário europeu pós-Revolução Francesa.

Com a ascensão de Napoleão ao poder, a França passou a adotar uma política expansionista que pretendia disseminar os ideais liberais e se opunha ao absolutismo resistente em vários países europeus. Havia também, por parte de Napoleão, a intenção de transformar a França em uma potência industrial, principalmente para superar sua grande rival, a Inglaterra.

Com esse objetivo, Napoleão fez coligações, declarou guerra e invadiu várias nações europeias, modificando o cenário político e as correlações de força no período. Nesse processo, Portugal e Espanha passaram ao domínio francês e a expansão napoleônica foi

---

2 Por definição, **colônia** é o território dominado por uma potência estrangeira e tem sua ocupação feita por indivíduos vindos dessa mesma potência.

se estruturando. A Inglaterra, por sua vez, organizou uma coligação para deter o avanço napoleônico e provocar sua derrocada. Nesse sentido, o movimento de resistência da população de Madri[3] foi a primeira das derrotas de Napoleão, mas a tentativa desastrada de invasão à Rússia foi que o levou à ruína. Enfraquecido pelas derrotas frequentes, o exército napoleônico não conseguiu resistir à invasão de seus territórios, sendo Napoleão exilado em Elba e Luís XVIII coroado. Em 1815, no entanto, Napoleão regressou à França com um pequeno exército, tomando novamente o poder. Porém, dessa vez seu reinado rapidamente foi derrotado.

Após a derrota, foi preciso reorganizar o cenário europeu, já que fronteiras e reinados haviam sido profundamente alterados pelo domínio francês. Em 1814, organizou-se o **Congresso de Viena**, que teve por objetivo reestabelecer o equilíbrio entre os países europeus. No entanto, esse congresso atuou claramente em defesa dos interesses dos países que haviam se coligado para a derrota napoleônica: Rússia, Áustria, Prússia e Inglaterra, monarquias tradicionais europeias que tentavam deter a onda liberal que alcançava a Europa e as Américas. Esse objetivo, entretanto, não foi atingido, já que a Europa vivenciou uma série de movimentos liberais em seus territórios, e nas Américas, os processos independentistas começaram a grassar. O sentimento de nacionalidade por meio do qual se presumia que toda nação deveria possuir um Estado independente e livre do domínio estrangeiro passou a fazer parte do cotidiano dos indivíduos em vários locais. Para Elias (1997, p. 143), o surgimento da ideia de *nação*

---

3   Trata-se da primeira derrota napoleônica no que tange à resistência civil à ocupação dos territórios. Esse movimento se originou em Madri e se expandiu por todo o território espanhol.

Samara Feitosa

está subjetivamente ligado à ideia de pertencimento a ela: "A imagem que um indivíduo faz da nação de que toma parte é também, portanto, um componente da imagem que ele tem de si mesmo, a sua 'autoimagem'. A virtude, o valor e o significado da nação também são os dele próprio".

Assim, elementos constitutivos dessa nacionalidade, como língua, origem étnica, cultura, religião, entre outros, iniciaram a construção de identidades que nem sempre tinham definidos seus territórios. Nesse processo, há de se somar os interesses econômicos das burguesias, que perceberam a unificação política como uma possibilidade de redução dos entraves que dificultavam seu desenvolvimento. Um só território e uma só nação significava também unificação de impostos e taxas e facilitação da dinâmica da circulação de bens e capital.

> Na era da construção de nações, acreditava-se que isso implicava a transformação desejada, lógica e necessária de "nações" em estado-nações soberanos, com um território coerente, definido pela área ocupada pelos membros da "nação", que por sua vez era definida por sua história, cultura comum, composição étnica e, com crescente importância, a língua.
> (Hobsbawm, 2002, p. 99)

No entanto, voltemos ao Congresso de Viena. Nele foi adotada uma série de medidas que repercutiram durante muito tempo em solo europeu, entre elas a extinção da Confederação do Reno, em que os Estados Alemães, chefiados pela Áustria, passaram a fazer parte da Confederação Germânica. Vários países foram anexados a outros: a Rússia recebeu a Finlândia, a Bessárabia (atual Romênia) e o Grão-Ducado de Varsóvia; a Bélgica foi unida à Holanda, formando os Países Baixos; a Áustria anexou parte do norte da Itália e incorporou Gênova e Veneza aos seus territórios. Essa nova configuração de forças, na verdade, acirrou o processo de disputa interno europeu, o que desencadeou, junto com outros fatores, a Primeira Grande Guerra.

(2.1)
NOVOS ESTADOS, NOVOS JOGADORES E UM ÚNICO "JOGO" PARA SER JOGADO

Va, pensiero, sull'ali dorate,
Va, ti posa sui clivi, sui colli
Ove olezzano tepide e molli
L'aure dolci del suolo natal!
Del Giordano le rive saluta,
Di Sïon le torri atterrate...
Oh mia patria sì bella e perduta!
Oh membranza sì cara e fatal!
Arpa d'ôr dei fatidici vati
Perchè muta dal salice pendi?
Le memorie nel petto raccendi,
Ci favella del tempo che fu!
Va, pensiero...[4]
(Ópera "Nabucco", 1842).

---

4   *Vá, pensamento, sobre as asas douradas*
Vá, e pousa sobre as encostas e as colinas
Onde os ares são tépidos e macios
Com a doce fragrância do solo natal!
Saúda as margens do Jordão
E as torres abatidas do Sião.
Oh, minha pátria tão bela e perdida!
Oh lembrança tão cara e fatal!
Harpa dourada de desígnios fatídicos,
Porque você chora a ausência da terra querida?
Reacende a memória no nosso peito,
Fale-nos do tempo que passou! (tradução nossa).
Durante muito tempo pensou-se que "Vá pensiero"– ou o **coro dos escravos hebreus** *–, um dos coros que compõe a ópera Nabuco de Giusepe Verdi, tivesse sido composta para incitar o movimento de unificação italiana. Embora essa versão dos fatos tenha sido contestada por historiadores, é inegável a importância que o coro tomou durante o processo de unificação – importância que resiste ao tempo, tendo em vista que em 2009 um senador italiano propôs a substituição do hino nacional italiano pelo coro composto por Verdi.*

Samara Feitosa

Esse é o cenário em que se encontrava a Europa quando ocorreu o processo de unificação da Alemanha e da Itália.

No caso italiano, as definições do Congresso de Viena haviam dividido a região da Itália em oito estados independentes, alguns deles dominados pela Áustria. Nesse contexto se acirraram movimentos nacionalistas de diversos matizes, envolvendo desde trabalhadores, campesinos, até a burguesia nacional. Esses movimentos foram chamados de *Risorgimento* e acompanhavam o cenário nacionalista que se desenhava na Europa à época. Outra vertente desse nacionalismo se manifestou por meio do movimento carbonário, atuante no sul da Itália e sob a liderança do comunista Filippo Buonarotti. Todos esses movimentos foram deixando claro que a Itália se preparava para se consolidar como um Estado-nação.

Vale lembrar que nesse período várias transformações econômicas estavam se desenvolvendo em todo o território europeu: a industrialização ampliava-se e, com ela, o crescimento das cidades, a organização das classes trabalhadoras, a infraestrutura técnica, entre outras coisas. Nesse cenário, não é difícil perceber que a burguesia italiana ansiava pela unificação que lhe daria possibilidade de concorrência no mercado externo. No entanto, os projetos sociais das mais diversas parcelas da população não eram, necessariamente, iguais. Enquanto a alta burguesia estava interessada em um Estado que lhe garantisse a unidade para que pudesse entrar na concorrência dos mercados – assim, não lhe importava se monarquia ou república –, a média burguesia, o proletariado e o campesinato ansiavam por um Estado que adotasse medidas econômicas e sociais mais democráticas, razão por que apoiavam a ideia da criação de uma república.

Em 1831, um movimento republicano liderado por Giuseppe Mazzini se organizou e propôs a criação da **Jovem Itália**. Esse movimento estimulou o nacionalismo que o *Risorgimento* vinha desenvolvendo, com o propósito de reviver o espírito da Renascença e do Império Romano, reafirmando, assim, o potencial italiano de desenvolvimento. Embora não tenha conseguido um grande avanço, o movimento avivou ainda mais as tendências nacionalistas em curso. Anos depois, em 1847, uma série de manifestações antimonárquicas ocupou as regiões do norte italiano (reinos de Piemonte e Sardenha, duas Sicílias e Lombardia). Como resultado, na Lombardia, o rei foi obrigado a instituir um poder legislativo eleito pelo voto direto dos cidadãos. Contudo, foi somente com Camilo di Cavour, primeiro-ministro piemontês, que o processo de unificação tomou um fôlego maior, principalmente porque Cavour era o porta-voz da burguesia industrial norte-italiano, que via na unificação o caminho para a garantia de seu desenvolvimento. Como era esperado, a Áustria se posicionou contrária à unificação da Itália, mas Napoleão III, rei da França, apoiou os piemonteses.

Parecia claro a Cavour que seria fundamental construir uma aliança com uma potência em condições de enfrentar a Áustria. Assim, em 1858, concluiu-se a aliança entre o Piemonte e a França, em Plombières. Na ocasião da entrevista entre Cavour e Napoleão III, foram esboçadas as bases de um futuro acordo e também a distribuição dos papéis diplomáticos de cada um. Durante as negociações, Napoleão pediu que lhes fossem cedidas as regiões de Saboia e Nice em troca da conclusão de uma aliança com o rei Vítor Emanuel II; declararam de comum acordo a guerra com a Áustria e comprometeram-se em não depor armas enquanto os austríacos não fossem expulsos de Lombardia-Venécia. Pouco tempo depois da entrevista de Plombières, Napoleão recebeu apoio e ajuda diplomática de Alexandre II em seus preparativos para derrotar a Áustria. (Vizentini, 2012, p. 88)

Assim, em 1859, teve início a guerra contra a Áustria. Entretanto, a França sofreu uma séria pressão dos católicos de seu país e o papa ameaçou Napoleão III com a excomunhão. Ao mesmo tempo, Napoleão temia que a deflagração desse movimento reacendesse a chama republicana e socialista no território europeu e, assim, abandonou a causa unificadora e passou a defender as autoridades católicas em Roma, assinando a paz com a Áustria. Nesse tratado de paz, o Piemonte recebeu a Lombardia, mas a Áustria conservou Veneza, sendo criada, ainda, a confederação de Estados italianos, sob a presidência do papa, o que muito contrariava os interesses de Cavour.

Na esteira dessa guerra, houve um reforço da ideia de unidade e vários estados italianos revoltaram-se e uniram-se ao Piemonte (Toscana, Parma, Módena e Romagna, e alguns estados pertencentes ao papa). Entretanto, o sul da Itália fez outros projetos para a nação: Giuseppe Garibaldi, com os "**camisas vermelhas**", pretendia que dessa unificação surgisse uma república. A cisão comprometeu o processo e Garibaldi resolveu se retirar do movimento por não concordar com as ideias defendidas pelos representantes nortistas.

Cavour morreu em 1861, mas o Piemonte já dominava quase toda a Itália. Vitor Emanuel II declarou-se, então, rei e transferiu para Florença a capital italiana. Nesse momento, apenas alguns Estados papais e Veneza (que havia ficado com a Áustria no fim da guerra) não faziam parte da Itália.

Veneza foi conquistada graças à guerra entre a Áustria e a Prússia. A recém-criada Itália se uniu à Prússia e derrotou a Áustria. Napoleão III foi chamado para arbitrar o acordo de paz. Convocou-se um plebiscito para que Veneza decidisse a qual nação queria ficar ligada; a vitória italiana foi esmagadora e a cidade passou a fazer parte da Itália.

Entretanto, os Estados papais ainda eram um grande problema, pois, embora boa parcela deles já estivesse unificada, Roma ainda pertencia aos Estados papais. Como Napoleão III havia reconhecido a autoridade do papa sobre esses territórios, declarar guerra à Roma era o mesmo que declarar guerra à França. Aproveitando a derrota da França, em 1870, para os prussianos, os italianos invadiram Roma e ocuparam o restante dos Estados papais. Embora recebesse todas as garantias de Vitor Emanuel, o Papa Pio IX se declarou prisioneiro no Vaticano e se recusou a negociar. Esse episódio ficou conhecido como a *questão romana* e só teve solução em 1929, pelo **Tratado de Latrão** entre Mussolini e Pio XI, que criou o Estado do Vaticano – quase cinco quilômetros quadrados de superfície dentro de Roma.

O processo de unificação alemã teve como seu principal elemento o desenvolvimento econômico e social dos Estados germânicos. A criação do **Zollverein**[5] – liga aduaneira adotada em 1834 – acelerou o processo de crescimento econômico e, em um curto período de tempo, desenvolveram-se centros urbanos, distritos industriais, polos comerciais, entre outros. Entre 1860 a 1870, as estradas de ferro que cortavam a região duplicaram sua extensão. Essa expansão fez com que a produção de carvão e ferro circulasse mais facilmente, acelerando o processo de desenvolvimento das indústrias siderúrgicas, metalúrgicas e mecânicas, incrementando ainda mais o complexo industrial alemão. A Áustria, que a princípio se recusara a fazer parte da liga, buscava agora ser aceita, mas isso não aconteceu.

Vale lembrar que os territórios que hoje pertencem à Alemanha encontravam-se divididos entre várias nações. Dessa forma, a união aduaneira iniciou um processo de identificação entre os povos e a unificação passou a ser pensada como solução para os problemas criados pelo fracionamento do território em diversos Estados. Nesse

---

5 *Zollverein foi o nome dado à aliança aduaneira que liberava as tarifas alfandegárias para os 39 estados alemães, favorecendo o comércio e fortalecendo o processo industrial que se iniciava à época. Foi dissolvido, em 1866, mas restabelecido em 1867 com os estados do sul participando. O novo* Zollverein *era mais forte.*

Samara Feitosa

sentido, Elias (1997, p. 66) ressalta o desagrado da burguesia que ascendia socialmente:

> O poder econômico dos círculos da burguesia urbana e sua consciência mundial começaram a crescer, uma vez mais, nesse período. Mas, com raras exceções, dificilmente a burguesia tinha acesso àquelas posições governamentais onde eram tomadas as decisões a respeito de assuntos políticos, militares, econômicos e muitos outros dos vários estados. Essas posições estavam quase exclusivamente nas mãos dos príncipes e dos servidores públicos civis, cortesãos civilizados.

Nesse período, na Prússia, o rei Guilherme I convidou Otto von Bismarck para atuar como primeiro-ministro, solução encontrada para resolver o conflito entre o rei e a burguesia. Bismarck era contrário às ideias liberais, pró-monarquista, mas totalmente devotado à causa da unificação alemã.

Incrédulo em soluções diplomáticas, Bismarck cria que essa união só viria por meio do uso da força. Isso por que, segundo Elias (1997, p. 165):

> o sentimento de que o império alemão foi, por largo tempo, um Estado fraco e ocupou uma posição relativamente baixa na hierarquia dos Estados europeus ainda prevalece no desenvolvimento da Alemanha. O amor-próprio das pessoas envolvidas sofreu em consequência disso; elas sentiram-se humilhadas. Pode-se ler em muitos depoimentos provenientes da Alemanha, nos séculos XVII e XVIII, com que frequência as pessoas sentiram e experimentaram, em seus próprios corpos, como a Alemanha era fraca, por exemplo, em relação à França, Grã-Bretanha, Suécia ou Rússia, porque estava fragmentada.

Por isso mesmo, ao ser empossado como primeiro-ministro, Bismarck passou a organizar militarmente o Reino da Prússia.

Essa medida, porém, desagradou a burguesia prussiana, já que os encargos para financiar os contingentes militares elevavam vertiginosamente os impostos. Bismarck conseguiu, entretanto, o apoio de dois generais, Von Room (Ministério da Guerra) e Von Moltke (chefe do Estado Maior Geral) e prosseguiu com seus objetivos.

Com o intento de levar adiante o processo de unificação, a Prússia se aliançou à Áustria contra a Dinamarca (Guerra dos Ducados). O rei dinamarquês tinha o propósito de anexar dois ducados – Schlesving e Holstein – aos seus territórios. Entretanto, esses ducados compunham a Confederação Germânica desde 1815, que era habitada por povos alemães.

Quando a Dinamarca, em 1864, decidiu anexar seus territórios, Bismarck aliou-se à Áustria para impedir tal feito. Ele acreditava que esse seria o início do processo de unificação. Com a derrota da Dinamarca, os territórios deveriam ser divididos entre os vencedores; a Áustria acabou anexando o Holstein. Bismarck, entretanto, adiou a entrega do ducado à Áustria, forçando-a a tomar medidas contrárias à Prússia. Como já havia garantido a neutralidade da França na disputa e o apoio da Itália, venceu rapidamente os austríacos e assinou um tratado de paz no qual se dissolviam a Confederação Germânica, passando Schleswig e Holstein para a Prússia e Veneza para a Itália. Criou-se, ainda, a confederação da Alemanha do Norte, presidida pelo rei da Prússia. Em sua constituição, além da presidência da Prússia, dispunha-se que esse cargo seria hereditário e que se constituiria uma câmara alta com representantes de cada estado confederado e uma câmara baixa, eleita pelo sufrágio universal masculino.

No cenário internacional, o processo de unificação alemão começou a incomodar. A França, que até o momento havia apoiado Bismarck, percebeu que a ascensão alemã poderia comprometer sua hegemonia. Por isso mesmo, Napoleão exigiu da Prússia os Estados germânicos do sul, situados ao sul do rio Main (Hesse, Baden, Baviera e Würtemberg), de cunho majoritário católico, os quais não conseguiram formar-se em uma unidade e eram fortemente influenciados pela França. Para além disso, Napoleão exigia também a posse de Luxemburgo e dos territórios bávaros a oeste do Reno e ainda pedia o apoio prussiano para dominar a Bélgica, que se encontrava sob influência britânica.

Isso dava a Bismarck o mote que ele precisava para colocar os alemães contra os franceses. Ele apostava no cenário internacional como aliado, já que a França se encontrava isolada e mal armada. Coligada anteriormente à Itália, a França havia estremecido suas relações ao se colocar ao lado do papa e dos Estados papais no processo de unificação italiano. A Áustria, que em outros momentos já se aliara à França, estava fragilizada pela derrota na guerra e por problemas internos. Além disso, havia o descontentamento inglês com a intenção da França em anexar a Bélgica.

O embate, entretanto, só ocorreu em 1870. O trono espanhol estava vago e a sucessão foi oferecida a Leopoldo de Hohenzollern, um príncipe aparentado do rei da Prússia. Napoleão exigiu a retirada da candidatura e a promessa de que nenhum outro príncipe germânico ocuparia o trono espanhol. Em resposta, o rei passou um telegrama que teve o texto alterado por Bismarck, de tal forma a parecer ofensivo ao povo francês. Esse telegrama foi divulgado amplamente na imprensa alemã e a família imperial francesa declarou guerra à Prússia.

Como Bismarck previa, o exército francês, fragilizado, não conseguiu fazer frente ao exército alemão, bem mais numeroso, mais bem instruído e comandado. O maior trunfo do exército alemão era sua artilharia, munida com canhões Krupp. Somado a isso, o ligeiro deslocamento das tropas, propiciado pela excelente rede ferroviária, tornou a vitória ainda mais rápida. O exército alemão cercou o francês em Metz, e Napoleão e o general Mac-Mahon saíram em socorro da França, mas foram cercados em Sedan. O imperador acabou preso e capitulou em 1º de setembro de 1870. Na França, aproveitando-se do momento, os republicanos depuseram o rei, proclamando a República, mas mantiveram a guerra contra a Prússia. Em resposta, os alemães cercaram Paris e, em 1871, o governo francês assinou o armistício. A Paz de Frankfurt condenou a França a pagar alta indenização e ceder os territórios da Alsácia-Lorena, ricos em carvão; obrigando-a, ainda, a assistir à proclamação do império Alemão em pleno Palácio de Versalhes, onde o rei Guilherme I recebeu o título de imperador apoiado pelos príncipes alemães, criando-se o *Reich*. Esse episódio, no entanto, deixou profundas marcas na subjetividade dos franceses, alimentando um sentimento nacional de revanche. Com o processo de unificação completado, a Alemanha passou a disputar, de forma agressiva, territórios na África e na Ásia, acirrando ainda mais os conflitos entre os países europeus.

(2.2)
O PRIMEIRO ATO: UMA GUERRA E SUA RACIONALIDADE

Os dias em que os alemães concediam a terra a um vizinho, a outro o mar e reservavam para si o céu, onde reina a doutrina pura – esses dias chegaram ao fim. A nosso ver, é tarefa primordial fomentar e cultivar os interesses de nossa marinha, nosso comércio e nossa indústria, principalmente no Oriente. Uma divisão de nossos cruzadores foi despachada para ocupar o porto de Jiaozhou, de modo a assegurar plena reparação pelo assassinato de missionários católicos alemães e garantir maior segurança conta a repetição de eventos como esse no futuro [...]. Devemos exigir que missionários, comerciantes e mercadorias alemães, bem como a bandeira e as embarcações alemãs, sejam tratados na China com o respeito de que desfrutam outras potências na China, desde que tenhamos a certeza de que os nossos interesses também receberão o reconhecimento que merecem. Em suma, não queremos fazer sombra a ninguém, mas também exigimos nosso lugar ao sol. Fiéis à tradição das políticas alemãs, empreenderemos todos os esforços para proteger nossos interesses. (Discurso de Bernhard von Bülow, ministro do Exterior alemão, em 6 de dezembro de 1897, considerado uma resposta irônica à expressão muito comum à época: "o sol nunca se põe no Império Britânico") (Sondhaus, 2013)

A Primeira Guerra Mundial decorreu, entre outras coisas, do acirramento das tensões na disputa pelas colônias. Como já vimos, a expansão da industrialização exigia novos mercados consumidores, matérias-primas e mão de obra barata. Várias nações europeias partiram para a África e para Ásia buscando novos territórios que garantissem o avanço contínuo de seu desenvolvimento; entretanto, esse processo não se deu de maneira uniforme. Em alguns momentos, os territórios anexados passaram a ser ocupados pelos conquistadores; em outros, a dominação ocorreu econômica, política e culturalmente.

Embora esse avanço estivesse claramente ligado à expansão capitalista, os países conquistadores se muniram de uma série de justificativas morais para legitimar suas conquistas. Várias teorias explicativas começaram a ser gestadas no sentido de reforçar a superioridade europeia diante da população dos novos territórios anexados. Os europeus estavam, então, numa espécie de cruzada civilizatória, pois, segundo eles, ao conquistar novas fronteiras, poderiam levar para os povos conquistados o avanço que desfrutavam na Europa; apoiavam-se, ainda, no caráter evangelizador do cristianismo, afirmando que o contato tinha também a finalidade de levar a doutrina cristã aos povos pagãos; e, finalmente, sustentavam que a superioridade racial dos povos brancos sobre os negros e amarelos lhes dava o direito e o dever de guiá-los para a civilização.

A conquista por povos estrangeiros não era novidade no continente africano, que já conhecia esse fenômeno, visto ter sido ocupado por portugueses e espanhóis durante a primeira onda colonialista do século XV. Assim, as regiões litorâneas de Angola e da África do Sul já haviam passado por esse processo. Entretanto, a maior parte do continente continuava livre da dominação europeia, constituindo-se de uma diversidade de etnias e costumes organizados por uma lógica social e geopolítica própria. Embora o interesse pelo continente já existisse, a descoberta de diamantes na África do Sul e a abertura do Canal de Suez reacendem a saga de ocupação. Rapidamente várias nações europeias começaram a disputar territórios africanos, utilizando forças militares ou fazendo acordos com os líderes africanos e estabelecendo fronteiras que não respeitavam as divisões já existentes nos territórios conquistados.

Como o que prevalece são os interesses dos conquistadores, aceleradamente o continente africano passou a ser palco de disputas europeias. Notadamente, houve conflitos entre a Inglaterra e a Alemanha – a coroa inglesa pretendia construir uma ferrovia que ligasse o Egito à África do Sul, pretensão que não agradava aos alemães, que impediram tal intuito. Inglaterra e França entraram em desacordo também por conta da construção de uma ferrovia; dessa vez, a França pretendia cortar o Saara, o que foi vetado pelos ingleses, os quais dominavam o Egito e o Sudão – essas duas nações ainda disputam o controle do Canal de Suez.

Na Ásia, assim como na África, a busca de expansão dos grandes capitais do mercado europeu a levou a conhecer o processo imperialista. No entanto, ao contrário da África, a Ásia representou também um grande mercado consumidor para a produção europeia.

Nações como Inglaterra, França, Bélgica, Alemanha e Holanda partilharam o continente asiático, que teve um percurso diferente do da ocupação africana, isso porque as sociedades asiáticas tinham uma estrutura mais complexa social, política e economicamente. Vale lembrar que a Ásia também tinha sido ocupada desde a primeira onda colonialista, e nações como Portugal já estavam em seus territórios desde o século XVI. França, Inglaterra e Holanda já mantinham entrepostos no território asiático no século XVII. Contudo, o século XIX conheceu um recrudescimento desse processo, em que França e Inglaterra foram os principais protagonistas dos conflitos. A França havia fundado a Indochina francesa, os ingleses expandiram-se para o leste da Índia, Birmânia, Cingapura e parte do sul do território asiático.

No mesmo período, o Japão, pressionado pela política expansionista norte-americana, acabou também incorrendo na corrida de expansão, enfrentando a China (1894-1895) e a Rússia (1904-1905) e anexando, assim, a Coreia e a região ao sul da Manchúria. A Rússia tinha interesses na China, no Afeganistão, na Coreia e na Pérsia.

Pelo que apresentamos rapidamente aqui, você pôde perceber que a disputa pelas colônias acirrou ainda mais o já conturbado cenário europeu, que precisava lidar, entre outras coisas, com a concorrência econômica entre suas nações. Entretanto, não foram somente os conflitos coloniais que povoaram a Europa no período; a onda nacionalista também assombrou as nações tradicionais. Exemplos disso foram o pan-eslavismo e o pan-germanismo. Liderados pelo império russo, o movimento pan-eslavista pretendia unificar todos os povos eslavos da Europa Oriental, principalmente aqueles que estavam sob o domínio austro-húngaro, na região dos Bálcãs. Já o pan-germanismo, que tinha na Alemanha seu líder, pretendia unir todos os povos de cultura germânica da Europa Central.

Outro elemento relevante para que possamos entender como se desencadeou a Primeira Guerra é o revanchismo francês. Desde a derrota humilhante para Alemanha, em 1870, a França vinha desenvolvendo um movimento interno de cunho nacionalista-revanchista, que visava principalmente à recuperação dos territórios perdidos durante a guerra franco-prussiana.

O cenário tendeu a piorar a partir do momento em que a Alemanha adotou uma política clara de armamento, visando, principalmente, fortalecer a sua Marinha de Guerra. Ela passou, então, a construir encouraçados que fariam a proteção dos territórios alemães fora da Europa. A resposta inglesa não demorou a chegar, já que a Inglaterra tinha o orgulho de se apresentar como a possuidora da maior Marinha de Guerra europeia. Isso desencadeou uma corrida armamentista em toda a Europa, que, embora estivesse em paz há quase quarenta anos, viu as nações preparando-se para o conflito que se aproximava.

Dois episódios aqueceram ainda mais o clima bélico. França e Alemanha disputaram, durante anos, a região do Marrocos, no norte da África. Até que, em 1906, uma conferência internacional – Algeciras – deliberou que a França tinha a supremacia, e à Alemanha caberia uma estreita faixa de terra no sudeste africano. A Alemanha, não conformada, continuou disputando com a França vários territórios e, em 1911, buscando evitar um conflito direto, a França cedeu à Alemanha uma parte do Congo francês, o que acirrou ainda mais o clima revanchista presente na França. Já no continente europeu, a Península Balcânica foi o principal foco dos conflitos, onde o nacionalismo da Sérvia e o expansionismo da Áustria-Hungria disputavam a soberania. Em 1908, a Áustria anexou a região da Bósnia-Herzegovina, o que feriu profundamente os interesses sérvios, que pretendiam anexar a região, assim constituindo a Grande Sérvia. A reação violenta dos sérvios aumentou ainda mais as disputas territoriais da região, e foi nesse cenário onde surgiu o incidente que detonou a Primeira Grande Guerra.

Aos poucos, o clima beligerante alcançou todo o território europeu e se expandiu para as novas colônias anexadas. Certos de que o conflito logo se iniciaria, as nações europeias começaram a formar alianças entre si. O propósito claro era saber com quem contar no momento em que a disputa se iniciasse, pois não havia mais dúvidas de que ela aconteceria. O período de Paz Armada, como já foi visto, já havia se iniciado, e em sua esteira diversos tratados e alianças estavam sendo assinados; por isso mesmo, por volta de 1907 já era possível divisar a formação de dois grandes blocos distintos e opostos:

1. **A Tríplice Aliança**: Criada em 1882, era formada por Alemanha, Império Austro-Húngaro e Itália. Mais tarde aderiram o Império Turco-Otomano (1914) e a Bulgária (1915). Em maio de 1915, a Itália passou para o lado dos aliados, em razão de antigas pendências territoriais com a Áustria.
2. **A Tríplice Entente**: Formada por Inglaterra, França e Rússia em 1906. Durante a guerra, outros países aderiam: Bélgica (1914), Sérvia (1914), Japão (1914), Itália (1915), Portugal (1915), Romênia (1916), Estados Unidos (1917), Brasil (1917) e Grécia (1917).

Diante disso, Hobsbawm (1985, p. 272) afirma que, "a partir de um certo ponto do lento escorregar para o abismo, a guerra pareceu tão inevitável que alguns governos decidiram que a melhor coisa a fazer seria escolher o momento mais propício, ou menos desfavorável, para iniciar as hostilidades".

Com o cenário pronto, atores com textos decorados, faltava apenas o primeiro sinal para que o espetáculo começasse. Ele foi dado com o assassinato do arquiduque **Francisco Ferdinando**, herdeiro do trono austríaco. Como já vimos, a Sérvia se opunha à Áustria e disputava a ocupação dos Bálcãs; assim, quando Francisco Ferdinando visitava Sarajevo, na Bósnia, um estudante sérvio, chamado Gavrilo Princip, ligado a um movimento nacionalista, assassinou Francisco Ferdinando. Era o que faltava para o início da contenda.

Em 28 de julho de 1914, o Império Austro-Húngaro declarou guerra à Sérvia e, na sequência, vários outros países entraram na disputa, numa espécie de reação em cadeia. A Rússia, em apoio à Sérvia, declarou guerra ao Império Austro-Húngaro em 29 de julho de 1914; em 1º de agosto de 1914, a Alemanha declarou guerra à França; em 4 de agosto de 1914, a Inglaterra declarou guerra à Alemanha em resposta à invasão à Bélgica.

A verdade é que a maior parte das nações europeias ansiava entrar no combate esperando que a guerra tivesse uma curta duração, mas não contavam que, iniciado o conflito, quase todas as nações fossem se envolver e que ele tomaria dimensões nunca vistas na modernidade, estendendo-se por um período de tempo muito maior do que qualquer nação europeia pudesse esperar. Esqueciam, ainda, que os tempos eram outros: as Forças Armadas haviam, de várias maneiras, introduzido em seus arsenais as inovações tecnológicas que estavam se desenvolvendo desde a Revolução Industrial, as quais alteraram drasticamente a dinâmica e a logística desse tipo de episódio histórico. É farta a literatura que aponta certa alegria com o início dos combates, mas também é farta a que, à medida que o confronto avançava, mostra o horror que uma guerra com requintes tecnológicos pode causar.

Samara Feitosa

Sondhaus (2013, p. 6), ao iniciar seu livro sobre a Primeira a Guerra, cita a frase de um general do Império Austro-Húngaro: "Graças a Deus, é a Grande Guerra!". Segundo o autor, esse general, como vários outros do período, havia passado toda a vida militar sem participar de um combate entre grandes nações europeias e ambicionava terminar a carreira com, pelo menos, uma participação em um grande combate. Esse era o clima compartilhado por quase todas as nações no período anterior à guerra. Ideais românticos, como honra, bravura, glória, ligados à tradição bélica povoavam a cabeça dos jovens, que rapidamente se voluntariavam para os combates. Outro autor, acerca desse momento, afirma que:

> O momento os surpreenderá, mas não mais pelo fato da guerra, ao [sic] qual a Europa se habituaria, como alguém que vê uma tempestade se aproximando. De certo modo sua chegada foi amplamente sentida como uma libertação e um alívio, sobretudo pelos jovens da classe média – homens, muito mais que mulheres – embora menos pelos operários e menos ainda pelos camponeses. Como uma tempestade, ela rompeu o abafamento da espera e limpou o ar. Significou o fim da superficialidade e da frivolidade da sociedade burguesa, do tedioso gradualismo da melhoria do século XIX, da tranquilidade e da ordem pacífica que era a utopia liberal para o século XX e que Nietzsche denunciara profeticamente, junto com a "pálida hipocrisia administrada por mandarins". Após uma longa espera no auditório, significou a abertura da cortina para o início de um drama histórico grandioso e empolgante do qual o público descobriu ser o elenco. Significou decisão. (Hobsbawm, 1985, p. 284)

Esse cenário, entretanto, mudou drasticamente na medida em que os combates foram se alongando.

Tradicionalmente, divide-se a guerra em três períodos: a guerra de movimento, a guerra das trincheiras e a entrada norte-americana (saída da Rússia).

De início, a rápida adesão das nações europeias à guerra gerou uma movimentação nos exércitos dos países participantes. A essa fase se dá o nome de **Guerra de Movimentos**. A Alemanha movimentava seus exércitos pela Bélgica, que havia se declarado território neutro. Cerca de 1,5 milhão de soldados avançavam em seus territórios sem que um país tivesse decretado guerra ao outro. Esse, como vimos, foi o motivo oficial pelo qual a Inglaterra envolveu-se no conflito. A ofensiva alemã visava à França, mais especificamente, Paris; assim, as tropas avançaram rapidamente, ganhando território; porém, o avanço foi detido pelo envolvimento das tropas belgas e pelo envio do corpo expedicionário britânico (Batalha do Marne). Na busca de atingir seus objetivos (Plano Schlieffen), os alemães haviam atacado no *front* oeste, ao mesmo tempo que buscavam atacar as fortificações francesas, facilitando a entrada e a chegada a Paris, mas o general Joffre deslocou rapidamente, pelas ferrovias, um grande número de soldados e, assim, derrotou os alemães. Esse momento foi crucial, pois alterou a estratégia empregada pelos alemães e por todos os altos comandos ligados à guerra até o momento. Ao perceberem que a dinâmica dessa guerra tinha especificidades desconhecidas até o momento e que o número de baixas era muito superior ao que estavam acostumados, os estrategistas desistiram da guerra de movimentos e passaram a utilizar a tática de trincheiras, por meio da qual, mais que garantir o avanço, buscava-se manter o que já havia sido conquistado.

O tumulto que aconteceu na mobilização inicial – o maior empreendimento do tipo na história humana até então – fez com que milhões de homens vestissem fardas, sendo que a maioria deles esperava um resultado decisivo para, o mais tardar, o ano seguinte. Mas logo a ação estacou em todas as frentes, e no inverno do hemisfério norte de 1914, degenerou para um conflito de disposições. [...]. O relativo sucesso ou fracasso dos exércitos individuais nas suas campanhas de abertura dependia da eficiência de sua mobilização, seguida de comando e controle e da logística, uma vez que as tropas foram mobilizadas em várias frentes. Em termos físicos e materiais, desde o início ficou claro que o tamanho absoluto de um exército, desde que bem suprido e bem liderado, tinha mais peso que seu elã ou vigor [...]. Os primeiros cinco meses de guerra deram alguma indicação dos horrores que estavam por vir: da carnificina no beco sem saída de frentes paralisadas às atrocidades contra civis na Bélgica e nos Bálcãs. Em face de uma guerra mais cara, em termos humanos e matérias do que tinha sido previsto [...]. (Sondhaus, 2013, p. 86-87)

A verdade é que pouco se conhecia acerca de como seria, em termos estratégicos, uma guerra no novo cenário mundial. De certa forma, quase todos os generais em comando estavam ainda apegados às tradições antiquadas; pouco ou quase nada sabiam acerca de como se deslocar sob o fogo das metralhadoras, da artilharia pesada, do uso dos tanques de guerra, dos lança-chamas ou mesmo dos canhões móveis.

Assim, após a batalha no Marne, os exércitos alemães recuaram, ocupando as regiões mais afastadas de Paris, ali fundando suas trincheiras. O intenso inverno piorou ainda mais as já lamentáveis condições em que se encontravam as tropas. Distantes 200 ou 300 metros estavam as trincheiras francesas e inglesas. Sem saber o que fazer, os tradicionais generais enviavam mais e mais tropas para as trincheiras, na esperança de alterar o equilíbrio das forças. Relatos do período apontam para o fato de que milhares de homens sobreviviam em buracos cavados na terra, atormentados por constantes bombardeios, pela fome e pelo frio. Muitos morreram em combate, mas um número bastante razoável desses homens foi levado à morte por doenças que grassavam em virtude das péssimas condições sanitárias às quais ficavam expostos. Embora várias batalhas tenham se sucedido, as linhas fronteiriças, durante quase três anos, não se alteraram mais do que 18 quilômetros, e ainda assim, em toda a história, nunca uma guerra havia ceifado tantas vidas. Esse período ficou conhecido como **Guerra das Trincheiras** (1915-1917).

Figura 2.1 – Soldados utilizando máscara contra gases nas trincheiras – Primeira Guerra

Crédito: adoc-photos/Album/Album Art/Latinstock

Na busca de alternativas que transformassem o cenário, os ingleses bloquearam as rotas marítimas usadas pelos alemães, decretando o início da utilização dos submarinos na guerra. Em 1915, os alemães afundaram um transatlântico americano, fazendo com que a opinião pública norte-americana passasse a se declarar contrária à causa alemã. Em 1916, esse quadro se agravou, vários navios comerciais, inclusive de países neutros, foram afundados ao se aproximarem do litoral britânico. Em 1917, o serviço secreto inglês interceptou um telegrama enviado pelo ministro do Exterior alemão ao embaixador alemão no México. Nele, o embaixador era instruído a iniciar uma negociação com o governo mexicano, pela qual os alemães se comprometiam a devolver terras norte-americanas ao México, caso os mexicanos concordassem em assinar uma aliança militar com a Alemanha (telegrama Zimmermann). Esses episódios levaram os **Estados Unidos** a declarar guerra à Alemanha, em 6 de abril de 1917, e à Áustria-Hungria, em 7 de dezembro de 1917. Também nesse ano ocorreu a **retirada da Rússia** da Primeira Guerra, visto que o país enfrentava em seu território uma revolução socialista.

Outras inovações tecnológicas foram utilizadas durante o combate. Os aviões já haviam sido utilizados em combates anteriormente – os italianos, na guerra contra o Império Otomano, foram os pioneiros nessa façanha –, assim, em 1914, quando teve início os combates, embora já conhecidos, os aviões ainda representavam um número reduzido da força de guerra disponível. Como era de esperar, a guerra fez com que essa realidade fosse alterada. Se, a princípio, os aviões de guerra priorizavam a estabilidade – principalmente porque havia poucos homens treinados para pilotarem –, no fim da guerra essa realidade já fora modificada, e os aviões ganhavam em velocidade e manobrabilidade, ao mesmo tempo que os pilotos passaram a ter mais tempo de treino, já que as aeronaves se tornaram bem mais complexas de pilotar. Com diversas ferramentas utilizadas para observação e reconhecimento, os aviões passaram a ser utilizados como armas de guerra, e o controle aéreo das áreas de guerra passou a ser pensado como fundamental. Intensas batalhas aéreas foram travadas e em pouco tempo os bombardeios aéreos se tornaram realidade.

Figura 2.2 – Máscaras de gás – inovação tecnológica da Primeira Guerra

Edgewood Arsenal, Maryland. Gas demonstration. **Soldiers wearing gas masks after having been sprayed with gas from a plane.** 1942. 1 negativo, 3 1/4 × 4 1/4 polegadas. Library of Congress Prints and Photographs Division Washington, D.C. 20540.

Outra novidade no período foi a utilização de armas químicas. Com o avanço da indústria química – iniciado já na Revolução Industrial –, não demorou muito para que as nações em guerra buscassem aí elementos que pudessem ser utilizados como armas em combates. Os alemães iniciaram a experiência da utilização de gases venenosos já em 1915, pouco depois os franceses e, na sequência, os ingleses. O gás de cloro e o de mostarda passaram a ser frequentemente usados nas frentes de batalha. Entretanto, como se viu, a guerra das fronteiras se arrastou sem que os combatentes pudessem alterar de forma significativa a situação nas fronteiras ocidentais.

A guerra começou com armamentos convencionais semelhantes aos de 1870. A cavalaria, dos dois lados, entrou em campanha armada de lança. [...] A metralhadora, a Gatling disparada por uma manivela, surgiu na Guerra de Secessão e esteve presente na Guerra de 1870, com canos múltiplos. Na Grande Guerra, mais leves, já automáticas, com grande velocidade de tiro, a Hotckiss francesa e a Maxim alemã, entre outras, ao lado da artilharia, se fizeram eficientes máquinas de moer carne. O desenvolvimento da indústria química levou à produção dos gases de combate, que fizeram sua estreia em Ypres, em 1915, eficientes no matar e causar sofrimento. Surgiu também o lança-chamas (que teria extenso emprego na Segunda Guerra Mundial, particularmente no Pacífico). A crescente presença da observação aérea e da aerofotogrametria facilitou a tarefa do artilheiro, mas obrigou a desenvolver a camuflagem, para ocultar posições de artilharia e de ataque, postos e comando, depósitos de suprimentos. [...] O tanque (carro de combate, na terminologia militar) fez sua entrada em força na Batalha de Cambrai, em novembro de 1917, quando os britânicos lançaram 300 Mark VI contra os alemães. Daí por diante, a quantidade de tanques no combate foi crescendo e a doutrina sobre seu emprego, evoluindo. Algo semelhante aconteceu com o avião. Em 1914, as missões eram de observação, ampliaram-se para a regulagem do tiro de artilharia, o apoio às forças de terra, até o bombardeiro estratégico. Em 1914 a Alemanha tinha 204 aviões e a França, 162; em 1918 a primeira possuía 5 mil e os Aliados, 10 mil. A capacidade de transporte de bombas passou de alguns quilos em 1914, para 1 tonelada em 1916 e 4 toneladas em 1918 quando, por sorte das cidades europeias, a guerra terminou. Todos esses e outros instrumentos de matar e causar sofrimento não diminuíram o prestígio da Rosalie, como os poilus (peludos, carinhoso apelido dos soldados franceses, de barba e cabelos abundantes) chamavam a baioneta. Um general imaginoso chamou-a de sábia. (Magnoli, 2006, p. 324-325)

Entretanto, fora dali, em outras frentes aos poucos o cenário foi se alterando. Nos Bálcãs, a Itália, que a princípio se mantivera neutra, aliou-se à Tríplice Entente na tentativa de garantir os Bálcãs e, embora tenha sofrido várias derrotas, em 1918 recuperou grande parte do território. Enquanto na Turquia e no Oriente Médio vários levantes, incentivados pelos britânicos, começaram a acontecer, a principal meta era desestabilizar as tropas turcas que apoiavam as Potências Centrais.

Somado a isso estava a entrada dos Estados Unidos no combate. Como vimos, os norte-americanos se mantiveram neutros diante do conflito até 1917. No entanto, essa neutralidade foi quebrada quando a Alemanha, declarando guerra total, avisou que qualquer navio, mesmo que da marinha mercante, que se aproximasse do litoral seria torpedeado. Fortemente pressionado pela opinião pública e pelos grandes empresários americanos que mantinham negócios com os países em guerra, o governo norte-americano, como vimos, declarou guerra à Alemanha e ao Império Austro-Húngaro.

Acuados, os alemães fizeram uma tentativa desesperada de romper as defesas dos aliados, pois acreditavam que o envio de tropas norte-americanas à Europa tornaria inviável a continuação da guerra. Em março de 1918, tentaram um grande conjunto de ofensivas (ofensiva do Kaiser), mas a derrota foi clara; já cansados pelos quatro anos em guerra e sem o apoio de grande parte da população civil alemã, os alemães sentiram que o final se aproximava. Em julho do mesmo ano, franceses, norte-americanos e ingleses desferiram várias ofensivas às tropas alemãs, obrigando-as a recuar. Diante do avanço, o Alto Comando alemão aconselhou o governo a solicitar o armistício. Na sequência, Bulgária, Turquia e o Império Austro-Húngaro depuseram as armas. Sozinhos e sem condições de manter as próprias tropas, os alemães ainda enfrentavam oposição da própria população civil, que constantemente saía às ruas em Berlim, posicionando-se contrária ao Kaiser. Em 10 de novembro, o Kaiser buscou refúgio na Holanda, e imediatamente foi proclamada a República alemã. Em 11 de novembro de 1918, dois delegados republicanos, em nome da Alemanha, assinaram o termo que oficialmente pôs fim à Primeira Guerra.

Antes mesmo que o conflito terminasse, o presidente dos Estados Unidos, Woodrow Wilson, já havia enviado ao congresso norte-americano uma mensagem na qual apresentava 14 pontos concebidos para o tratado de paz que, acreditava, estava prestes a ser celebrado. São eles:

1. "acordos públicos, negociados publicamente", ou seja, a abolição da diplomacia secreta;
2. liberdade dos mares;
3. eliminação das barreiras econômicas entre as nações;
4. limitação dos armamentos nacionais "ao nível mínimo compatível com a segurança";
5. ajuste imparcial das pretensões coloniais, tendo em vista os interesses dos povos atingidos por elas;
6. evacuação da Rússia;
7. restauração da independência da Bélgica;
8. restituição da Alsácia e da Lorena à França;
9. reajustamento das fronteiras italianas, "seguindo linhas divisórias de nacionalidade claramente reconhecíveis";

10. desenvolvimento autônomo dos povos da Áustria-Hungria;
11. restauração da Romênia, da Sérvia e de Montenegro, com acesso ao mar para Sérvia;
12. desenvolvimento autônomo dos povos da Turquia, sendo os estreitos que ligam o Mar Negro ao Mediterrâneo "abertos permanentemente";
13. uma Polônia independente, "habitada por populações indiscutivelmente polonesas" e com acesso para o mar;
14. uma Liga das Nações, órgão internacional que evitaria novos conflitos atuando como árbitro nas contendas entre os países.

Na prática, entretanto, muito pouco disso foi respeitado quando os acordos de Paz foram celebrados. O **Tratado de Versalhes** tornava claro que o clima de belicosidade e revanche estava longe de conhecer seu fim no território europeu. Com 440 artigos, esse tratado era uma condenação aberta à tentativa alemã de se tornar a nova nação hegemônica da Europa. Assim, a responsabilidade de arcar com uma boa parte do ônus da guerra ficou a cargo da Alemanha. Ela deveria, entre outras coisas:

1. devolver a região da Alsácia-Lorena à França;
2. devolver as regiões anexadas que pertenciam à Bélgica, à Dinamarca e à Polônia;
3. entregar à França, à Inglaterra e à Bélgica uma boa parte de seus navios mercantes;
4. pagar aos países vencedores uma indenização milionária;
5. reduzir o poderio militar dos seus exércitos a um máximo de 100 mil homens, sendo proibida de ter aviação militar, submarinos, blindados ou encouraçados modernos.

Para muitos historiadores, o Tratado de Versalhes deixou claro que o conflito europeu ainda não estava resolvido, muito pelo contrário, ele é apontado como um entreato entre as duas guerras. Embora tenha sido criada a Liga das Nações, que deveria servir como mediadora dos conflitos internacionais, a partir daquele momento, ela não se revelou uma entidade com força moral legítima para cumprir tal papel e, ainda que tenha sido proposta pelo presidente dos Estados Unidos, o próprio congresso norte-americano vetou sua participação na entidade, alegando não concordar com os caminhos tomados pelos tratados internacionais no pós-guerra. Assim, desacreditada já em sua origem, a Liga não conseguiu exercer a função para qual havia sido criada.

(2.3) No meio do caminho tinha uma revolução: a Revolução Russa

Todos querem a liberdade, mas poucos sabem para quê.

(Lenin)

Às portas do século XX, a Rússia tinha uma população de aproximadamente 120 milhões de habitantes e, em 1914, esse número já havia subido para 150 milhões. Cerca de 80% dessa população ainda vivia no campo em condições semifeudais e o país ainda se mantinha predominantemente agrário. Do ponto de vista político, tratava-se de um império: o czar governava absoluto, amparado pela aristocracia.

Entretanto, o rápido avanço da Revolução Industrial trouxe à tona as contradições econômicas e políticas, tornando inevitável que rearranjos fossem feitos. Ainda em 1861, algumas alterações de estatuto jurídico se iniciaram, a servidão foi abolida e as reformas agrárias superficiais[6] foram feitas, mas elas tinham como objetivo resolver os problemas do *kulaks* – proprietários rurais –, razão por que não atingiram grande parte dos pequenos proprietários e camponeses. Entretanto, quando Alexandre III ascendeu ao poder – seu antecessor havia sido assassinado –, houve uma clara modificação nos rumos políticos. Alexandre III realizou um governo ainda mais repressor que o anterior, reforçando, para isso, os poderes da *Okhrana* – polícia política –, que passou a controlar a vida da sociedade. Nesse período, houve uma série de perseguições, banimentos e execuções. Ainda assim, as forças políticas da Rússia começaram a se organizar em grupos com propostas e visões de mundo diferenciadas: os eslavistas acreditavam que a Rússia não deveria aceitar influências ocidentais, por isso mesmo apoiavam o czarismo; os ocidentalistas, também conservadores, mas abertos a experiências ocidentais; os populistas – *narodiniques*; e os marxistas das mais diversas tendências.

Primeiramente tinham-se dividido em ocidentalistas e eslavófilos. Uns julgavam que a história do Ocidente prefigurava o futuro da Rússia, podendo evitar certos erros que tinham levado ao malogro de 1848. Outros insistiam no caráter original do passado russo, julgando que a Rússia devia encontrar em si mesma os rumos da sua revolução. Assim na segunda metade do século XIX, os "marxistas" pensavam que a Rússia devia inelutavelmente passar por uma longa fase de desenvolvimento capitalista e os "populistas", ao contrário, julgavam possível a passagem direta ao

---

6   Em 19 de fevereiro de 1861, o czar baixou um regulamento em que libertava uma parte dos camponeses que ainda se encontravam em regime de servidão. A princípio a reforma deveria alcançar o regime de propriedade, mas acabou não o fazendo, as terras foram declaradas como propriedades dos latifundiários e os camponeses só poderiam adquirir lotes caso os proprietários e o latifundiário estivessem de acordo.

socialismo. No movimento Narodnaia Volja *os objetivos eram semelhantes, a tática oposta.* (Ferro, 1974, p. 17, grifo do original)

Com a morte de Alexandre III, ascendeu ao poder Nicolau II, que tinha como proposta acelerar o processo de modernização russo. Ele acreditava que isso só aconteceria com a entrada de capitais estrangeiros, já que a burguesia russa era, àquele tempo, incipiente. Assim, abriu o país para investimentos externos. Rapidamente, instalaram-se indústrias e cresceu a rede ferroviária e os centros urbanos aumentaram, mas a burguesia russa não estava satisfeita, já que era mantida à margem desse processo, mesmo porque tanto o czar quanto a aristocracia lhes negava apoio em detrimento da burguesia estrangeira. Resultante dessa tentativa de aceleração, a situação social russa piorou consideravelmente; os camponeses, que, expulsos do campo, rumaram para as cidades em busca de trabalho, acabaram engrossando as fileiras do desemprego; a burguesia nacional – que, como já citamos, foi deixada de fora desse processo – não conseguiu inserção; e os conservadores, ávidos por lucros rápidos, não enxergavam vantagens imediatas nas modificações que estavam em processo. A insatisfação era geral.

Desse modo, o czar resolveu aumentar a perseguição aos opositores do regime e a maior parte deles foi expulsa do país. O partido social-democrata russo, que havia sido constituído em 1898, teve, nesse período, a maioria absoluta de seus líderes no exílio, acabando por realizar sua convenção de 1903 em Londres. Dessa convenção surgiram duas tendências divergentes no partido: os **bolcheviques** – liderados por Lenin –, que defendiam a luta armada para chegar ao poder; e os **mencheviques** – liderados por Martov –, que queriam um partido aberto, que assumiria o poder de forma pacífica, utilizando o convencimento e as eleições.

A situação foi agravada pela guerra entre Japão e Rússia (1904-1905)[7]. Como já vimos, o fim do século XIX e o início do século XX foram permeados por disputas entre nações em busca de novos territórios para expansão de sua economia; com a derrota russa contra os japoneses, a fragilidade do czarismo foi exacerbada. Burguesia, classe média, operários e camponeses se uniram em um posicionamento claramente anticzarista. Vários movimentos se organizaram, inúmeras revoltas populares surgiram em toda a Rússia, muitas delas organizadas pelos *soviets* (agremiação que conjugava vários segmentos da sociedade).

Diante da grave situação, o czar convocou a Assembleia Constituinte (Duma) eleita pelo voto, mas deu a ela apenas o caráter consultivo, reduzindo seu peso político. No entanto, essa assembleia deixou clara a divisão política existente no país à época. Tinha-se, então, três grupos claramente constituídos: os conservadores, que sustentavam os privilégios aristocráticos, ou seja, da própria monarquia czarista; os kadetts, que representavam a burguesia liberal, que pretendia uma revolução liberal; e o Partido Operário Social-Democrata Russo (P.O.S.D.R.), que, como já vimos, tinha divisões internas que resultavam em concepções e ideais diferentes.

De qualquer forma, a Duma não chegou a alterar o cenário tenso do período, mas serviu como uma medida paliativa à situação. Desse primeiro momento revolucionário, três episódios se destacaram: o **Domingo Sangrento**, em que uma manifestação operária em São Petesburgo foi dispersa pela guarda imperial, fazendo centenas de vítimas; a **greve geral**, que atingiu São Petesburgo, Moscou e Kiev e da qual resultaram os **soviets** e o primeiro enfrentamento armado

---

7 Guerra entre o império do Japão e o império russo, que disputaram, em 1904 e 1905, os territórios da Coreia e da Manchúria.

entre os operários e as tropas reais; e o **episódio do c**, um couraçado que teve sua tripulação amotinada quando foi enviada para lutar contra os japoneses.

A situação se agravou ainda mais com a entrada da Rússia na Primeira Guerra. Como já vimos, a Rússia fazia parte da Tríplice Entente e, junto com a Inglaterra e a França, teria de dividir esforços para deter o exército alemão. Entretanto, o exército mal armado e mal preparado encontrou problemas logo no início das batalhas.

> Acreditara-se que a guerra seria curta, mas no começo de 1915 ficou patente que nada permitia prever seu próximo fim: ora, a Rússia não dispunha de meios para fazer face a uma guerra longa; não tendo constituído um corpo suficiente de oficiais de reserva, o exército não mais podia substituir seus quadros, dizimados durante o inverno de 1914. Sobretudo, a inferioridade dos russos em artilharia mostrou-se catastrófica, pois as fábricas podiam satisfazer apenas um terço das necessidades. Assim paralisado, o Estado-Maior teve que improvisar uma tática. Procurou evitar os grandes comprometimentos, mas a ofensiva conjunta de Hindenburg, Hotzendorf e Enver Pacha colocou o exército russo rapidamente em situação dramática. Rompido o front de um lado a outro, ele conseguiu evitar o aniquilamento, mas sofreu um desastre sem precedentes durante o inverno de 1915-1916, evacuando a Polônia, a Lituânia, a Galícia e perdendo metade de seus efetivos. (Ferro, 1974, p. 23-24)

O efeito das derrotas na guerra foi devastador para Nicolau II, que, sem saída, viu-se obrigado a fazer concessões, visto que, até mesmo dentro do Conselho de Ministros, havia um grupo que agora considerava prudente uma política mais moderada e um maior cuidado com a opinião pública. Nicolau II passou, então, a fazer uma reforma ministerial na tentativa de encontrar soluções. Demitiu o ministro do Interior e o substituiu pelo príncipe N. V. Shcherbakov, tido como conservador, mas claro opositor de medidas extremistas. Essa alteração agradou a burguesia russa. Na esteira dessas mudanças, o ministro da Guerra V. A. Sukhomlinov também foi retirado de seu posto, sendo substituído pelo general A. A. Polivanov; entretanto, a crise, como perceberemos, não estava ligada restritamente ao que acontecia nos campos de batalha, mas tratava-se de algo estrutural e irreversível dentro da própria Rússia.

Por isso mesmo as medidas não contiveram a insatisfação popular, as greves se multiplicaram e aos poucos as reinvindicações foram mudando de tom, deixando de lado o aspecto meramente corporativo e assumindo cada vez mais o discurso da derrubada do governo. Os dias finais de fevereiro e início de março foram marcados por imensas manifestações e o czar mandou as tropas às ruas para reprimir a população. No entanto, os soldados se recusaram a atirar contra os manifestantes e, percebendo que não contaria mais com o apoio do exército, Nicolau abdicou.

Na manhã de 27 de fevereiro, os operários dos arrabaldes hesitavam em precipitar-se para a cidade. Avançando com precaução, perceberam ao longe grupos de soldados. Um murmúrio se propagou: "Eles estão sem oficiais". Imediatamente operários e soldados confraternizaram e juntos formaram um cortejo. Cerca de meio-dia atravessavam as pontes do Neva e durante três horas, entusiasmados, percorreram a cidade toda. Na passagem, apoderaram-se das armas depositadas no Arsenal e puseram fogo no Tribunal Civil. Os ministros haviam desaparecido, toda a antiga ordem desabara em algumas horas. Música à frente, conduzido pelos suboficiais, o regimento de Pavlovskii marchou para o Palácio de Inverno e nele penetrou, saudado pelos sentinelas. Alguns instantes mais tarde, viu-se o pavilhão imperial descer lentamente, puxado por mão invisível, e logo em seguida um pano vermelho flutuou sobre o palácio. Em 5 dias pusera fim ao reino dos Romanos. (Ferro, 1974, p. 33-34)

Samara Feitosa

A Duma organizou, então, o governo provisório liderado pelo príncipe Lvov. Kerenski foi convidado a participar do governo e novamente medidas paliativas começaram a ser tomadas. Com a queda do czar, Lenin e Trótski, que estavam exilados, voltaram à Rússia e passaram a pregar o fortalecimento dos soviets. Os bolcheviques, junto com Lenin, exigiam que os soviets passassem a ser o centro político do país, enquanto os mencheviques ponderavam que os movimentos populares ainda não estavam preparados para assumir esse papel. De qualquer forma, Lvov não retirara a Rússia da Primeira Guerra e essa questão fundamental ainda minava as relações de poder. Pressionado, Lvov se demitiu e Kerenski assumiu o poder, mas acabou centralizando as decisões e desagradando a população, que estava em constante movimento de manifestação. Tentando evitar o fim de seu governo, Kerenski buscou criar um governo de coalização, mas os bolcheviques continuavam pressionando. Ele solicitou, então, poderes especiais para lidar com os manifestantes e, diante da recusa e do fortalecimento dos bolcheviques, o governo de Kerenski também caiu.

A revolução entrou em sua segunda fase com a ascensão dos bolcheviques[8] ao poder. Kerenski fugiu e conseguiu refúgio nos Estados Unidos, a Duma foi dissolvida e substituída pelo Conselho de Comissários do Povo, liderado por Lenin, e, na sequência, foi chamada uma Assembleia Constituinte. Embora nas regiões centrais o poder dos bolcheviques fosse imbatível (Petrogrado, Moscou, Minsk e Kiev), isso não aconteceu no restante da Rússia, e o resultado das eleições tornou esse cenário evidente. Assim, em sua primeira reunião,

---

8   Dois fatos são importantes para essa ascensão: a divulgação das **Teses de Abril** – sintetizadas pela máxima: "Paz, Terra e Pão"; e a clara defesa feita pelos bolcheviques da retirada das tropas russas da Primeira Guerra Mundial.

diante da hostilidade dos representantes da Assembleia Constituinte ao Conselho de Comissários do Povo, Lenin ordenou o imediato fechamento da Assembleia e deu início a uma ditadura comunista. Em seguida, firmou um tratado de Paz com a Alemanha – Tratado Brest-Litovski –, retirando a Rússia da Primeira Guerra Mundial. Entretanto, isso não significou que a paz havia chegado ao território russo, ao contrário, a Rússia passou por um longo período de guerra civil. Os exércitos branco (anticomunistas – apoiados pelas potências ocidentais) e vermelho (bolcheviques) disputaram o poder entre 1917 e 1921. De ambos os lados os massacres eram imensos e resultaram em um saldo de mortes, destruição e ruínas, mas, no fim de 1920, os russos brancos haviam sido derrotados pela Revolução. Tentando fazer frente às dificuldades e ao caos social, Lenin criou a Nova Política Econômica (NEP) e, sob a égide do *slogan* "Um passo atrás para dar dois passos à frente!", abriu concessões às manufaturas privadas, ao pequeno comércio particular, à entrada de capitais estrangeiros, à venda da produção dos camponeses livremente ao mercado, entre outras novidades.

Aos poucos e devagar a Rússia foi se reorganizando social, econômica e politicamente. No **X Congresso Pan-Russo dos Soviets (1922)**, vários países que compunham o antigo império czarista aderiram ao governo revolucionário, formando, assim, a **União das Repúblicas Socialistas Soviéticas** (URSS). Nesse mesmo congresso, definiu-se que o governo desse novo país ficaria a cargo do Conselho dos Comissários do Povo – que representava todos os soviets – e estaria sob a supervisão do Partido Comunista da União Soviética – antigo partido bolchevique.

A frágil estabilidade, no entanto, foi atingida pela morte de Lenin, em 1924. Nesse momento, as lutas internas, que até então haviam sido controladas, evidenciaram-se com a corrida pela disputa ao poder.

Samara Feitosa

Dela participaram-se Stalin e Tróstski. Para Tróstski, era necessário difundir a revolução para outros países, só assim o isolamento soviético poderia ser quebrado – tese que ficou conhecida como "**revolução permanente**"; já Stalin pretendia consolidar a revolução na URSS e só depois difundi-la por outros países – tese conhecida como "**socialismo em um só país**".

Stalin saiu vitorioso da disputa e assumiu o poder em 1928. Sentindo-se traído e perseguido, Tróstski acabou sendo expulso do país e se exilou no México. Foi assassinado, supostamente por ordens de Stalin, em 1940.

No poder, Stalin imprimiu um caráter bastante autoritário, pautado no personalismo e na centralização do poder, iniciando uma onda de modificações em que não havia espaço para oposição ou discordância. Já em 1921 havia fundado o Gosplan, órgão que passou a desenvolver políticas e planos econômicos de média e longa duração – entre a Primeira e a Segunda Guerra desenvolveu dois planos quinquenais. No **Primeiro Plano Quinquenal (1928-1932)**, criou no campo os **sovcoses**, fazendas onde os camponeses eram assalariados, e os **kolcoses**, cooperativas onde os camponeses tinham pequenos lotes de terra para produzir. Sua intenção nesse primeiro plano era, principalmente, fortalecer a indústria de base, que considerava essencial no desenvolvimento econômico do país, e acabar com a propriedade privada no campo.

No **Segundo Plano Quinquenal (1933-1937)**, diante do crescimento econômico da URSS, investiu pesadamente no desenvolvimento da tecnologia, visando à expansão do modelo soviético para o mundo. Nesse momento, o cenário internacional já dava claros indícios de que outro grande conflito entre as potências europeias estava prestes a acontecer, por isso mesmo, junto com as medidas que visavam evidenciar o potencial econômico da URSS, Stalin estabeleceu uma política interna e externa que viabilizasse suas pretensões. Ações voltadas à criação de um culto a sua pessoa foram impetradas, expurgos frequentes aos opositores, perseguições, julgamentos e execuções – oficiais e extraoficiais – passaram a fazer parte do cotidiano dos russos. Somado a isso estavam a burocratização das rotinas estatais e a elitização de uma parcela desses burocratas. São frutos desse período os grandes expurgos do partido comunista – nome dado à perseguição à oposição à Stalin e sua política e aos gulags – e os campos de trabalho forçado, para onde eram enviados os opositores do regime.

Em 1929, a Revolução também já adquirira um tipo muito diferente de líder. No decorrer dos anos 1920, Josef Stalin suplantara ou eliminara primeiro os inimigos dos bolcheviques e depois os inimigos dele próprio, em parte encarregando-se das decisões do Partido sobre pessoal, em parte fazendo pródigo uso de informações secretas reunidas para seu benefício pela polícia secreta, na qual ele tinha particular interesse. Stalin lançou uma série de expurgos, que de início significavam a expulsão do Partido, e providenciou para que eles fossem anunciados em assembleias de massa exaltadas e recriminatórias. Em 1937 e 1938, esses expurgos se tornariam letais: à expulsão do partido frequentemente se seguia uma pena de prisão – ou a morte. (Applebaum, 2004, p. 61)

Assim, sob o domínio de Stalin, a URSS passou a desempenhar um importante papel no cenário político internacional e atingiu o estatuto de superpotência durante e após a Segunda Guerra Mundial. Embora isso fosse real, às portas desse combate, boa parcela da população ainda vivia em condições miseráveis e, também, estima-se que, durante os 30 anos de governo de Stalin, entre 30 a 60 milhões de pessoas tenham sido exterminadas.

Como vimos até aqui, o cenário europeu do fim do século XIX e início do XX foi bastante conturbado por disputas de poder econômico e político. A entrada para o jogo expansionista de novas nações alterou o frágil equilíbrio de forças que compunham a dinâmica de poder internacional; quando os quadros diplomáticos não eram mais capazes de mediar o diálogo, os conflitos armados surgiram como a única solução possível.

Entretanto, mesmo após o término da Primeira Guerra, o quadro político internacional não mostrava sinais de recuperação total. A Alemanha, humilhada, seguia rumo à reconstrução de sua nação utilizando um forte discurso nacionalista; a Itália, que entrara na guerra em busca de novas terras, saiu dela sem consegui-las; na Rússia, uma revolução de cunho comunista derrubou um dos mais antigos impérios europeus; enquanto, do outro lado do mundo, na longínqua América do Norte, uma nova potência começava a se erguer e demonstrar apetite e talento para o poder. Um novo cenário começou a se desenhar e, nele, novos personagens e novas tramas estavam prestes a encenar outro espetáculo.

Síntese

Para resumir o que vimos neste capítulo, analise o esquema a seguir.

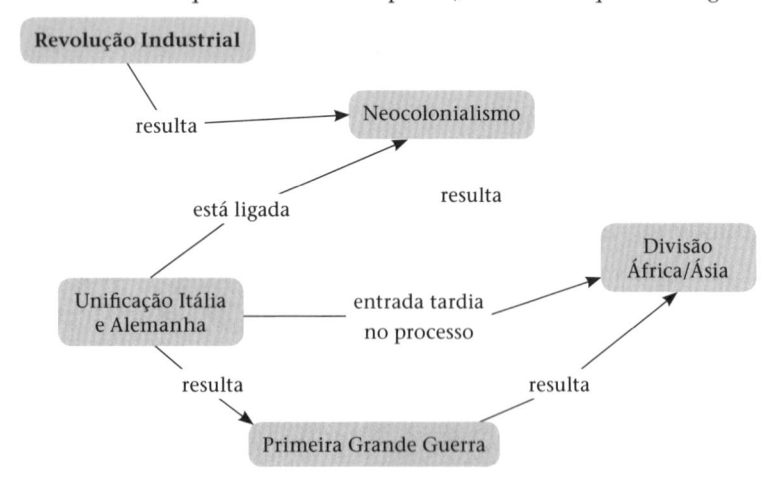

- **Revolução Industrial** resulta → **Neocolonialismo**
- **Revolução Industrial** está ligada → **Unificação Itália e Alemanha**
- **Unificação Itália e Alemanha** entrada tardia no processo → resulta → **Neocolonialismo**
- **Unificação Itália e Alemanha** resulta → **Primeira Grande Guerra**
- **Primeira Grande Guerra** resulta → **Divisão África/Ásia**
- **Neocolonialismo** → **Divisão África/Ásia**

DA REVOLUÇÃO FRANCESA ATÉ NOSSOS DIAS: UM OLHAR HISTÓRICO

Indicações culturais

LAWRENCE da Arábia. Direção: David Lean. EUA: Columbia Pictures do Brasil, 1962. 216 min.

LENDAS da Paixão. Direção: Edward Zwick. EUA: Columbia TriStar Filmes do Brasil, 1995. 133 min.

O LEOPARDO. Direção: Luchino Visconti. Itália: Goffredo Lombardo, 1963. 187 min.

Atividades de autoavaliação

1. Os processos de unificação alemão e italiano alteraram o equilíbrio de forças do quadro político da Europa à época. Esses processos tinham como base movimentos:
   a) ligados aos ideais renascentistas, buscando um retorno aos grandes reinados.
   b) de caráter religioso: na Alemanha, ligados ao luteranismo, na Itália, à reforma católica.
   c) liberais, acentuadamente nacionalistas.
   d) ligados aos ideais socialistas, principalmente pautados pelas teorias marxistas.

2. O processo de unificação italiano aconteceu tardiamente (meados do século XIX), levando em conta o contexto europeu. Pode-se afirmar que esse processo:
   a) dificultou o fluxo de migração dos italianos para a América do Norte, o que prejudicou o desenvolvimento econômico dos Estados Unidos.
   b) possibilitou a entrada da Itália, ainda que tardiamente, na corrida neocolonial, tornando-a ainda mais acirrada.
   c) reafirmou o Tratado de Latrão e os laços de amizade entre a recém-unificada Itália e o tradicional Estado do Vaticano.

Samara Feitosa

d) possibilitou o reforço do Congresso de Viena e a ajuda na manutenção do equilíbrio político-econômico da Europa à época.

3. A Sociedade ou Liga das Nações tinha como principal objetivo:
   a) servir como instituição de intermediação nos conflitos internacionais, buscando a manutenção da paz mundial e o cumprimento dos acordos pós-guerra.
   b) acelerar o desenvolvimento do capitalismo, principalmente promovendo a ocupação da África e da Ásia pelos tradicionais países europeus.
   c) executar os 14 pontos de Wilson, que buscavam beneficiar Itália e Alemanha.
   d) unir as nações democráticas para impedir o ressurgimento dos movimentos nazifascistas que levaram à Primeira Guerra.

4. A respeito da Primeira Guerra Mundial, sobre o envolvimento dos Estados Unidos, é correto afirmar:
   a) Os Estados Unidos financiaram a indústria bélica alemã, dando-lhes suporte técnico e científico.
   b) A entrada dos Estados Unidos teve baixo impacto no conflito, já que França e Inglaterra estavam claramente em vantagem.
   c) A derrota da França e da Inglaterra colocaria em risco os altos investimentos norte-americanos na Europa.
   d) Desconsiderando as recomendações do Congresso norte-americano, os Estados Unidos declararam guerra ao Eixo.

5. Na Revolução Russa, a queda do regime czarista teve a participação de grupos e organizações que divergiam sobre os encaminhamentos a serem dados ao movimento. Sobre isso, pode-se afirmar:

a) Para os bolcheviques, a burguesia deveria liderar a revolução de outubro de 1917, por ser a única classe com condições de implementar o capitalismo, objetivo final do movimento revolucionário.

b) Para os mencheviques, liderados por Stalin, a manutenção da Rússia na Primeira Guerra Mundial era essencial para o desenvolvimento da revolução, já que assim garantia o *status* da nova nação diante das antigas potências europeias.

c) Os sovietes, conselhos formados por operários, camponeses, soldados etc., tiveram uma participação importante e decisiva na organização e na gestão do movimento revolucionário.

d) Tróstski defendia uma revolução limitada à Rússia, que se constituísse em um Estado fortemente centralizado, para só posteriormente buscar a internacionalização do comunismo.

Atividades de aprendizagem

Questões para reflexão

1. Com base no que você estudou e em sua experiência de vida, reflita sobre as condições econômicas, políticas, socioculturais da Rússia e avalie os impactos do processo revolucionário nesse país.

2. Analise o esquema a seguir e, com base no que você acabou de estudar, reflita e produza uma pequena dissertação explicando as relações apontadas.

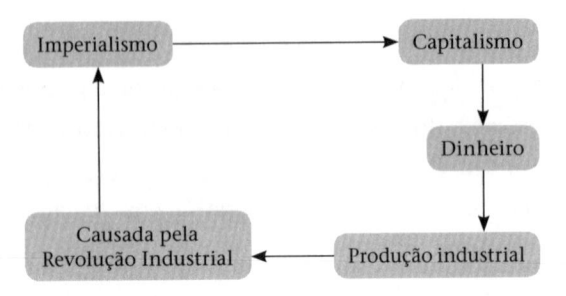

```
Imperialismo ──────────► Capitalismo
     ▲                        │
     │                        ▼
     │                     Dinheiro
     │                        │
     │                        ▼
Causada pela      ◄──── Produção industrial
Revolução Industrial
```

Atividade aplicada: prática

Faça um quadro comparativo entre os processos de unificação da Itália e da Alemanha e, em seguida, construa dois mapas conceituais: o primeiro apresentando o processo de unificação da Itália e o segundo, o processo de unificação alemão. Mãos à obra.

Processos	Unificação Italiana	Unificação Alemã
Data de início		
Data final		
Principais líderes		
Batalhas de anexação		
Pendências a resolver no final do período		

Capítulo 3
Quem é o dono do mundo?

"Para governar é preciso aproveitar-se dos vícios dos homens, não de suas virtudes".
(Napoleão Bonaparte)

A apresentação da crise econômica, moral e política que se instaurou após a Primeira Guerra inicia este capítulo. Assim, a intenção é que você, leitor, articule essa crise com a ascensão dos regimes fascistas em vários locais e a eclosão da Segunda Guerra Mundial, que, de certa maneira, apresenta-se como a sequência lógica e necessária para a solução do primeiro conflito que o mundo acabara de viver.

Como vimos anteriormente, o cenário mundial se alterou drasticamente após a Primeira Guerra. As economias, a política, a cultura tinham agora de lidar com uma nova dinâmica de forças, visto que diversas nações, que antes ocupavam posições subordinadas ou mesmo não participavam do jogo de poder, foram trazidas ao palco e encontravam-se em atuação. Os processos de transformações ocasionados pelos movimentos revolucionários, também já apresentados anteriormente, repercutiram em todo o mundo. Pressupostos que antes eram pensados como legítimos apenas para uma parcela da população do globo terrestre eram agora conhecidos e esperados também por e para grupos que, em momentos anteriores, sequer eram contabilizados como possíveis participantes do jogo de poder do qual participavam as tradicionais nações europeias.

Vimos também que a Primeira Guerra deixou marcas efetivas na subjetividade das nações; as baixas contabilizadas nos quatro anos de conflito alcançaram números inimagináveis antes do início dos combates. A utilização de novos armamentos e técnicas na guerra tornou impossível e incoerente, para uma boa parcela da população, manter a ligação histórica que se fazia entre guerra, honra e heroísmo; ao contrário, desnudou a capacidade humana de impetrar dor aos

Samara Feitosa

seus semelhantes desde que isso pudesse lhes trazer algum benefício. Apesar disso, no período de 20 anos entre a Primeira e a Segunda Guerra, não era possível deixar de notar que as "contas não estavam zeradas" e que o momento para ajustá-las não tardaria a chegar. Havia, além disso, um sentimento geral de adaptação ao novo mundo que se desenhou, sem que ao menos os atores tivessem muita consciência de qual caminho tomar ou mesmo das opções disponíveis. Paradoxalmente, esse também foi o momento do reforço na ideia de planificação. Era cada vez mais comum Estados, corporações e indivíduos traçarem metas, objetivos e estratégias em busca de resultados. O maior "lucro" possível no menor espaço de tempo parece ser a máxima que orientava as condutas nesse período. Havia certo mal-estar, que cotidianamente era mascarado pela euforia do consumo desenfreado, pelo aceleramento do tempo, pela voluntariedade das decisões. Enfim, é como se o mundo vivesse um momento de espera entre um e outro ato do espetáculo, que, como já havia sido experimentado, poderia ser grandioso, porém destruidor.

(3.1)
Um intervalo: o mundo entreguerras

"A glória é um veneno que se deve tomar
em pequenas doses".
(Honoré de Balzac)

Não há como negar que a Primeira Guerra deu vez à aparição de novos atores na cena política mundial. A ascensão de países periféricos e as colônias recém-independentes à posição de participantes nos jogos de poder mundiais não estava, ainda, completamente digerida pelo antigo continente, acostumado a monopolizar entre as tradicionais nações europeias os principais papéis no espetáculo.

Por isso mesmo, a intervenção norte-americana, que em certa medida encerrou a primeira fase do conflito mundial, causou um inominável desconforto.

Desde a entrada de nações como Estados Unidos, Japão e mesmo a Rússia na corrida de expansão imperialista pelas colônias na África e na Ásia, a sensação de uma "nova ordem mundial" vinha se instalando; e a participação dos Estados Unidos na primeira guerra como, em certa medida, definidora dos rumos desse conflito ainda causava estranheza entre os antigos artífices das políticas internacionais.

Vale lembrar que durante o período de conflitos em solo europeu os Estados Unidos foi um grande investidor. Em guerra, as nações têm seus orçamentos e produção comprometidos na manutenção do conflito e parte significativa da economia é atingida, sem levar em conta que os danos materiais e humanos levam, necessariamente, um longo período para se recompor. Esse era o cenário europeu no pós-guerra. As nações vencedoras tinham, ao menos, a satisfação de haverem ganhado a disputa; às derrotadas couberam o ônus e a vergonha.

Quando soou o clarim anunciando o término da Primeira Grande Guerra, em 11 de novembro de 1918, o mundo suspirava enfim aliviado. Ao cabo de quatro anos de luta sem trégua, de uma incomensurável destruição material e do sacrifício de milhões de vidas, reacendiam-se os sonhos de uma nova era de prosperidade universal a apagar todo o sofrimento que se abatera sobre o solo europeu. Na ação firme e unificada dos governantes vitoriosos depositavam-se as esperanças de um novo destino para os povos castigados impiedosamente pelo conflito.

Samara Feitosa

Entretanto, a ninguém ocorreria sequer imaginar, naquele momento, que os dias de amargura e decepção não haviam ainda se encerrado. Pouco mais de um ano após o Armistício, em maio de 1920, a economia internacional sofreria um dos maiores abalos já noticiados em sua história. (Arthmar, 2002, p. 97)

No fim do conflito, as nações contendoras aspiravam ao mesmo objetivo: reorganizar sua economia. Por isso mesmo, não parece estranho que todas tenham, de alguma forma, tomado medidas muito próximas: reconstrução de seus parques industriais, financiamentos aos produtores agrícolas, medidas protetivas ao seu mercado interno. Em boa medida, os Estados Unidos da América se colocaram como "facilitadores" desse processo; bancos e empresas norte-americanos passaram a investir pesadamente na reconstrução europeia e a economia assistiu a um avanço rápido. Esse período ficou também conhecido como *Grande Euforia*.

A economia interna norte-americana conheceu, então, uma aceleração da produção e do consumo nunca vista antes, clima que se alterou na medida em que a Europa foi se reconstituindo. Parques industriais recuperados, agricultura reorganizada, oferta de empregos, aos poucos a Europa diminuiu sua dependência da produção norte-americana e reduziu gradativamente o consumo de sua produção. Entretanto, o ritmo de produção na América não foi desacelerado, gerando um grave descompasso entre produção e consumo, o que ocasionou uma superprodução sem mercado suficiente para consumi-la. Esse quadro foi se agravando e a redução da produção teve impactos no nível de emprego. Além disso, como se sabe, quanto maior o desemprego, menor a capacidade de consumo da população. Assim, a economia norte-americana, propulsora da economia mundial, entrou num grave quadro de depressão.

Na América do Norte e na Europa, as vendas em todos os ramos do atacado e do varejo despencaram assustadoramente, roubando de uma hora para outra o sustento de milhões de trabalhadores arremessados ao desemprego. Se os Estados Unidos lograram emergir da guerra na invejável posição de maior potência industrial e financeira do mundo, ao mesmo tempo a profundidade da crise prestava um testemunho inequívoco de que a diplomacia econômica de Washington não estava à altura das novas responsabilidades que jaziam à sua frente. Tanto assim que os graves problemas da economia internacional no imediato pós-guerra se projetariam com toda força pelas duas décadas seguintes. Com efeito, excetuando-se o breve interlúdio de relativa estabilidade entre 1924 e 1929, por qualquer ângulo que se observe o período delimitado pelas duas grandes guerras, verifica-se ter ele se configurado numa das etapas mais críticas da história do capitalismo mundial. (Arthmar, 2002, p. 98)

Segundo Beaud (1987, p. 251): "Quando cada país se pôs a proteger seus interesses nacionais próprios, o interesse geral mundial foi evacuado e com ele os interesses privados de cada uma das nações". Nesse contexto, ainda segundo o autor, cada país imprimiu ao capitalismo nacional suas próprias características. Na Inglaterra tratava-se de recuperar a economia e, ao mesmo tempo, lidar com a tradicional e organizada classe operária que não aceitava calada os sacrifícios que lhes eram impingidos; na Alemanha, a economia era dinâmica e alicerçada na vontade nacional de superar a humilhação nacional resultante da primeira guerra; na França, o conflito se estabeleceu entre os ritmos diferentes de duas concepções de vida, a grande indústria e a urbanidade *versus* o artesanato e a calma do campo; nos Estados Unidos, houve o frenesi de uma produção em massa, de um consumo em massa e sua posterior estagnação. Havia, entretanto, algo que unia todos esses capitalismos: as ideias liberais que orientavam sua prática.

Como vimos anteriormente, já há muito tempo o pensamento liberal orientava a economia mundial. Segundo essa teoria, o mercado tem suas próprias leis regulatórias e, quanto menor a intervenção de esferas externas a ele – como o Estado, por exemplo – em seu funcionamento, melhor será sua produtividade. Seguindo essa linha de raciocínio, ainda que os Estados Nacionais conseguissem perceber que algo de muito disfuncional estava ocorrendo nas economias, a máxima era a não intervenção, já que esta era entendida como prejudicial.

Por isso mesmo, o governo norte-americano, mesmo assistindo ao claro descompasso entre produção e consumo, não interviu, de forma efetiva, até que a grande crise explodisse. Ao contrário, atuou de forma tradicional, servindo como repressor, por exemplo, aos movimentos grevistas que começaram a surgir quando o quadro de demissões se alastrou por todo o país. E mesmo em plena crise, a intervenção só iria surgir com o **New Deal**[1], determinada pela entrada de uma nova leitura de mundo e sociedade. Mas voltemos à crise.

A superprodução norte-americana fez com que, em 1928, o presidente Herbert Hoover tomasse medidas protetivas ao mercado interno. Assim, ele elevou as taxas de importação, o que foi logo seguido por todas as nações europeias, tornando, portanto, o comércio entre as nações ainda mais difícil. Numa tentativa de frear a queda de preços, os produtores agrícolas passaram a armazenar sua produção, o que gerou um aumento significativo do custo interno dos produtos. A indústria, tentando diminuir suas perdas, passou a demitir,

---

1 **New Deal** – *Novo Negócio (tradução nossa).*

acelerando o desemprego – e, como já vimos, retraindo ainda mais o consumo. Acostumados ao clima anterior de euforia, pequenos e médios investidores haviam empenhado seus capitais em títulos e ações nas Bolsas de Valores.[2] Quando a crise se tornou evidente, muitos deles correram ao mercado na tentativa de vender suas aplicações e diminuir o máximo possível as perdas pessoais. Essa prática passou a ser recorrente, até que no dia **24 de outubro de 1929**, na Bolsa de Valores de Nova Iorque, não havia ninguém que quisesse comprar ações. Nesse dia, a Bolsa quebrou e o fato repercutiu imediatamente em todo o mundo.

O resultado imediato do *Crash* da Bolsa[3] foi assustador. Na América do Norte, cerca de 90 mil bancos e indústrias foram à falência, pequenos e grandes agricultores perderam suas propriedades e cerca de 15 milhões de pessoas perderam o emprego. Na sequência, o clima catastrófico atingiria todo o mundo, e cada nação iria procurar, dentro de suas possibilidades, acionar mecanismos para solucionar a crise econômica que os assolava.

---

2   *A esse respeito, Versignassi (2011) faz a seguinte afirmação: "Uma história da época ilustra bem o espírito". Joseph Kennedy, pai do John Kennedy, era um grande investidor da época. Um dia ele estava dando um lustre nos sapatos de cromo alemão em Wall Street, e o engraxate começou a conversar com desenvoltura sobre quais eram as melhores ações para comprar. Só que, em vez de achar lindo aquele momento de congregação entre dois extremos opostos da pirâmide social, Kennedy foi frio: tirou tudo o que tinha na bolsa. "Quando até um engraxate está dando dicas sobre o mercado, é hora de pular fora", disse em sua autobiografia. Claro, se todo mundo já estava atolado até o pescoço com ações, a hora em que não haveria mais compradores, só vendedores, estava próxima. E aí seria aquele "Deus nos acuda".*

3   Crash *na Bolsa – Quebra na Bolsa (tradução livre).*

Samara Feitosa

Figura 3.1 – Homens esperando na fila por comida na East 25th Street, Nova Iorque, 1930

Crédito: Everett Historical/Shutterstock

Nesse contexto, as práticas postuladas pela economia liberal passaram a ser questionadas e o Estado começou a ser pensado como elemento capaz de gerenciar as relações que se desenvolviam entre os cidadãos. Entretanto, a forma como esses Estados atuaram guarda especificidades. Enquanto nos Estados Unidos isso ocorreu via construção do Estado de Bem-Estar Social (*Welfare State*), em alguns países da Europa, essa intervenção se deu por meio dos Estados totalitários.

Nos Estados Unidos, a política desenvolvida pelo governo do partido republicano não conseguiu refrear os problemas econômicos e, assim, em 1932, o partido democrata elegeu **Franklin Delano Roosevelt** à presidência da República. Em sua plataforma política, Roosevelt já havia exposto qual seria seu posicionamento diante da crise: uma mudança no paradigma de ação. No *New Deal* desenvolvido por ele, a principal característica era o fim do liberalismo econômico. Pautado nas ideias de **John M. Keynes**[4], Roosevelt passou a desenvolver uma política econômica intervencionista por meio da qual o Estado assume o papel de protagonista no desenvolvimento.

Segundo esse economista, os governos deveriam tomar todas as medidas necessárias para garantir o emprego dos trabalhadores. Ele pregava ainda que os lucros produzidos deveriam ser redistribuídos de forma a garantir o poder aquisitivo dos consumidores que, portanto, não parariam de consumir, mantendo o desenvolvimento econômico.

Assim, após a eleição, o Estado passou a fazer uma série de obras estruturais públicas (hidrelétricas, estradas, aeroportos, reflorestamentos, entre outras). Sua principal função era a geração de empregos, mas também atender às demandas de infraestrutura necessárias para a continuação do desenvolvimento econômico do país. Passou também a fiscalizar a Bolsa de Valores e o funcionamento dos bancos, buscando diminuir a especulação financeira, bem como a atuar como controlador da produção industrial, agrícola e mineral, fixando preços e valores. Criou ainda um salário-desemprego para aliviar a catastrófica situação dos desempregados e lhes garantir um mínimo poder de compra, ao mesmo tempo que concedia aos empregados um aumento salarial; realizou um pacto social buscando garantir ao mesmo tempo os interesses dos industriais (limitação dos preços

---

4 *Keynes afirmava que, durante períodos de recessão, o governo deveria baixar impostos, baixar juros e gastar sem se preocupar com o déficit público, já que nesses momentos o setor privado não consegue – ou quer – investir. Afirmava ainda que somente a ação do Estado conseguiria evitar o ciclo econômico da recessão – mercados reticentes, redução de gastos nas empresas, demissão. Para ele, era claro que, se todos agissem assim, não haveria como sair da crise. Por isso mesmo o papel do Estado nesses momentos é colocar o dinheiro em circulação, estimular a produção e o consumo e tomar iniciativas nas áreas abandonadas pela economia privada.*

e da produção às exigências do mercado, de modo a não mais haver uma superprodução) e dos trabalhadores (fixando salários mínimos, reduzindo jornadas de trabalho, legalizando sindicatos e desenvolvendo uma previdência social).

O pacote de medidas causou forte reação em uma boa parcela dos capitalistas, que estavam acostumados a terem no Estado um aliado feroz. Em vários momentos, Roosevelt teve de enfrentar a opinião pública, dando explicações das ações que vinha desenvolvendo em seu governo. Embora ele não tenha conseguido efetuar todas as ações que havia proposto, já em 1935 era possível perceber uma melhora no desempenho da economia; entretanto, a superação total da crise só seria alcançada no fim da Segunda Guerra.

(3.2)
QUEM PRECISA DE UM LÍDER?
OS TOTALITARISMOS: POR QUE, PARA QUE E PARA QUEM?

A grande força da democracia é confessar-se falível de imperfeição e impureza, o que não acontece com os sistemas totalitários, que se autopromovem em perfeitos e oniscientes para que sejam irresponsáveis e onipotentes.

(Ulysses Guimarães)

Como vimos, a crise econômica tomou proporções mundiais, causando efeitos devastadores. De modo geral, o desemprego alcançou números astronômicos, a produção caiu, a inflação aumentou, indústrias e bancos foram à falência e pequenos e grandes proprietários rurais perderão suas terras. Nesse cenário, os conflitos sociais recrudesceram, tornando-se cada vez mais profundos e radicais.

Em vários países, a democracia liberal não encontrava mecanismos capazes de administrar os problemas que surgiam; enquanto as classes dominantes clamavam por estados mais fortes e centralizadores, na esperança de manter seus privilégios intocados, os trabalhadores, cada vez mais organizados, ansiavam por posturas mais democráticas na orientação das políticas econômicas e sociais. Essa era, para além da crise econômica, a grande preocupação dos países nesse momento histórico. Assombrados com os feitos da Revolução Russa, as nações buscavam caminhos para deter os movimentos sociais que se organizavam em todas as partes do mundo. Enquanto em alguns países o caminho escolhido foi o fortalecimento da democracia representativa, em outros, houve a ascensão de regimes totalitários.[5]

Esse fenômeno se espalhou pela Europa e pelas Américas. Os Estados totalitários tinham em comum uma série de características que os tornavam bastante próximos: um forte espírito militarista que, instigado pelo nacionalismo e pautado em uma postura bélica, acreditava que a defesa da nação deveria ser a grande tarefa de sua população; eram avessos ao que vinha de fora, muitas vezes, por meio do reforço do nacionalismo – e exaltavam manifestações culturais próprias em detrimento de valores pensados como universais. Além disso, os Estados totalitários cultuavam a personalidade do líder, que era pensado como uma espécie de super-homem, identificado com o valor de honra da pátria – ofender o líder é ofender ao país.

---

5 *Nos regimes totalitários, usualmente o Estado – sob o controle de uma única pessoa, grupo ou classe social – não reconhece limites à sua autoridade. Nesse tipo de Estado, há um forte esforço no sentido do controle total da vida de seus cidadãos, tanto em sua vida pública quanto na sua vida privada. Esses regimes se caracterizam ainda pelo forte uso da propaganda política, muitas vezes pela existência legal de um único partido político, e geralmente possuem fortes mecanismos de controle social.*

Romanticamente, eles retornaram à ideia da guerra como forma de resolução dos conflitos. Além disso, para eles, a grandeza da nação, espelhada na sua raça, deveria expandir-se pelo mundo; a superioridade cultural da pátria, suplantando as ideologias falsificadoras – como o comunismo – levaria ao ápice a existência humana. Fica claro, entretanto, que, nesse contexto, não havia espaço para todos e os regimes autoritários, os quais não tinham pudores em dizer que nem todos nasceram para mandar; alguns têm como missão servir e, caso não concordem com o papel a eles designado, não há nenhum problema em sua eliminação.

Essas características foram definidoras de uma série de Estados europeus no período entreguerras – e entre eles Itália e Alemanha são casos paradigmáticos.

Na **Itália**, os problemas que fizeram com que a nação entrasse na Primeira Guerra não foram resolvidos no fim do conflito e, além disso, a eles foi somado o ônus da entrada da disputa: milhares de mortos, regiões devastadas, paralisação da indústria e da agricultura e uma inflação assombrosa.

O quadro econômico mundial, como vimos, não conseguiu resolver os problemas causados pela guerra, e o pós-guerra teve um cenário ainda pior. As indústrias do norte italiano, por exemplo, tiveram uma leve recuperação à custa de empréstimos estrangeiros, o que, entretanto, aumentou ainda mais a dívida externa do país.

Economicamente, a Itália enfrentava graves problemas causados pela contração de uma enorme dívida externa durante o período de 1915 a 1919. O déficit da balança de pagamento, o constante endividamento estatal, o enfraquecimento do setor agrário e industrial e a alta inflação levaram a Itália a enfrentar grave desemprego e revolta. O aumento de ondas revoltosas somado aos sérios problemas econômicos, resultados da participação italiana na Primeira Guerra Mundial, criaram um ambiente perfeito para a eclosão de uma revolução. (Pellegrini, 2012, p. 2)

O aumento da insatisfação propiciou, na década de 1920, o crescimento eleitoral dos partidos de esquerda – tanto o socialista quanto o comunista, como também o partido popular, de clara orientação católica – e aumentou também a adesão dos trabalhadores à Central Geral dos Trabalhadores (CGT).

No entanto, é esse o contexto também do surgimento, em 1919, do movimento **Fascio di Combattimento**. Esse movimento, chefiado por Benito Mussolini, era apresentado como um movimento nacionalista, republicano, anticleriarcanista e, aproveitando o espírito nacionalista que pairava à época sobre a Itália, propôs a reconstrução da nação, conduzida por um líder, sem, entretanto, expor a pátria ao perigo do avanço comunista.

Ao movimento agregaram-se todos os insatisfeitos com a crise econômica e social, bem como com a condução política que vinha sendo dada pelo governo à crise. Reunia, pois, dos mais miseráveis trabalhadores desempregados à classe média nacionalista, chegando e até mesmo a alta burguesia. Com o rápido crescimento do movimento, alguns políticos liberais passaram a percebê-lo como um instrumento capaz de viabilizar o enfraquecimento dos partidos de esquerda e, por isso mesmo, uniram-se a Mussolini. As eleições de 1921, extremamente violentas, marcaram a entrada do movimento no cenário político nacional e, com a eleição de alguns deputados fascistas, entre eles Mussolini, foi criado o Partido Nacional Fascista.

A partir daí, as disputas entre os fascistas e os partidos de esquerda tornaram-se cada vez mais acirradas. Em agosto de 1922, a CGT e as esquerdas organizaram uma grande greve; a ideia era o posicionamento contrário à crise, mas também contra a posição dos fascistas, que agora saíam às ruas em bandos armados – *os squadri*[6] – para espancar e eliminar os líderes sindicais e membros dos partidos de esquerda.

Mussolini, alegando estar pessoalmente ofendido, exigiu que o governo impedisse a manifestação, conseguindo, assim, evitá-la. Em 26 e 27 de novembro de 1922, organizou uma marcha na qual fascistas, vestidos de camisas pretas, caminharam pelas ruas de Roma – episódio que ficou conhecido como **La Marcia su Roma**. Acuado, Vitor Emanuel II chamou Mussolini para compor o novo governo no cargo de primeiro-ministro, dando início ao governo fascista que dominou a Itália até 1945.

Figura 3.2 – Camisas negras – Marcha sobre Roma

Crédito: Mondadori Portfolio/Getty Images

---

6   O squadri *ou* camisas negras *propunham que esquadrões fascistas atacassem organizações e/ou instituições socialistas e sindicais, principalmente onde essas agremiações estavam mais organizadas, como no caso das comunas de Bologna, Firenze e Ferrara. Extremamente violentos em suas práticas, foram ganhando a simpatia de uma parcela da população que ansiava por mudanças e não acreditava nos mecanismos democráticos para atingir seus objetivos. O movimento foi conseguindo adeptos, enquanto o governo fazia "vistas grossas" aos atos dos partidários do fascismo; assim, somente no primeiro semestre de 1921, os* squadri *atacaram 119 Câmaras de Trabalho, 107 cooperativas, 83 sedes de sindicatos camponeses, 59 centros culturais socialistas, fora bibliotecas, associações cultualistas e tipografias ligadas aos partidos de esquerda (Bernardo, 2003).*

Nessa primeira fase, Mussolini compôs uma maioria fascista, mas contou também com nacionalistas e liberais no poder. Aos poucos ele foi formalizando uma força armada paralela ao exército, os camisas negras – já citados –, tornando violenta a repressão à oposição institucionalizada. As eleições de 1924 se aproximavam e, nesse período, poucos tinham dúvidas sobre seus resultados. Em uma das mais violentas disputas eleitorais já vistas, as denúncias de fraudes e perseguições eram constantes, mas não chegaram sequer a ser apuradas. Os fascistas obtiveram 65% dos votos, o que lhes deu ampla maioria e total liberdade de implementar as modificações legais que levariam à liquidação da democracia no país, abrindo caminho para a implantação do totalitarismo. O clima político era tenso e, em 10 de junho, depois da primeira sessão do novo Parlamento, Giacomo Matteotti[7] foi assassinado após ter pronunciado um discurso no qual denunciava os métodos violentos e os crimes cometidos pelos fascistas para chegarem ao poder.

Mussolini veio a público e, em um discurso dirigido à Câmara dos Deputados, justificou a violência e os crimes cometidos como a única possibilidade de manutenção da ordem. Afirmou ainda que, durante muito tempo, a Itália esperou meios pacíficos e democráticos para a resolução de seus problemas, sem ter resultados; agora, segundo ele, esse tempo havia sido superado. "Hoje a vossa vez já passou, e não

---

7   Giacomo Matteotti era ligado ao Partido Socialista. Na saída da sessão plenária, foi simulada uma tentativa de sequestro e Matteotti esfaqueado várias vezes. Seu corpo foi encontrado seis dias após o suposto sequestro em Riano, cidade próxima a Roma. Na sequência, cinco homens foram acusados da autoria do crime. Três foram julgados e condenados, mas posteriormente anistiados pelo rei Vitor Emanuel III. Um dos acusados fugiu, e o outro, por se tratar de uma autoridade ligada à polícia secreta fascista, foi dispensado do processo.

Samara Feitosa

tenhais ilusões – há momentos que a história não repete" (Bernardo, 2003, p. 30). Ainda em 1925, Mussolini decretou leis de exceção[8] no intuito de fortalecer o seu poder. Ele dissolveu os partidos de oposição e os sindicatos, fechou jornais, eliminou opositores (dentre os assassinados está Antônio Gramsci), restringiu o alcance do Poder Legislativo e diminuiu as garantias formais de liberdade individual. A Organização para a Vigilância e a Repressão do Antifascismo (Ovra)[9] passou a atuar abertamente, aumentando o clima de repressão presente. Em abril de 1927, apresentou a *Carta del Lavoro*, documento que passou a orientar as relações de trabalho na sociedade italiana – nomeadamente entre o patronato, os trabalhadores e o Estado. A carta previa ainda que a sociedade civil poderia se organizar, não em sindicatos, mas em corporações representantes da coletividade, não de interesses específicos.

O *Duce* – forma como passou a ser chamado Mussolini – interviu também na economia interna e externa. Ele criou o Banco da Itália, renegociou a dívida externa e forjou mecanismos para valorização da lira (moeda italiana). O Estado passou a interferir diretamente nas decisões referentes a investimentos, preocupando-se, principalmente, em fortalecer o desenvolvimento industrial. Em 1928, Mussolini pôs fim à "questão romana", que estava pendente desde o processo de unificação italiana. Por meio do **Tratado de Latrão**, ele criou o Estado do Vaticano, em pleno centro de Roma, declarando a Igreja

---

8   Entre essas leis está o retorno da pena de morte.
9   Entre 4 e 5 mil pessoas foram presas pela Ovra no período ditatorial de Mussolini. Muitas delas, após o julgamento, foram exiliadas em pontos remotos do Mediterrâneo. A Ovra mantinha um arquivo sobre "todos os subversivos" conhecidos no território italiano. Esse arquivo era composto por dados pessoais, familiares, escolaridade, profissão e até mesmo a orientação sexual dos indivíduos. De 1927 a 1940, dez pessoas foram sentenciadas à morte pela côrte especial.

católica soberana nesse território. Além disso, a Itália pagou ao Papa Pio XI uma indenização referente aos territórios anexados no período de unificação. O *Duce* conquistou, assim, a simpatia de uma boa parcela da população católica e a conivência da Igreja católica para os desmandos de seu governo.

Mussolini formulou ainda uma política de reforma educacional à qual deu o nome de *Riforme Gentil* (Reforma Gentil). Nela, ele propôs um sistema unitário para a educação em toda a Itália, inserindo conteúdos que reforçassem a ideia de coesão social, sociedade coletiva e interesses comuns acima dos individuais. Para ele, era claro que os ideiais fascistas precisavam alcançar a todos os indivíduos, principalmente os mais novos, para que pudessem ser mantidos.

Com essas reformas e com a possibilidade de oposição eliminada, a Itália conheceu uma melhora na economia e os setores elétricos, naval, aeronáutico e automobilístico experimentam certo crescimento. No entanto, em 1929, a crise econômica mundial atingiu também a Itália, tornando cada vez mais tentadora a ideia de expansão imperialista – projeto desejado desde antes da Primeira Guerra. Em 1935, Mussolini invadiu a Abissínia (Etiópia) e, em resposta, a Liga das Nações aplicou uma série de sanções econômicas à Itália. Além disso, França e Inglaterra se posicionaram claramente desfavoráveis à ação italiana.

Mussolini, percebendo o isolamento, aproximou-se da Alemanha nazista e, junto com o Japão, assinou, em 1940, o **Pacto Tripartite**. O caminho para a Segunda Guerra Mundial começara a ser traçado.

Na **Alemanha**, o caminho para a ascensão do nazismo teve especificidade, mas não diferiu totalmente do traçado pela Itália. Considerando-se traída, a Alemanha foi a grande derrotada na Primeira Guerra. A destruição econômica proporcionada pela derrota só foi superada pela derrota moral imposta pelos vencedores.

Como vimos, a Alemanha foi forçada a arcar com todos os custos da Primeira Guerra e, antes mesmo de terminado o conflito, viveu uma revolta interna que derrubou o rei Guilherme e institui a República de Weimar. Nesse cenário, uma ala dissidente do Partido Social-Democrata fundou o Partido Comunista Alemão, que, acompanhando os movimentos da Revolução Russa, pregava a revolução socialista como a única saída para a crise que assolava o país. Em 1919, chefiados por Rosa de Luxemburgo, membros do partido comunista tentaram tomar o poder e implantar um Estado socialista. Conhecida como a *Revolução Espartaquista*, o movimento foi derrotado e Rosa de Luxemburgo, assassinada.

Assim como na Itália, a situação econômica do pós-guerra na Alemanha era bastante grave: uma nação endividada, com altíssimas taxas de desemprego, com seu parque industrial destruído e sua agricultura arruinada. Por isso mesmo, o medo do fantasma comunista estava presente em toda a sociedade.

O agravamento da situação econômica fez com que o país não conseguisse saldar suas dívidas de guerra e, em 1923, a França ocupou o vale do Ruhr como forma de indenização, recrudescendo ainda mais o clima de vingança e o espírito nacionalista alemão. Aproveitando o quadro de instabilidade e insatisfação, em novembro de 1923, um grupo de extrema-direita, liderado pelo general Lüdendorff e por Adolf Hitler, organizou um golpe em Munique, que foi imediatamente reprimido – o golpe ficou conhecido como **Putsch da Cervejaria de Munique**. Hitler, que nessa época estava ligado ao Partido Nacionalista Socialista Operário, foi preso, julgado e condenado a cinco anos de prisão (dos quais cumpriu apenas oito meses) – período em que escreveu o **Mein Kampf** (Minha Luta), livro em que expôs suas ideias sobre os destinos da nação, as quais futuramente iriam guiar teoricamente os nazistas.

No dia 1º de abril de 1924, por força de sentença do Tribunal de Munique, tinha eu entrado no presídio militar de Landsberg sobre o Lech. Assim se me oferecia, pela primeira vez, depois de anos de ininterrupto trabalho, a possibilidade de dedicar-me a uma obra, por muitos solicitada e por mim mesmo julgada conveniente ao movimento nacional socialista. Decidi-me, pois, a esclarecer, em dois volumes, a finalidade do nosso movimento e, ao mesmo tempo, esboçar um quadro do seu desenvolvimento. Nesse trabalho aprender-se-á mais do que em uma dissertação puramente doutrinária. Apresentava-se-me também a oportunidade de dar uma descrição de minha vida, no que fosse necessário à compreensão do primeiro e do segundo volumes e no que pudesse servir para destruir o retrato lendário da minha pessoa feito pela imprensa semítica. Com esse livro eu não me dirijo aos estranhos, mas aos adeptos do movimento que ao mesmo aderiram de coração e que aspiram esclarecimentos mais substanciais. Sei muito bem que se conquistam adeptos menos pela palavra escrita do que pela palavra falada e que, neste mundo, as grandes causas devem seu desenvolvimento não aos grandes escritores, mas aos grandes oradores. Isso não obstante, os princípios de uma doutrinação devem ser estabelecidos para sempre por necessidade de sua defesa regular e contínua. Que estes dois volumes valham como blocos com que contribuo à construção da obra coletiva. O AUTOR (Hitler, 1983, p. 1)

A obra rapidamente se espalhou por toda a Alemanha, graças ao trabalho de propaganda do Partido Nazista que, desde sua origem, apostou pesadamente na utilização dos meios de comunicação para divulgar suas ideias. Os nazistas se apossaram de todas as linguagens que pudessem ser utilizadas pelos meios de comunicação: de propagandas em rádio, músicas, a documentários, tudo se transformou em instrumento de persuasão; por isso mesmo, a criação, em seus primórdios, do símbolo que identificou o movimento – a suástica.

A partir de 1924, a situação econômica alemã apresentava uma leve melhora, alavancada por empréstimos norte-americanos e ingleses. A indústria retomou seu crescimento, o desemprego caiu, a inflação recuou levemente, mas o suficiente para que os alemães retomassem a esperança no crescimento. Em 1925, Von Hindenburg foi eleito à presidência da República com o dever de manter o ritmo de crescimento que, como vimos, começara a despontar. A Alemanha conheceu um rápido período de estabilidade, visto que Hindenburg conseguiu o apoio do exército e da alta burguesia. O quadro parecia se estabilizar, até que a crise econômica mundial (1929) chegou também à Alemanha. A situação piorou drasticamente, já que, sem os créditos de guerra norte-americanos, o país não conseguiu mais saldar suas dívidas de guerra. O avanço, tão festejado, da recuperação da produção industrial alemã deixou a nação com uma superprodução sem mercado para escoá-la, e, embora as grandes corporações se mantivessem produzindo, os médios e pequenos produtores começaram a decretar falência, causando o desemprego. Em 1929, cerca de 1 milhão de pessoas haviam perdido o emprego; em 1930, 3 milhões, e mais 6 milhões em 1931. A fome voltou a assombrar os mais pobres e a classe média foi totalmente arruinada. Manifestações populares e greves voltaram a assolar as ruas de Berlim e a instabilidade retornou à política.

Lançada de volta a seus próprios recursos, a economia alemã mergulhou em profunda depressão. As taxas de desemprego subiram de forma quase exponencial. Com milhões de pessoas desempregadas nas grandes cidades, havia menos dinheiro disponível para gastar em comida, a crise agrícola já severa aprofundou-se de modo dramático, e os fazendeiros não tiveram como escapar da execução de hipotecas e da bancarrota à medida que os bancos retiravam os empréstimos dos quais tantos deles dependiam. Os trabalhadores agrícolas foram postos na rua à medida que fazendas e propriedades afundavam, espalhando o desemprego pelo campo bem como nas cidades. Em 1932, praticamente um em cada três trabalhadores da Alemanha estava registrado como desempregado, com taxas ainda maiores em algumas regiões de muitas indústrias, como a Silésia ou o Ruhr [...] A indústria obviamente foi atingida mais de rijo; mas funcionários de escritórios também perderam seus empregos, com quase meio milhão deles sem serviço em 1932. A escalada foi assustadoramente veloz. No inverno de 1930-31 já havia mais de 5 milhões de desempregados, pouco mais de um ano depois do início da Depressão; o número subiu para 6 milhões um ano mais tarde. No começo de 1932, foi registrado que os desempregados e seus dependentes somavam cerca de um quinto da população total da Alemanha, quase 30 milhões de pessoas no todo. O número real pode ter sido ainda maior, visto que mulheres que perdiam o emprego com frequência não se registravam como desempregadas. (Evans, 2010, p. 240-241)

Como resultado, nas eleições de 1932, o Partido Nazista conquistou a maior bancada do Parlamento alemão (cerca de 38% dos deputados) e, embora Hindenburg tenha sido novamente eleito, a força do partido nazista acabou obrigando-o a convidar Hitler para o cargo de primeiro-ministro, o que lhe deu a responsabilidade de compor o novo governo. Estava aberto o caminho de ascensão do nazismo.

Em janeiro de 1933, o governo de maioria direitista foi empossado, mas Hitler tomou todas as providências para centralizar em suas mãos o poder. Embora em menor número, os deputados de esquerda passaram a fazer pronunciamentos frequentes denunciando as ilegalidades do novo governo, até que, em fevereiro, após um incêndio criminoso, cuja culpa se atribuiu aos comunistas, o governo desencadeou uma violenta repressão aos partidos de esquerda e aos movimentos populares. Os partidos foram dissolvidos e as liberdades de imprensa e individuais foram suspensas.

Hitler estava escorado no parapeito de pedra da sacada com os dois braços e fitava em silêncio o mar vermelho das chamas. A comoção inicial ocorria atrás dele. Quando entrei, Göring avançou na minha direção. Sua voz transmitiu todo o emocionalismo nefasto daquela hora dramática: "Isso é o começo do levante comunista! Agora eles vão atacar com força! Não há um minuto a perder!". Göring não pôde continuar. Hitler virou-se para a turma reunida. Então vi que seu rosto estava rubro de excitação e do calor que se acumulava na cúpula. Gritou como se quisesse explodir, de uma forma desenfreada que eu não havia experimentado com ele antes: "Agora não haverá clemência; qualquer um que ficar em nosso caminho será chacinado. O povo alemão não terá qualquer critério para indulgência. Todo funcionário comunista será baleado onde for encontrado. Os deputados comunistas devem ser enforcados hoje à noite mesmo. Todo mundo ligado aos comunistas será detido. Também não haverá mais clemência para com os social-democratas [sic] e a Reichsbanner!". (Evans, 2010, p. 325)

Em março de 1933 foram feitas novas eleições e a vitória nazista foi esmagadora.

A essa altura, o Partido Nazista havia se tornado uma organização formidável, com os níveis regional, distrital e local providos de funcionários leais e ativos, muitos deles bem instruídos e administradores competentes, e o apelo da propaganda era canalizado através de uma rede de instituições especializadas e dirigidas a camadas específicas do eleitorado. (Evans, 2010, p. 218)

A morte de Hindenburg, em 1934, já encontrou Hitler em posição de comando; assim, quando o plebiscito que definiria a união dos cargos de chanceler e presidente foi convocado, sua vitória já era conhecida.

Na sequência, Hitler proclamou-se **Führer** ("condutor"), outorgando-se poderes absolutos e criando o **Terceiro Reich**, que, segundo ele, tinha como papel recuperar a glória do Império Alemão criado por Carlos Magno (Primeiro Reich), destruído por Napoleão, novamente instaurado por Bismarck (Segundo Reich) e destruído pela derrota na Primeira Guerra.

A bem-sucedida ascensão de Hitler ao poder – e sua liderança carismática – tem base em sua habilidade retórica. "Com suas ameaças e clamores e mãos suplicantes, seus olhos azuis gélidos, ele tinha a expressão de um fanático", escreveu Kurt Lüdecke, que ouviu Hitler discursar, em 1922. "Suas palavras eram como um chicote. Quando ele falou sobre a desgraça da Alemanha, eu me senti pronto para avançar no inimigo. Seu apelo à hombridade alemã era como um chamado à batalha, era como se ele pregasse um evangelho de verdade sagrada. Ele parecia outro Lutero. Fiquei alheio a tudo, menos àquele homem. Olhando em volta, vi que seu magnetismo prendia milhares de pessoas, como se fossem uma só". (Rees, 2013, p. 20)

Para sua missão, Hitler teve a assessoria de fiéis aliados. Himmler comandou a polícia secreta alemã (Gestapo). Ele era responsável também pela segurança pessoal do Führer e, a exemplo da Ovra, mantinha registros sobre todos os opositores do regime e suspeitos de subversão. Segundo Evans (2010, p. 233-234), Himmler teve papel fundamental na organização da Gestapo:

ele partiu deliberadamente para a criação de uma elite de verdade, trazendo ex-oficiais do Exército como o aristocrata pomerano Erich von dem Bach-Zelewski, e veteranos das Brigadas Livres como Friedrich Karl, barão Von Eberstein. Herdando uma tropa de apenas 290 homens, Himmler aumentou o efetivo da SS para mil no final de 1929 e quase 3 mil um ano depois. [...]. A SS tornou-se mais secreta e começou a recolher informação confidencial não apenas sobre os inimigos do Partido, mas também sobre as lideranças dos camisas-pardas. Com a criação da SS, a estrutura básica do movimento nazista ficou completa.

Goering cuidava dos assuntos militares alemães e Joseph Goebbels – ministro da Educação do Povo e da Propaganda – era o grande responsável por garantir a difusão das ideias nazistas pela Alemanha.

Em boa parte, o sucesso do nazismo se devia ao trabalho feito por Goebbels, que, articulando todos os veículos de comunicação, divulgava ao povo o projeto de nação nazista, apontava os inimigos e apresentava as condutas esperadas por parte da população para que o Terceiro Reich chegasse aonde era o seu lugar de direito, isto é, a direção do mundo.

"Uma mentira repetida mil vezes torna-se verdade". Essa frase proferida por Joseph Goebbels, ministro de propaganda do governo nazista, marcou um momento histórico em que a "verdade" foi construída sob farsas e alegações mentirosas, que tinham apenas o intuito de legitimar o governo de Adolf Hitler. O führer e seus assessores tinham nas mãos o poder da comunicação. Dominavam a imprensa, o rádio e o cinema, veículos que exerciam uma forte penetração na sociedade. A partir desses meios foi possível que as mensagens de interesse governista se difundissem na Alemanha, gerando um forte sentimento de unidade e poder. (Flesch et al., 2005, p. 28)

O grande projeto político de Hitler, o Terceiro Reich, foi, assim, sendo posto em prática. Ele suprimiu o Estado federalista, indicou chefes para cada Estado, dissolveu a Assembleia do Reino e adotou a suástica como bandeira do país. Desde a escrita do *Mein Kampf*, ele já deixara claro que os grandes inimigos do desenvolvimento da Alemanha eram os judeus e, assim, a comunidade judaica passou a ser perseguida. Aos poucos eles foram sendo retirados dos cargos públicos, do ensino, das atividades artísticas e/ou literárias, do jornalismo; perderam seus direitos civis, foi-lhes proibido o acesso a lugares públicos e o casamento inter-racial (ariano-judeu) passou a ser considerado crime. Embora assustada, a comunidade judaica resistiu, permanecendo na Alemanha; mas, a partir de 1938, quando a violência alcançou níveis impressionantes e os espancamentos públicos tornaram-se recorrentes, a fuga passou a ser pensada como a única opção. Na esteira desses fatos, sinagogas foram destruídas, casas incendiadas e os judeus passaram a usar marcas identificadoras. O Estado proibiu a saída dos judeus da Alemanha e passou a demarcar as áreas onde eles podiam se abrigar.

Hitler afirmava que a cultura alemã original havia sido contaminada pelo nefasto contato com o Ocidente e com o comunismo e, como resultado, originara-se o que o nazismo denominou de *arte degenerada* – obras abstracionistas, impressionistas ou cubistas, entre outras foram retiradas dos museus e, muitas vezes, destruídas.

Assim como nas artes plásticas, na música ou na pintura e na arquitetura, o Estado nazista visou, com uma política cultural rígida no âmbito da literatura, à eliminação de quase todas as formas de modernidade e ao resgate do tradicionalismo acadêmico. Inúmeros perseguidos só puderam escapar ao terror promovido pelos nazistas através da fuga para o exterior. [...]. Mas o evento mais emblemático da encenação do poder contra a intelectualidade na Alemanha nazista ocorreu em 10 de maio de 1933, com a chamada "Büchervebrennung" ("Queima de Livros"). O ritual da queima de livros em praça pública, ato que remonta à queima das "bruxas" na Idade Média, é uma expressão simbólica da barbárie. A partir da iniciativa da organização estudantil ligada ao partido nazista, o ministério da propaganda, sob a liderança do ministro Joseph Goebbels, instrumentalizou tal ato como meio de divulgação da campanha intitulada "Aktion wider den undeutschen Geist" ("Ação contra o espírito não alemão"). Listas com nomes de escritores e obras a serem proibidas foram distribuídas, e a Gestapo, a polícia política, incumbiu-se de controlar e confiscar as obras proibidas junto a livrarias e bibliotecas. Com tal encenação, os nazistas queriam marcar de forma ritualística o rompimento com o rico cenário literário vanguardista das primeiras décadas do século XX e ditar as novas diretrizes para a produção literária sob os desígnios do regime. Com o ritual da queima de livros e com a proporção que o terror atingiu até à derrota do regime nazista em abril de 1945, as palavras do poeta Heinrich Heine na obra Almansor Eine Tragödie *(1821) adquirem um tom profético: "Onde livros são queimados, são queimados por fim também homens" ("Wo Bücher verbrannt werden, werden auch Menschen am Ende verbrannt").* (Cornelsen, 2009, p. 23, grifo do original)

Para a economia, Hitler acionou uma política de orientação das relações de trabalho, fixou jornadas, salários, mas suprimiu liberdades sindicais e extinguiu o direito de greve. As grandes empresas foram protegidas pelo Estado, que lhes impôs a organização de cartéis que acelerassem o desenvolvimento industrial do país.

Figura 3.3 – Queima de livros – Alemanha nazista

Crédito: Everett Historical/Shutterstock

O Führer implementou essas políticas por meio de planos quadrienais. Em 1933, assim como outros países que enfrentavam a crise econômica, realizou obras públicas com finalidades estratégicas, construiu aeroportos, ferrovias, estradas e, secretamente, retomou a produção da indústria bélica – que havia sido proibida pelo Tratado de Versalhes. Entre 1934 a 1937, quando a falta de recursos atingiu vários países, o ministro da Economia alemão, Schacth, desenvolveu a estratégia de que todas as importações seriam pagas com a exportação de produtos alemães. Os países da Europa central, em sua maioria exportadores de produtos primários, passaram então a consumir os produtos industrializados da Alemanha.

Já em 1936, o foco era eliminar a utilização, na Alemanha, de matérias-primas importadas. Assim, houve um avanço significativo na exploração de minérios, na produção de borracha, carburantes e petróleo. Em 1939, o parque industrial alemão era o segundo maior do mundo – e novamente se assistiu ao cenário anterior à Primeira Guerra. Em seu próprio território não havia mais minérios a serem explorados, o que fragilizava a indústria bélica, menina dos olhos do Terceiro Reich. O mercado interno não tinha mais para onde se expandir e a Alemanha precisava aumentar seu "espaço vital" – expressão usada para designar o espaço necessário para o desenvolvimento do Reich. Por essa razão, a propaganda nazista passou a imprimir em seus discursos um forte espírito expansionista, já que, enfim, o papel do Reich era o de domínio do mundo.

(3.3)
COMEÇA O SEGUNDO ATO: UMA GUERRA, VÁRIAS RAZÕES

Desde os bancos da escola primária aprendemos que
os seres vivos se entredevoram; os animais comem as
plantas, os peixes grandes comem os peixes pequenos,
o lobo come o cordeiro. Mas há um outro fato, que não é
menos significativo e que, no entanto, não é acentuado:
os animais superiores da mesma espécie não se matam,
nem organizam sua agressividade. Acontece às vezes
que os lobos atacam-se mutuamente, mas uma inibição
instintiva faz com que evitem matar o adversário:
o animal vencido é poupado. Inibições deste tipo não
existem em todas as espécies, sobretudo naquelas espécies
consideradas pacíficas (pombo selvagem, rola, lebre, gamo,
pavão): nessas espécies o animal vencido não tem a
possibilidade de salvar a vida "capitulando" (oferecendo
a garganta ao inimigo). Quem quiser comparar o homem
com uma fera (como fez Spengler), precisa escolher bem

a fera, lembrando algumas espécies solitárias, como o jaguar, e não o lobo, por exemplo. (Aron, 2002, p. 455)

Não demorou muito tempo para que todos entendessem que o fim da Primeira Guerra foi apenas um momento entreatos. O clima de revanche que havia alimentado os espíritos no período anterior não havia sido amainado; a sensação de assombro causada pela destruição ainda perturbava o sono de muitas pessoas, que, no entanto, pressentiam que o pior ainda estava por vir. A máxima de que seria necessária uma guerra para terminar de vez com a guerra fazia parte dos comentários diários das populações que assistiam, novamente, à construção de um cenário já conhecido: o mundo estava novamente se dividindo em blocos e se armando. Não tardaria o início do segundo ato.

Para muitos historiadores, somente a Segunda Guerra merece o adjetivo de mundial, pois foi a primeira – e única – vez que todos os continentes se envolveram, de alguma maneira, no conflito. Como vimos, o Tratado de Versalhes, longe de permitir o apaziguamento das disputas mundiais, acirrou ainda mais o sentimento de humilhação entre as nações derrotadas. Somado a isso, a crise econômica, em níveis mundiais, tornou mais críticas as situações em que se encontravam várias nações, favorecendo o surgimento dos Estados Totalitários, que, como vimos, tinham no nacionalismo bélico sua forma mais acabada de expressão. Assim, incidentes internacionais começaram a explodir em todo o território europeu, orquestrando o desenrolar dos fatos. Se foi possível perceber, durante a década de 1920, certo ar colaborativo entre as nações europeias que ainda estavam sob o forte impacto do massacre ocasionado pela Primeira Guerra, a década de 1930 assistiu ao desmoronamento, lento, mas resoluto, desse espírito.

Samara Feitosa

A Revolução Russa e o surgimento da União das Repúblicas Socialistas Soviéticas (URSS) fizeram com que as nações capitalistas tentassem impor uma espécie de "barragem sanitária" aos ideais comunistas, buscando seu isolamento e fazendo com que essa doutrina política passasse a tomar medidas no sentido de garantir sua existência. A Alemanha, que a princípio cedera aos pressupostos acertados no Tratado de Versalhes, mudou radicalmente sua condução interna com a ascensão do nazismo – o que repercutiu em sua política internacional que, desde logo, questionava o papel subordinado ao qual ficou restrita. A Itália, reconfigurada, procurou encontrar espaço entre as tradicionais nações europeias. Assim, no fim da década de 1930, apresentava-se o seguinte panorama: a URSS isolada, as democracias liberais tradicionais – Inglaterra e França – unidas e apoiadas nos Estados Unidos da América e os recém-reestruturados Estados nazifascistas procurando a garantia de um espaço.

Como vimos, a partir de 1935, a Alemanha retomou oficialmente a produção bélica e expôs sua teoria do "espaço vital", pautado no pensamento de Friedrich Ratzel, que defendia que toda sociedade, em determinado grau de desenvolvimento, teria o direito de ocupar territórios de sociedades menos desenvolvidas e que um Estado deveria ter o tamanho da sua capacidade de organização, deixando clara a adoção de uma política expansionista. Por isso mesmo, apoiou a Itália quando o país ocupou a Etiópia e assinou com o Japão o Pacto Anti-Komintern (1936), visando conter a expansão da União Soviética. Vale lembrar que o Japão havia iniciado o processo de conquista da Manchúria, em 1931, e aos poucos ia demonstrando interesse em expandir seu território, mas foi obrigado a recuar diante do posicionamento desfavorável e da ameaça de punição da Liga das Nações, o que determinou o posicionamento do Japão diante das tradicionais potências europeias.

Em contrapartida, as nações tradicionais, que durante certo tempo tentaram resolver diplomaticamente os conflitos, foram ficando sem opções à medida que a Alemanha iniciava o seu processo expansionista. Em 1938, Hitler anexou a Áustria[10] e justificou seu ato afirmando que a região era composta por povos germânicos. Seu próximo passo foi exigir os sudetos na Tchecoslováquia. No entanto, França e URSS, que tinham com a Tchecoslováquia um tratado de defesa, posicionaram-se contra a anexação. Os alemães não retrocederam e Mussolini, chamado a intervir, organizou a Conferência de Munique. França, Inglaterra, Alemanha e Itália sentaram-se à mesa de discussões para solucionar o impasse, mas mais uma vez França e Inglaterra cederam à pressão em prol da manutenção da paz. Isso incentivou a Alemanha que, na sequência, desmembrou o restante do território tcheco, incorporando a Boêmia e a Moldávia, e a Eslováquia proclamou sua independência. Aproveitando-se do momento, a Itália anexou-se à Albânia. O quadro era tenso e Hitler decidiu dar o passo final para o início dos combates. Em 28 de abril de 1939, exigiu da Polônia a devolução do corredor de Dantzig e o direito de construir uma estrada de ferro ligando a Alemanha e a Prússia oriental. França e Inglaterra se posicionam favoravelmente à Polônia, que, sentindo-se apoiada, recusou as exigências alemãs.

O maior problema diplomático passou, assim, a ser a Polônia. Depois dos avanços anteriores, a vizinha oriental tornou-se o alvo predileto da atenção de Hitler. Assim, ele exigiu o retorno da Cidade Livre de Dantzig, a cessão de uma faixa livre – Corredor Polonês – e direitos especiais para a minoria alemã na Polônia. A rejeição polonesa às

---

10 Os nazistas armaram o assassinato do chanceler Dollfuss, de posicionamento neutro, e colocaram em seu lugar Seyss-Inquart, que convocou as tropas alemãs para auxiliar na solução dos problemas internos da Áustria, propondo, na sequência, um plebiscito para confirmação oficial dos dois países.

exigências de Hitler foi comunicada à Alemanha e também à França e à Inglaterra. A França já assinara com a Polônia uma aliança e, agora, a Inglaterra também se posicionava favorável a esse país.

Hitler procrastinou seu posicionamento enquanto terminava as tratativas que garantiam a neutralidade soviética, mas em 1º de setembro de 1939, em uma operação relâmpago, invadiu a Polônia. A Inglaterra, aliada a esse país, declarou guerra à Alemanha, e a França, aliada da Inglaterra, fez o mesmo. A Itália se declarou neutra e assim se manteve até o ano seguinte. A URSS invadiu a parte oriental da Polônia e anexou a Finlândia. Cumprindo o tratado previamente assinado com a Alemanha, na sequência anexou a Letônia, a Estônia e a Bessarábia, enquanto a Alemanha anexou a Lituânia.

Assim, rapidamente a Polônia estava dominada, e a Alemanha criou um governo geral em território polonês, passando a aplicar sua política antissemita também naquele território. Utilizando uma estratégia de ataque integrado com tanques e aviação, seguidos da infantaria, anexou os territórios à Alemanha e continuou avançando. Em abril de 1940, anexou a Dinamarca – também com a utilização das forças navais – e a Holanda; mais tarde, a Bélgica também foi anexada; e em junho foi a vez da Noruega.

A situação tornara-se bastante grave; as derrotas frequentes e o avanço rápido alemão assustavam os aliados. Hitler marchou firmemente rumo à França e acabou vencendo a resistência francesa ao sul, obrigando o governo a fugir para Tours e depois para Bordeaux. Aproveitando as vitórias, a Itália declarou guerra à França e à Inglaterra. A trágica situação francesa dividiu a nação. Uma parte da França ocupada pelas tropas nazistas, governada pelo General Pétain, colaborou com os nazistas. Entretanto, outra parcela se organizou secretamente e, sob o comando do general De Gaulle, deram início a movimentos de guerrilha no combate à Alemanha. A Inglaterra, preocupada em não deixar que a Alemanha continuasse avançando, resolveu aprisionar a frota francesa, mas os franceses ligados ao general Pétain resistiram, forçando a Inglaterra a bombardeá-la. O alvo agora passou a ser a Inglaterra. Violentos ataques aéreos assolaram o território inglês durante dois meses, mas a Alemanha não teve êxito em avançar e a força aérea inglesa (RAF) conseguiu rechaçar os ataques da *Luftware* alemã.

A Itália, que havia ingressado na guerra, passou a atacar o norte da África. Seu objetivo era o Canal de Suez, para garantir a ligação da Inglaterra com suas colônias. Assim, alemães e italianos ocuparam a região balcânica – Grécia, Bulgária e Iugoslávia. A estratégia alemã de invadir a Inglaterra por esse canal foi, entretanto, derrotada, já que o ditador espanhol Francisco Franco não permitiu a passagem das tropas germânicas por seu território.

No leste, a URSS, que já havia anexado a Letônia, a Estônia e a Lituânia, também avançou nas anexações, e, em 1940, já havia anexado muitos territórios, compondo 23 milhões de habitantes. No entanto, esse aumento começou a incomodar os nazistas; assim, em setembro de 1940, formou-se o eixo: Alemanha, Itália e Japão, que se comprometiam a ajudar-se mutuamente em caso de ataque por outra potência não envolvida no conflito. O pacto tinha como alvo principal evitar que os Estados Unidos se envolvessem no conflito. Aos poucos, Hitler forçou outros países a assinarem o tratado – Hungria e Romênia, em 1940, e a Bulgária, em 1941.

Tentando resolver o impasse com os russos, Hitler propôs a divisão do mundo em zonas de influência. Assim, os russos receberiam o Irã e o Golfo Pérsico, mas teriam de aderir ao Eixo. Em contrapartida, os russos propuseram que a Bulgária e o Mar Negro também ficassem sob seus domínios. Hitler recusou terminantemente e o acordo se rompeu. Assim, em 22 de junho de 1941, o exército alemão invadiu a URSS.

Samara Feitosa

Embora não envolvido diretamente nos conflitos até o momento, os Estados Unidos foram, aos poucos, deixando a neutralidade e, em fins de 1941, parte da economia norte-americana já estava envolvida na produção para a guerra: aviões, navios e carros de combate seriam fornecidos aos ingleses para pagamento posterior ao fim da guerra. Contudo, ainda evitaram discutir o envio de tropas. Entretanto, os japoneses acabaram forçando um posicionamento norte-americano. Desde a guerra contra a China, na qual França e Estados Unidos interviram, os japoneses esperavam a chance de revidar, principalmente porque ambos os países (EUA e Japão) tinham interesses no Pacífico. Assim, o general Tojo, partidário à ideia de envolver os norte-americanos no conflito, decidiu atacar uma base naval americana no Pacífico. Em 7 de dezembro de 1941, Pearl Harbor foi atacada. O general imaginou que um só golpe seria suficiente para aniquilar as forças norte-americanas no Pacífico, mas estava enganado. Por conta do pacto, Alemanha e Itália declararam guerra aos Estados Unidos.

O Império Japonês planejava aproveitar as colônias europeias na Ásia para criar um perímetro defensivo por todo o Pacífico Central; os japoneses estariam assim livres para explorar os recursos do sudeste asiático, e esgotariam militarmente por exaustão os já sobrecarregados países aliados contra o Eixo (com os EUA ainda fora da guerra). Para evitar uma intervenção americana nesse perímetro de segurança, foi planejada a neutralização da Frota do Pacífico dos Estados Unidos. Em 7 de dezembro de 1941, o Japão atacou os domínios britânicos e norte-americanos com ofensivas quase simultâneas contra o sudeste da Ásia e o Pacífico Central, que incluíram o ataque contra a frota americana em Pearl Harbor, os desembarques na Tailândia e na Malásia, e a batalha de Hong Kong (colônia inglesa). Esses ataques levaram os Estados Unidos, o Reino Unido, a China, a Austrália e vários outros países a emitir uma declaração de guerra formal contra o Japão. Na esperança de que o Japão, depois de Pearl Harbor, também atacasse a URSS – o que seria bom para a Alemanha, que já invadira a URSS, seis meses antes –, Hitler apressou-se em declarar guerra aos EUA. (Coggiola, 1995, p. 46)

O conflito se tornara mundial. Pouco a pouco, outros países foram entrando nas batalhas e o quadro favorável ao eixo foi se modificando. Exemplo disso foi o resultado da ofensiva alemã na URSS. Embora no início arrasadora, a ofensiva não contou com um elemento estratégico: o inverno russo. Os soviéticos, acostumados às intempéries de seu território, a princípio cederam terreno, transferiram para além dos Montes Urais suas indústrias pesadas voltadas para a produção bélica e, a partir daí, organizaram sua contraofensiva. Os alemães avançaram e atacaram Moscou, entretanto, a resistência dos exércitos soviéticos, somada aos problemas climáticos[11], tornou o avanço impossível.

Hitler decidiu, então, invadir Stalingrado, um importante centro industrial e que garantia acesso aos polos produtores de petróleo. Em setembro de 1942, iniciou-se o combate. Os soldados soviéticos mostraram-se ferozes na defesa da cidade e, embora o comando alemão tenha recomendado o recuo, Hitler persistiu no ataque. Desse modo, em novembro de 1942, os exércitos soviéticos organizaram um grande contra-ataque, derrotando os alemães. Pela primeira vez em toda a guerra, um general alemão e seu exército foram forçados a se render, e a Batalha de Stalingrado pôs fim ao mito de invencibilidade do exército alemão.

No Atlântico, os aliados começaram a alterar as relações de força graças à eficácia em desarticular os ataques submarinos alemães e

---

11 Despreparados para enfrentar o inverno russo, os soldados alemães não tinham agasalhos suficientes, assim, muitos deles sofreram com queimaduras do gelo e uma boa parcela dos armamentos não funcionou, já que os alemães não tinham anticongelantes.

também à maior potência da força aérea – recursos advindos da entrada dos Estados Unidos no conflito. No norte africano, os avanços do eixo, que haviam empurrado as tropas inglesas até o Egito, começaram a ser revertidos. Em 1942, o general Montgomery, junto com as tropas norte-americanas, iniciou um contra-ataque, ao mesmo tempo que as colônias francesas entraram no conflito; assim, até maio de 1943, os alemães e italianos já haviam sido expulsos da Tunísia.

As tropas aliadas avançaram, então, em direção à Itália e, depois de encontrar uma pequena resistência, logo derrotaram os italianos. Mussolini foi deposto e preso e o general Pietro Badoglio, novo chefe no poder, assinou com os aliados um acordo de paz. Entretanto, os nazistas investiram contra Roma e libertaram Mussolini, que fundou a República Social Italiana em Roma. Os aliados atacaram a cidade e, em 4 de junho de 1944, a tomaram. Tropas alemãs ainda dominavam boa parte da Itália, mas rapidamente os aliados derrotaram a resistência. Mussolini tentou fugir para a Suíça, mas foi fuzilado pelos antifascistas italianos, que exibiram publicamente seu corpo.

O CLNAI[12] declara: que a execução de Mussolini e seus cúmplices, por ele ordenada, é a conclusão necessária de uma fase histórica que ainda deixa nosso país coberto de ruínas materiais e morais. Ela é a conclusão de uma luta insurrecional, ponto de partida de um renascimento e de uma reconstrução da pátria. O povo italiano não poderia ter recuperado uma vida livre e normal – que lhe foi recusada pelo fascismo durante vinte anos – se o CLNAI não tivesse oportunamente mostrado uma determinação intransigente de corroborar um julgamento já feito pela história. Só ao preço desse claro rompimento com um passado de vergonha e crimes, o povo poderia ter garantias de que o CLNAI estava decidido a promover

---

12 Comitê de Libertação Nacional da Alta Itália.

com firmeza a renovação democrática do país. Só a esse preço o necessário expurgo dos remanescentes fascistas pode e deve acompanhar a conclusão da fase insurrecional na mais estrita legalidade. O fascismo é o único responsável pela explosão de ódio popular que nessa única oportunidade degenerou em excessos, compreensíveis apenas no clima desejado e criado por Mussolini. O CLNAI, que foi capaz de dirigir a insurreição, admirável em sua disciplina democrática, transmitindo aos insurretos o senso de responsabilidade desse grande momento histórico, e soube sem hesitação fazer justiça aos responsáveis pela ruína da pátria, considera que nessa nova era que se abre ao livre povo italiano tais excessos não devem se repetir. Nenhum excesso seria justificável no novo clima de liberdade e estrita legalidade democrática que o CLNAI está decidido a restabelecer, estando já agora concluída a luta insurrecional. (Milza, 2013, p. 58)

Os aliados, então, seguiram para a retomada da França. Em uma estratégia metodicamente preparada, desembarcaram na Normandia e na Provença pelo Mediterrâneo. Com uma concentração de navios de guerra nunca antes usada (6 mil navios) e cerca de 120 mil homens e 5 mil aviões, iniciaram a operação conhecida como **Dia D**. Desse ponto, os aliados avançaram até libertar a França. Envolvida por todos os lados, a Alemanha sentiu a derrota se aproximar: medidas extremas começaram a ser tomadas e em Berlim o comando nazista mobilizou toda a população para a resistência até a morte. A população civil foi obrigada a lutar; crianças e mulheres foram armadas e utilizadas para retardar a entrada das tropas aliadas na cidade. Hitler e seu *staff* mais próximo se refugiaram em um abrigo subterrâneo. Ao receber a notícia da derrota eminente, ele e sua amante decidiram pelo suicídio. Goebels, que acompanhou o Führer até o fim, também se suicidou com sua esposa; antes, porém, matou por envenenamento seus seis filhos.

Samara Feitosa

Os momentos finais da guerra assistiram ao recrudescimento das operações ligadas ao extermínio étnico. Embora já houvesse campos de concentração na Alemanha antes mesmo do início da guerra, tornou-se prática recorrente do regime nazista instalar novos campos em seus territórios anexados. Além dos judeus, Hitler considerava homossexuais, ciganos, deficientes físicos, doentes mentais, alguns grupos religiosos e seus opositores elementos que deveriam ser eliminados para promover a melhoria da raça, mas, ao sentir que assim não conseguiria manter o Reich, tentou levar a cabo a limpeza étnica.

A "loucura nazista" revelava-se assim, também, militarmente suicida. No final da guerra, o mais importante para a liderança nazista era levar a cabo o extermínio dos judeus. Depois de diversos ensaios, como a perseguição e extermínio dos doentes mentais alemães durante vários anos, a solução final, com o emprego de câmaras de gás, foi finalmente posta em operação em 1942. A partir de então, todos os esforços alemães se concentraram nisso. A prioridade atribuída ao transporte de prisioneiros para os campos de extermínio, em detrimento de objetivos militares, comprova-o. A malha ferroviária foi modificada para acelerar a evacuação dos judeus dos guetos, embora isso prejudicasse a mobilidade e a resistência do exército alemão ao ataque aliado. Na perspectiva de Hitler, se a guerra não pudesse ser ganha, era preciso ao menos eliminar os judeus da face da Europa (já que não do mundo). (Coggiola, 1995, p. 94)

Por isso mesmo, a Alemanha nazista acelerou o processo de eliminação daqueles que julgava ser seus piores inimigos, pois, ao contrário dos exércitos estrangeiros, esses inimigos estavam dentro de suas fronteiras.

Figura 3.4 – Crianças em campo de concentração

Com a derrota de Hitler, faltava ainda o Japão declarar-se derrotado. Entretanto, os japoneses continuaram em guerra e, embora norte-americanos e ingleses continuassem apertando o cerco, o imperador japonês negava-se a se render. Já há algum tempo, a aviação japonesa utilizava-se de pilotos suicidas em suas missões mais importantes, porém, no fim da guerra, com o avanço norte-americano e a ocupação do Iwo Jima, a prática passou a ser corriqueira. Esses pilotos lançavam-se com aeronaves sobre os encouraçados, causando perdas às tropas aliadas. Utilizando-se do argumento de que os japoneses jamais se renderiam, os Estados Unidos se propuseram a usar uma nova arma para acelerar o fim da guerra. Em 6 de agosto de 1945, detonaram a primeira bomba atômica sobre Hiroxima, matando imediatamente cerca de 100 mil pessoas; dois dias depois, Nagasaki foi atingida, elevando o número de mortes para mais de 200 mil.

Samara Feitosa

Acuados, os japoneses, a bordo do encouraçado *Mussouri*, renderam-se ao general MacArthur, pondo fim à Segunda Guerra.

Mas embora a rendição do eixo possa ser considerada o fim da Segunda Guerra, ainda havia muito a ser feito. Se como resultado da Primeira Guerra houve uma alteração na correlação de forças entre as grandes potências mundiais, a Segunda Guerra tornou clara a divisão do mundo em torno de dois grandes blocos, que ficaram sob a influência dos Estados Unidos e da URSS.

Dificilmente será possível calcular o número de perdas humanas durante o conflito. As cifras mais otimistas afirmam que 38 milhões de pessoas foram mortas; as mais realistas apontam a morte de mais de 50 milhões. Sabe-se ainda que, em proporção, os civis foram os mais atingidos, principalmente porque os bombardeios, muito utilizados durante os conflitos, estavam longe de ser precisos e foram responsáveis por dizimar populações inteiras. Somado a isso está o horror do holocausto. Cálculos apontam para o extermínio de 6 milhões de judeus, mortos nos campos de concentração em virtude da fome e de doenças nos guetos europeus, e de mais alguns milhões de homossexuais, deficientes mentais e físicos, ciganos, entre outros. Entretanto, é difícil precisar os números.

Os rumos mundiais foram fechados em três conferências entre as três grandes nações vencedoras: URSS, Estados Unidos e Inglaterra, dividindo o mundo em áreas de influência.

- **Conferência de Teerã** (novembro de 1943) – Antes mesmo do fim da guerra, Stalin, Roosevelt e Churchill definiram a fixação da fronteira da Polônia em relação à União Soviética, garantindo a mesma anexação dos países bálticos. Definiu-se também a divisão da Alemanha em vários estados. Esse acordo prévio foi uma tentativa de garantir a fidelidade de Stalin aos aliados.

- **Conferência de Yalta** (fevereiro de 1945) – Percebendo a proximidade da derrota alemã, os três dirigentes se reuniram novamente para definir os rumos do fim dos conflitos. Definiu-se pela democratização das nações sem, contudo, estabelecer o que se estava chamando de *democracia*. Reforçou-se a ideia da divisão da Alemanha, que ficaria sem um dirigente único, mas sob a tutela de outros países. O mesmo procedimento seria adotado na Áustria. A grande vencedora nessa conferência foi a URSS, que conseguiu receber compensações, garantindo uma parte da Polônia e a implantação de um governo socialista na Iugoslávia, em troca de se comprometer a manter a guerra com o Japão, o que lhe garantiu ainda o Port-Artur, sul das Ilhas Sakhalinas e Ilhas Curilas.

Entretanto, no fim da guerra, parecia ao restante dos aliados que a URSS estava cobrando muito alto por sua participação, e a **Conferência de Potsdam** (17 de julho a 2 de agosto de 1945) se iniciou com clima pesado. De um lado, os soviéticos, que detinham grande parte da Europa central, não queriam a intromissão dos países ocidentais em seus territórios; por outro, os ocidentais não queriam que os soviéticos se intrometessem na reorganização do Mediterrâneo e das áreas africanas. A Alemanha foi fatiada em quatro áreas de influência e entregue à administração dos norte-americanos, ingleses, franceses e soviéticos. Berlim, a capital, também foi dividida em quatro partes e entregue aos aliados. A indústria bélica alemã foi destruída, a produção de aço diminuiu e novamente a Alemanha deveria pagar uma alta indenização aos países vencedores. Além disso, os oficiais e chefes alemães seriam julgados pelos crimes cometidos na guerra.

Samara Feitosa

Criou-se, então, o **Tribunal de Nuremberg**, no qual, durante 218 dias, foram julgados os crimes cometidos pelos nazistas durante a guerra. Foram julgados 199 homens, de comandantes militares a responsáveis por grupos de extermínio. Destes, 11 foram condenados à morte e somente três foram inocentados, os demais foram condenados a penas diversas. Entretanto, vários oficiais conseguiram escapar da Alemanha antes do início das investigações e dos julgamentos, refugiando-se principalmente em países da América do Sul, já que muitas nações sul-americanas, embora estivessem do lado dos aliados, eram simpáticas às posições do eixo. Mesmo após o julgamento, a procura por esses oficiais não cessou e organizações internacionais continuaram trabalhando para encontrá-los.

Com relação ao Japão, nos Estados Unidos o imperador Hiroíto assinou o Tratado de São Francisco, devolvendo grande parte das terras conquistadas aos seus países originais. Além disso, os norte-americanos impuseram uma série de restrições ao seu poder real, bem como a sua economia. Esse tratado, todavia, foi revisto anos mais tarde quando os Estados Unidos precisaram de aliados para deter a expansão do socialismo pela Ásia.

Será criada também uma instituição internacional com a intenção de evitar grandes conflitos internacionais. A **Organização das Nações Unidas** (ONU) teve o papel de fazer o que a Liga das Nações não conseguiu fazer no fim da Primeira Guerra. Para isso, já em sua primeira reunião, definiu:

- o Conselho de Segurança, composto de cinco membros permanentes (China, Estados Unidos, Rússia, Grã-Bretanha e França) e dez indicados pela Assembleia Geral – com mandatos de dois anos;

- a Assembleia Geral, em que todos têm direito de voto e na qual o presidente é eleito anualmente; além disso, foram discutidos os temas relativos à segurança geral e ao bem-estar da humanidade;
- o Conselho de Tutela, protetor dos povos sem governo próprio, composto pelos membros dos territórios administrados pela ONU, do Conselho de Segurança e por membros eleitos entre os da Assembleia Geral;
- o Secretariado, de caráter administrativo;
- a Corte Internacional de Justiça, que estabelece princípios de direitos universais e é composta por juízes que se tornam autônomos após sua eleição pela Assembleia Geral e pelo Conselho de Segurança;
- o Conselho Econômico e Social, cuja principal função é resguardar e promover o bem-estar econômico das populações. Composto por 54 membros eleitos pela Assembleia Geral, sua atuação se dá por meio de vários comitês – Comissão de Direitos Humanos – que redigiu em 1948 a Declaração Universal dos Direitos Humanos; a Comissão dos Estatutos da Mulher; a Comissão para o Desenvolvimento Social; a Comissão de Entorpecentes; a Comissão Populacional; a Comissão de Estatística; o Unicef (Fundo das Nações Unidas para a Infância) também está ligado à ONU, bem como a Unesco (Organização das Nações Unidas para a Educação, a Ciência e a Cultura), a FAO (Organização das Nações Unidas pada a Alimentação e a Agricultura), a OMS (Organização Mundial de Saúde), o Bird (Banco Internacional para Reconstrução e Desenvolvimento) e o FMI (Fundo Monetário Internacional), entre outros.

Obviamente, um evento da magnitude de uma Guerra Mundial teria repercussões que atingiria todas as nações e com uma duração

Samara Feitosa

longa. No entanto, de maneira resumida, podemos dizer que o deslocamento do eixo de poder das tradicionais potências europeias, bem como a criação de dois blocos, com concepções diferentes e em disputa, foram os resultados mais visíveis e impactantes desse processo.

Há um último episódio que não pode passar despercebido como resultante dos conflitos da Segunda Guerra. Seguramente, a construção do muro de Berlim foi um marco histórico para a bipolarização do mundo. Como vimos, tanto a URSS quanto os EUA buscavam garantir suas áreas de influência; assim, quando o território alemão foi fatiado e dividido entre capitalistas e comunistas, mais do que uma marcação ideológica, a garantia de um marco físico era necessária. Portanto, em 13 de agosto de 1961, um grupo de militares criou, no entorno dos portões de Brandenburgo, uma cerca de arame farpado. A ideia era tornar visível e palpável a separação entre a Alemanha Ocidental – sob influência do capitalismo – e a Alemanha Oriental – área de dominação do socialismo soviético.

Quando da divisão do território, não se havia pensado claramente na impossibilidade de trânsito entre as áreas divididas, mas, à medida que as disputas entre as potências se acirraram, tornou-se claro que a mera divisão abstrata de um "tratado" não seria suficiente para separar o território. Assim, a construção de uma divisão física pareceu ser a única alternativa. Nos dias posteriores, as forças soviéticas substituíram a cerca de arame por um pequeno muro, mas colocaram patrulhas organizadas em turnos para manutenção de sua "segurança". Aos poucos, foram instalados guaritas, sensores de movimento, áreas de contenção minadas, cães de guardas, ou seja, todo um aparato de segurança que visava impedir o acesso e a passagem para o outro lado do muro. O mundo passou a conviver com uma fronteira física que, ao mesmo tempo, simbolizava a divisão entre capitalistas e comunistas. Várias tentativas de fuga, principalmente para o lado ocidental, passaram a ocorrer, já que o rompimento de relações diplomáticas entre as duas Alemanhas impossibilitava a livre comunicação entre as duas partes. Somente em 1973 os dois lados reataram os laços diplomáticos. Os anos de 1980 assistiram ao relaxamento das tensões; visitas ao lado oriental voltaram a ser permitidas e várias famílias que ficaram durante anos impedidas de se encontrarem voltaram a conviver. Contudo, o fim do muro segregacionista só se deu em 1989, quando a Alemanha Oriental permitiu a livre circulação, chegando à derrubada do muro – evento celebrado com festa em todo o mundo.

Figura 3.5 – Derrubada do muro de Berlim, 1989

Crédito: Luis Veiga/Getty Images

Síntese

Agora que finalizamos o capítulo, observe o esquema a seguir para retomar os pontos principais estudados.

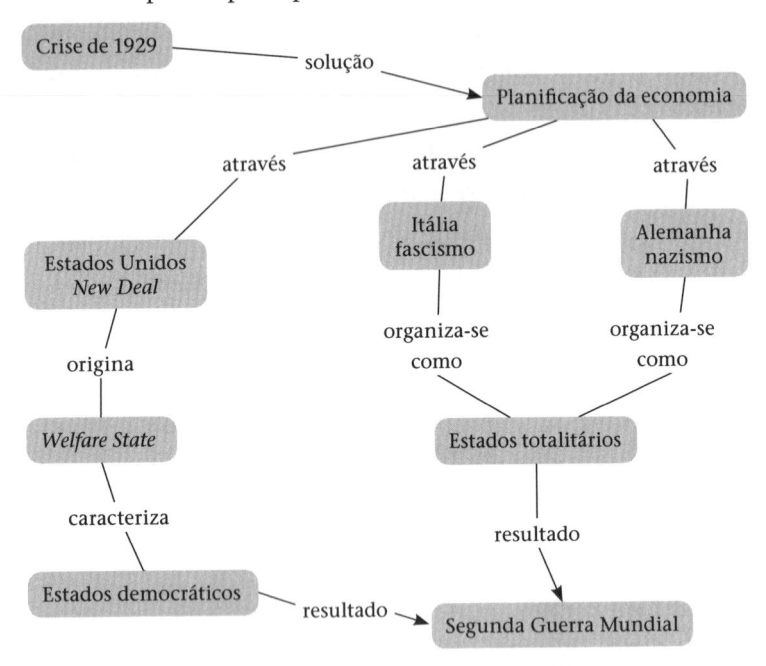

```
Crise de 1929 ──── solução ────▶ Planificação da economia
                através              através              através
        Estados Unidos           Itália               Alemanha
          New Deal               fascismo             nazismo
            │                       │                    │
          origina               organiza-se          organiza-se
            │                      como                 como
            ▼                         ╲                ╱
        Welfare State              Estados totalitários
            │                              │
        caracteriza                     resultado
            ▼                              │
        Estados democráticos ─ resultado ─▶ Segunda Guerra Mundial
```

Indicações culturais

A NOITE dos desesperados. Direção: Sydney Pollack. EUA: Palomar Pictures, 1969. 120 min.

BONNIE e Clyde: uma rajada de balas. Direção: Arthur Penn. EUA: Warner Bros. Pictures, 1967. 111 min.

JOGOS Vorazes. Direção: Gary Ross. EUA: Paris Filmes, 2012. 142 min.

O RESGATE do soldado Ryan. Direção: Steven Spielberg. EUA: Paramount Pictures, 1998. 169 min.

V de Vingança. Direção: James Mc Teigue. EUA: Warner Bros. Pictures, 2006. 132 min.

Atividades de autoavaliação

1. Qual das alternativas apresenta uma das principais causas da Crise de 1929?
   a) A diminuição da oferta da mão de obra especializada, principalmente nos Estados Unidos, que havia sofrido baixas significativas durante a Primeira Guerra e que, com poucos trabalhadores disponíveis, fez cair radicalmente a produção industrial.
   b) No fim da década de 1920, as nações europeias estavam em recuperação, reduzindo as importações de produtos industrializados e agrícolas dos Estados Unidos, o que levou à crise na economia norte-americana.
   c) Uma crise no setor imobiliário, conhecida como "bolha imobiliária", no fim da década de 1920, afetou o valor das ações nas diversas bolsas de valores, levando à quebra da bolsa de Nova Iorque.
   d) O crescimento econômico da China e do Japão prejudicou as exportações dos Estados Unidos.

2. Uma crise econômica mundial atingiu o mundo capitalista no fim da década de 1920. Os Estados Unidos, primeira grande nação a sentir a profundidade dessa crise, iria, por meio do *New Deal*, buscar soluções para os graves problemas que se apresentavam. Sobre o *New Deal*, é correto afirmar:
   a) Procurou diminuir os gastos governamentais com obras de infraestrutura.
   b) Parou de emitir, temporariamente, papel-moeda.
   c) Criou uma política pública de estímulo à criação de novos empregos, principalmente por meio de obras públicas.
   d) Extinguiu incentivos à produção agrícola e industrial.

Samara Feitosa

3. Houve, entre os programas políticos de Hitler e Mussolini, pontos em comum. Entre eles estava:
   a) a produção de um ideal bélico que visibilizava a supremacia dos fascismos e a total incorporação da diversidade étnica nesse ideal.
   b) a organização militarizada da juventude que projetava uma crescente não intervenção do Estado no cotidiano dos cidadãos.
   c) a necessidade do fortalecimento do Estado, adotando uma postura corporativista que baseia a reorganização das relações sociais.
   d) a mobilização das massas pelo apelo nacionalista e contínua aproximação dos ideais socialistas.

4. A eclosão da Segunda Guerra Mundial teve vários elementos constitutivos. Marque um fator que **não** teve esse papel:
   a) A vitória dos democratas nas eleições italianas de 1930, que barrou a ascensão de Mussolini ao poder.
   b) A crise econômica e financeira que atingiu todo o mundo no fim da década de 1920 e início da década de 1930.
   c) A ascensão dos regimes totalitários, principalmente na Itália e na Alemanha, entre os anos de 1920 e 1930.
   d) A união da Alemanha a Áustria, levada a cabo por Hitler.

5. "Esta guerra, de fato, é uma continuação da anterior" (Winston Churchill, em discurso feito no Parlamento em 21 de agosto de 1941).

Na frase, o primeiro-ministro inglês deixa claro que os conflitos que levaram à Primeira Guerra não haviam sido resolvidos, ao contrário, alimentavam e tornavam ainda mais graves as diferenças que levaram o mundo à Segunda Guerra.

Dentre os problemas citados a seguir, o único que não pode ser enquadrado nesse cenário é:

a) o crescimento do nacionalismo econômico e o aumento pela disputa de mercados consumidores.
b) a redivisão do território da Alemanha, que a leva a uma política de expansão neocolonial mais agressiva.
c) o desenvolvimento do Império chinês e seu rápido avanço para o Ocidente.
d) o enfraquecimento dos movimentos nacionalistas europeus.

Atividades de aprendizagem

Questões para reflexão

1. Com base nos conhecimentos adquiridos com o estudo deste capítulo, reflita sobre o consumo exacerbado que marcou o período posterior à Primeira Guerra e em que medida ele estava relacionado ao clima de entreguerras que se configurava.

2. "Toda propaganda tem que ser popular e acomodar-se à compreensão do menos inteligente dentre aqueles que pretende atingir".

"Quanto maior a mentira, maior é a chance de ela ser acreditada".

"Todo o evento revolucionário de uma era nada produziu pela palavra escrita, mas pela palavra falada".

Todas essas frases são atribuídas a Adolf Hitler (em seus discursos ou falas oficiais) e, de alguma maneira, demonstram a crença que ele tinha no poder das palavras como elemento de cooptação. Pensando nisso, analise que outros elementos foram usados pelo nazismo para a construção de seu ideal e como ele foi propagado na sociedade alemã da época.

Atividade aplicada: prática

Vamos avançar um pouco mais na criação de nossos mapas conceituais? A proposta agora é que você construa um mapa conceitual comparativo entre nazismo e fascismo – apontando proximidades e/ou diferenças. Mãos à obra.

Capítulo 4
Um mundo, um diagnóstico: bipolaridade

Neste capítulo vamos refletir sobre a divisão do mundo entre dois blocos de poder – os capitalistas e os comunistas – uma das consequências mais evidentes da Segunda Guerra Mundial. Para tanto, discutiremos duas revoluções socialistas do século XX, a Revolução Chinesa e a Revolução Cubana, e como elas funcionaram como elementos de incremento à Guerra Fria e à ascensão de regimes militares em toda a América do Sul.

Como acabamos de ver, o fim da Segunda Guerra criou um cenário no qual o mundo estava dividido em dois: de um lado, o bloco capitalista, capitaneado pelos Estados Unidos; do outro, o bloco comunista, sob a orientação da União das Repúblicas Socialistas Soviéticas (URSS). De várias maneiras, as duas potências articularam seus recursos para aumentar sua zona de influência, utilizando desde financiamentos a fornecimento de armas.

A bem da verdade, antes mesmo do fim do conflito os aliados já mostravam a disputa de forças, razão por que vários historiadores afirmam que a demonstração de poder dada por meio da explosão das duas bombas atômicas tinha também a intenção de demonstrar a Stalin o poderio militar norte-americano.

Assim, estabeleceu-se uma geopolítica bipolar[1] que interviria de forma direta durante aproximadamente 50 anos na organização política de vários países. Vários conflitos armados foram patrocinados pelas potências, que procuravam, assim, garantir a manutenção de suas áreas de influência, bem como aumentar sua expansão. Entre

---

1   A ideia da **bipolaridade** foi resultado da dualidade expressa pela expansão capitalista, por um lado, e pelo surgimento e expansão dos ideais comunistas (com a criação da URSS), por outro. Como veremos, essa divisão em dois blocos marcou fortemente esse período. Já a expressão **multipolaridade** surgiu na década de 1990, com a dissolução da URSS, a emergência de novas potências (Japão, China, Coreia, entre outras), a formação do Mercado Comum Europeu (MCE) e a criação do G20 (grupo de países emergentes).

Samara Feitosa

os conflitos mais conhecidos estão a Revolução Chinesa, a Revolução Cubana e as ditaduras militares na América Latina.

(4.1)
ELAS VOLTARAM: REVOLUÇÃO CHINESA E REVOLUÇÃO CUBANA

"Uma revolução é uma opinião apoiada por baionetas".

(Napoleão Bonaparte)

Historicamente, a China passou, em seu território, por vários levantes camponeses. Por vezes, esses levantes, locais e pouco estruturados, eram facilmente derrotados; por outras, levavam à derrubada das autoridades locais e repercutiam nas dinastias. Entretanto, não havia uma articulação entre esses movimentos, bem como não existia um projeto de desenvolvimento nacional alternativo por detrás dessas revoltas; em sua maior parte, estavam ligados à posse da terra e à distribuição de seus frutos. Entretanto, ainda que esparsos e de pequeno alcance, esses levantes foram criando uma tradição no território chinês, que, aos poucos, viu espalharem-se organizações de ajuda mútua ou mesmo sociedades secretas que visavam resolver os problemas sociais e debelar o autoritarismo e as arbitrariedades do Império chinês. De certo modo, esses levantes estavam por detrás da ascensão da dinastia Manchu, que governaria o país até o século XX.

Provavelmente sozinha entre os grandes impérios tradicionais do mundo, a China possuía uma tradição revolucionária popular, ideológica e prática. Ideologicamente seus intelectuais e seu povo tomavam a permanência e centralização de seu império como um dado: existiria sempre, sob um único imperador (salvo por alguns períodos ocasionais de divisão), seria sempre

administrada por intelectuais burocratas que tivessem passado pelos grandes exames nacionais do serviço civil, introduzidos aproximadamente dois mil anos antes – e somente abandonados quando o império estava próximo do desaparecimento definitivo em 1910. Portanto, a história deste país era a de uma sucessão de dinastias, cada qual passando, acreditava-se, por um ciclo de ascensão, crise e transcendência: ganhando e perdendo o "mandato do Céu" que legitimava sua absoluta autoridade. Neste processo de mudança de uma dinastia para outra, a insurreição popular derivada do banditismo social, os levantes camponeses, as atividades das sociedades secretas populares e até a rebelião de grande magnitude eram conhecidas e esperadas para desempenhar seus respectivos papéis. No entanto, as próprias ocorrências destas agitações eram uma clara indicação de que o "mandato do Céu" estava por acabar. A permanência da China, centro da civilização mundial, era conseguida através [sic] da repetição contínua do ciclo de mudanças de dinastia, que incluía este elemento revolucionário.
(Hobsbawm, 2002, p. 141)

O Império chinês alcançou sua maior expansão no século XVIII, com a anexação da Mongólia, do Sinkiang e do Tibete. No entanto, já no século XIX entrou em uma grave crise econômica. Tradicionalmente agrícola, a China não teve o mesmo desenvolvimento do comércio e da indústria que marcou o século XIX na Europa e, embora tenha manifestado surtos de desenvolvimento – como o ocorrido no período da dinastia Sung (séculos X–XIII) –, a economia era voltada para a agricultura. Entretanto, o contato com o Ocidente fez com que as bases da organização política e social passassem a ser questionadas. Em meados do século XIX, a rebelião Taiping (1850-1864) pode ser pensada como um exemplo desse cenário. De orientação religiosa, o movimento retomou a tradição de reivindicar a posse coletiva da terra, mas desta vez seu líder, convertido ao cristianismo, afirmou pertencer à família de Cristo e, portanto, tinha o papel de levar a ideia de comunidade cristã a sua nação. Esse movimento, que durou aproximadamente dez anos e chegou a controlar cidades próximas a Pequim, deu mostras do que estava acontecendo na China naquele momento – a confluência das tradições chinesas milenares e as novas orientações culturais advindas do contato mais próximo e frequente com o Ocidente.

A revolução Taiping não se manteve, e realmente não se esperava que se mantivesse. Suas inovações radicais alienavam moderados, tradicionalistas e aqueles que tinham propriedades a perder – e esses não eram apenas os ricos. O fracasso de seus líderes em guiar-se pelas suas próprias regras puritanas enfraqueceu seu apelo popular, e profundas divisões desenvolveram-se rapidamente na liderança. Após 1856 encontrava-se na defensiva, e em 1864 a capital Taiping de Nanking era recapturada. O governo imperial recuperou-se, mas o preço que pagou por tal recuperação era pesado e viria provar-se fatal. Isso também ilustrava as complexidades do impacto do Ocidente. Paradoxalmente, os dirigentes da China eram menos propensos a adotar inovações ocidentais que os rebeldes plebeus, habituados de longa data a viver num mundo ideológico onde as ideias não oficiais vinham de fontes estrangeiras (como o budismo). Para os intelectuais burocratas confucianos que governavam o Império, o que não fosse chinês era bárbaro. Havia mesmo resistência à tecnologia, que obviamente fazia os bárbaros invencíveis. (Hobsbawm, 2002, p. 143)

Entre 1864 e 1878, ao sul do Império, povos muçulmanos organizaram uma rebelião contra o governo chinês; enquanto isso, os camponeses da mesma região também organizaram um levante. Ambos os movimentos foram derrotados, mas ficaram cada vez mais evidentes o descontentamento da população e as dificuldades que o Império enfrentava para se manter unificado.

No entanto, a maior ameaça à unidade já era conhecida e vinha mesmo de fora. Desde o século XV, a China sofria tentativas de penetração do comércio europeu. Goa e Macau, por exemplo, eram postos comerciais que compunham o Império Marítimo Português, entrepostos entre a rota que ligava Oriente a Ocidente, sendo fundamentais para o funcionamento do comércio nesse período. Embora considerasse os ocidentais como bárbaros, o Império chinês permitiu, em alguns momentos, que esse comércio se desenvolvesse, desde que estivesse sob sua tutela. No entanto, a partir de 1840 esse cenário foi alterado.

Como já vimos, a Revolução Industrial fez com que a produção de manufaturados aumentasse significativamente e que esse aumento de produção gerasse a demanda de novos mercados que o consumissem. O Império chinês, imenso em território e de elevada concentração populacional, pareceu, a todos os envolvidos na disputa por consumidores, muito tentador. Por isso mesmo, a Inglaterra tentou penetrar à força nesse mercado. Fomentando o consumo de ópio (por meio do contrabando), os comerciantes ingleses reclamaram à China o direito de vendê-lo em todo o território chinês. Como o império se negou, já que havia proibido o consumo, os ingleses o invadiram. Esse episódio ficou conhecido como as **Guerras do Ópio** (1840-1860), nas quais a Inglaterra impôs uma derrota humilhante ao Império chinês, que acabou lhe cedendo concessões territoriais (Hong Kong, Kowloon, Nepal) e foi forçado a assinar tratados comerciais desvantajosos. Estava aberta a porta para a "ocupação" chinesa.

Percebendo a fragilidade militar chinesa, várias nações europeias buscaram pontos estratégicos na China para controlá-los. Assim, pouco a pouco, o império transformou-se em uma espécie de semicolônia, dividida entre várias potências estrangeiras. Apesar disso, o resultado alcançado não era exatamente o esperado pelos europeus.

Samara Feitosa

A maior parte da população chinesa não consumia os produtos manufaturados vindos da Europa, em certa medida por não terem condições econômicas para tanto, mas também porque as tradições culturais chinesas não traziam componentes desse tipo de consumo. Para além disso, revoltas contra os colonizadores ocorriam de tempos em tempos, tornando o investimento de manutenção bastante alto. De qualquer maneira, a entrada dos europeus na China causou alterações na dinâmica de organização interna do país. A burguesia chinesa, por meio da agiotagem, passou a comprar terras, acentuando ainda mais as diferenças sociais entre as classes na China – em vez de pequenos produtores rurais, o campo passou a ser composto de grandes proprietários, de um lado, e trabalhadores rurais sem posses, de outro.

Incapazes de lidar com os problemas causados pela dominação europeia, a dinastia Manchu passou a ser cada vez mais identificada como causadora e/ou conivente com os colonizadores, e movimentos contrários ao império começaram a se organizar. Em 1898, a China conheceu o **Movimento dos Cem Dias de Pequim**. De orientação democrática e pacifista, o movimento se desenvolveu em Pequim, mas acabou derrotado. Em 1899 foi a vez da **Guerra dos Boxer**, movimento nacionalista que lutava contra a dominação estrangeira no território chinês. Advindos de uma sociedade secreta, a "Sociedade dos Punhos Harmoniosos e Justiceiros", um pequeno grupo promoveu atos de guerrilha e vandalismo contra patrimônios entendidos como símbolos dessa dominação; assim, estradas de ferro, linhas de telégrafos e missões cristãs foram destruídas. Temendo o avanço desses ataques, as nações estrangeiras se uniram para acabar com o movimento. Os boxers revidaram apoiados por alguns membros do exército imperial, mas acabaram derrotados.

Em 1901, foi assinado o Protocolo de Pequim, no qual o governo chinês se viu obrigado a pagar uma indenização e liberar seus portos para as nações estrangeiras, sendo também proibido de importar armamentos. Em 1905, a Liga Revolucionária da China, ou Liga Jurada (*Cong Meng Hui*), organizou-se com o objetivo de livrar a China da dominação, tanto a exercida pela dinastia Manchu quanto pelos países estrangeiros. Vários levantes ocorreram até que, em 1911, a dinastia foi derrubada e a República Chinesa decretada.

No entanto, os caminhos democráticos não estavam ainda assentados no território chinês. Sun Yat-Sen, que havia sido declarado Presidente da República, renunciou em favor do marechal do império, na esperança de que a unidade do território chinês estivesse garantida. Nesse cenário, o Kuomintang (KMT), partido que resultou da Liga, acreditava em um caminho pacífico para a estabilidade. Entretanto, em 1914, o general Yuan Shikai dissolveu o Parlamento e tentou transformar-se no novo imperador, mas várias revoltas populares e o levante do próprio exército forçaram-no a desistir.

Em 1916, com a morte de Yuan, a China era um país fragmentado e, embora tivesse um governo central, vários senhores da guerra regionais controlavam e exerciam o poder de fato em seus territórios. Desse modo, a reconstrução da nação não teria alternativa a não ser enfrentar e derrotar esses senhores locais. Assim, novos movimentos sociais surgiram e o clima de sublevação se tornou presente em todo o território. Nesse momento, projetos políticos distintos estavam em jogo; enquanto uma parcela da população ansiava por transformações mais radicais, próximas aos ideais da Revolução Russa, outra parcela queria o retorno do império, e uma terceira parte tinha projetos ligados a ideais republicanos democráticos.

No início de 1919, uma manifestação geral deu origem ao movimento Nova China, com a participação de estudantes, operários e moradores urbanos. Uma greve geral foi deflagrada, os produtos vindos do Japão (que recentemente havia conseguido a concessão de

Shantung) foram foram boicotados e várias questões passaram a ser discutidas: o sistema educacional, o monopólio da escrita para os mandarins, o papel das mulheres na cultura chinesa, entre outros pontos. Várias revistas e jornais foram inaugurados e trouxeram à pauta elementos de uma nova cultura que florescia. Somente em agosto essas manifestações foram controladas, mas a reunificação do país só ocorreu mais tarde, quando Chiang Kai-shek, um nacionalista filiado ao Kuomintang, iniciou um processo que modificaria o cenário.

Kai-shek transferiu a capital para Nanquim e implementou a tutela política, ou seja, havia apenas um partido no país. Ele pretendia, assim, eliminar a fragmentação do poder, mas as divergências internas ao próprio Kuomintang tornaram a unidade impossível, principalmente porque os ideais comunistas já haviam influenciado firmemente uma boa parcela da população urbana chinesa. Assim, em 1920, a URSS enviou delegados à China para auxiliarem a reconstrução nacional, afirmando que o país vivia a mesma ameaça que a URSS em relação às potências internacionais.

Esses delegados propuseram, então, a fundação do Partido Comunista, o que ocorreu em 1921, e Chen Duxiu foi designado primeiro-secretário geral do partido, que teve entre seus delegados Mao Tsé-Tung. A proposta do partido era organizar o pequeno número de operários chineses, mas, para além desse operariado, também os trabalhadores artesanais e os coolies, condutores dos táxis movidos à força humana.

Em 1923, então, China e URSS assinaram um acordo de cooperação. Em 1924, foi criada a Academia Militar no KMT e, com a união do exército e de milícias operárias, iniciou-se a reunificação. Nesse momento, começaram as negociações com o general Feng Yuxiang, que, por meio de um golpe, havia chegado ao poder em Pequim, e o KMT lançou a ideia de uma Convenção Nacional pela Reunificação.

Concomitantemente, a organização operária iniciou sua movimentação, enquanto Peng-Pai organizava as Associações Camponesas. Vários levantes regionais começaram a acontecer, deixando claro que se tratava de um movimento de unificação e libertação da opressão externa no território chinês, mas, em 1925, Sun Yat-Sen morreu sem que o processo tivesse terminado, e aos poucos o KMT tentou se desvincular do PC.

Em 1926, Chiang Kai-shek, sucessor de Sun, desarmou milícias operárias e prendeu vários líderes comunistas; além disso, nomeou-se "generalíssimo", mas não desvinculou o PC do KMT. Chiang iniciou uma campanha militar de unificação bem-sucedida, que contava com o apoio das rebeliões sociais contrárias aos Senhores da Guerra, bem como contra as potências externas. Entretanto, seu posicionamento ambíguo incomodava a esquerda do KMT. Exemplo dessa posição foi o Massacre de Xangai. A cidade, que havia sido libertada por um movimento popular dirigido por milícias operárias, recebeu Chiang, que, no entanto, usou a força militar para desarmar as milícias e prender os líderes comunistas e sindicais, que foram jogados, ainda vivos, nas caldeiras das locomotivas. O combate entre as milícias e as tropas do exército deixou cerca de 5 mil mortos. Embora os comunistas tenham tentado resistir, Chiang continuou sua operação de unificação e, em 1928, as tropas entraram em Pequim, consagrando a unificação que havia derrotado ao mesmo tempo os chefes feudais, as potências estrangeiras e a revolução social que se desenvolvia. Terminado o processo, o KMT não abriu mão da utilização da repressão para conservar o controle dos movimentos sociais e manter a ordem.

Enfraquecido, o PC só voltou às manifestações em 1930, mas a nova derrota nos centros urbanos fez com que os líderes mudassem de estratégia; Mao Tsé-Tung e Chu Teh foram para o campo criar as bases vermelhas. Durante um longo período, parte dos esforços do PC ocorreu no sentido de organizar o movimento camponês, mudando a linha de orientação do partido, sem que, no entanto, a chefia do PC e seus delegados assumissem tal postura.

Apostando ainda nos movimentos urbanos, a direção do PC fez várias tentativas de retomar cidades médias e grandes, mas fracassou constantemente. Entretanto, os levantes populares recomeçaram. Em 1930, Pequim declarou um governo independente e, em 1931, foi a vez do Cantão. Percebendo a fragilidade da unificação chinesa, o Japão iniciou, já em 1928, um movimento de invasão, e em 1931 chegou à Manchúria. A situação grave fez com que o PC ficasse cada vez mais desacreditado e desmobilizado nas cidades, enquanto que nos campos a organização do partido continuava sua expansão.

Em 1928, iniciou-se o processo de construção de sua própria base militar: em 1930 já havia 15 "bases vermelhas". Em 1931, o PC proclamou a República Soviética da China, em Jiangsi, controlando seis distritos. Chiang se viu, então, entre dois fogos – de um lado, o processo de expansão japonês, do outro, a sublevação no campo –, optando, então, por derrotar os inimigos internos. De 1930 a 1933, foram organizadas quatro expedições para encontrar e derrotar as bases vermelhas, mas os camponeses somados e a topografia impediram a derrota do movimento.

Em 1934, Chiang organizou uma força de 500 mil homens e 500 aviões para derrotar os comunistas, os quais, percebendo que seriam derrotados, iniciaram a retirada, mudando o local do centro de operações. Esse episódio ficou conhecido como a **Longa Marcha**, em que aproximadamente 100 mil homens foram em direção a Shansi-Kandu-Shensi, percorrendo 10 mil quilômetros a pé, mas apenas 9 mil homens chegaram ao seu destino.

Enquanto todos os esforços do governo chinês focavam na destruição do Exército Vermelho, os japoneses continuavam ocupando territórios. Mao, que havia sido eleito secretário-geral do PC, tentava convencer Chiang a criar uma Frente Única KMT-PC para combater os japoneses, mas a proposta não foi aceita. Somente em 1936 o acordo foi fechado, quando Chiang foi preso por suas próprias tropas, que não concordavam mais em combater os comunistas, enquanto os japoneses anexaram novos territórios. A guerra civil foi suspensa e o Exército Vermelho incorporado ao Exército Nacional da China. Entretanto, o cenário político mudou com a Segunda Guerra, mesmo porque o Japão integrou o eixo que agora estava em guerra com outras potências, tendo de atuar ao mesmo tempo em sua política de expansão e no auxílio de seus aliados. Assim, até 1944, a ala comunista do Exército controlava 19 "áreas liberadas" da ocupação japonesa, passando a promover reformas democráticas nessas áreas.

No fim da Segunda Guerra, com os japoneses vencidos, foi a vez da URSS ocupar a Manchúria. Os norte-americanos, entretanto, tentando evitar a expansão comunista, equiparam o exército de Chiang para que ele voltasse a controlar o território chinês, e novamente os comunistas voltaram a ser atacados. Tentando evitar problemas, a URSS devolveu a Manchúria à China, e Chiang pôde, assim, voltar-se contra os comunistas.

Temendo o descontrole dos combates, os Aliados (EUA e URSS) procuraram Chiang para propor um governo de unidade nacional. A proposta era o desarmamento dos exércitos controlados pelo PC. Stalin aconselhou o partido chinês a aceitar o acordo, mas Mao se recusou, alegando que a decisão deveria vir das bases. Enquanto as trativas de paz eram encaminhadas, Chiang decidiu organizar uma ofensiva final contra os "vermelhos". Mao, que havia chegado a cogitar a desarticulação do Exército Vermelho, percebeu que não havia alternativa pacífica e lançou, então, em 1947, a Campanha Noroeste, que propunha a reforma agrária imediata, tornando claro que não havia como desarticular a luta pela democracia e pela unidade nacional das questões sociais. O antigo Exército Vermelho se transformou no Exército Popular de Libertação (EPL), que recebeu a adesão de uma grande parcela da população, animada com as propostas de reforma agrária.

Internamente, o governo de Chiang estava fortemente desgastado: a corrupção atingia todos os níveis, não havia empregos suficientes e a aliança com os Estados Unidos não agradava a população que havia lutado durante anos contra a ocupação estrangeira. O Exército Popular passou a representar, assim, a luta nacional. Mao, embora não tivesse rompido com Stalin, não seguia mais as diretivas políticas indicadas nas Internacionais e, optando por criar sua própria orientação, o PC Chinês começou a traçar caminhos diferentes dos propostos pela URSS.

A princípio, o EPL utilizou táticas de guerrilha como sua estratégia principal, mas, à medida que alcançava vitórias, passou a utilizar a "guerra de posições". Chiang foi perdendo territórios e, em 1949, o EPL entrou em Pequim, obrigando Chiang a fugir e, em dezembro, o restante de seu governo se refugiou em Taiwan. Em **1º de outubro de 1949** foi proclamada a **República Popular da China (RPC)**. Entretanto, Mao não adotou o regime de único partido e convocou a Conferência Política Consultiva, que teve representantes de todas as classes da sociedade, mas em Formosa (Taiwan), o KMT se designava como governo chinês no exílio. Os Estados Unidos não reconheceram o novo governo, adotando medidas restritivas com relação à China e considerando o governo de Taiwan como o legítimo governo chinês. Já a URSS assinou com o novo governo um tratado de cooperação em que enviaria técnicos para auxiliar na recuperação da economia chinesa e lhe concedia um empréstimo. O governo chinês adotou uma série de modificações – uma nova legislação sindical, a reforma agrária – e ainda alterou as leis de casamento (proibindo a poligamia masculina), previu aumentos salariais, entre outras coisas.

No entanto, em 1950, o governo se viu obrigado a intervir militarmente nas fronteiras da Coreia, que, sob a tutela norte-americana, ameaçava iniciar a ocupação do território chinês. Diante disso, o PC exigiu que medidas mais drásticas fossem tomadas, principalmente porque elementos da burguesia nacional foram acusados de conspirar contra o governo. Assim, a partir de 1950, no campo, entraram em atividade os "tribunais populares", nos quais os antigos proprietários de terra passaram a ser julgados, executados ou condenados a trabalhos forçados. Em todo o país, uma forte campanha contra estrangeiros foi organizada, igrejas e missões foram queimadas, estrangeiros foram mortos e o Tibete foi anexado por forças militares.

Seguindo uma base stalinista, o dirigente comunista na Manchúria deu início a uma planificação da produção, visando ao aumento da produção, sendo anunciado o Primeiro Plano Quinquenal, que deu prioridade à indústria pesada. Seguiu-se, então, uma rápida estatização da economia nacional. Em 1955, iniciou-se a coletivização da agricultura e a estratégia de Mao, que propunha um trabalho de longo prazo na transformação da China para o socialismo, vencida por um processo acelerado de estatização nos moldes stalinistas.

Historicamente, a Ilha de Cuba foi invadida pela Espanha em 1492, tornando-se mais uma de suas colônias, a princípio sem muita importância econômica, sendo somente sua estratégica localização geográfica, o que mantinha o interesse da Coroa Espanhola. O café foi introduzido na ilha em 1768, rendendo investimento da Coroa, mas o produto de maior destaque era mesmo o açúcar. A importância de Cuba nessa produção estava ligada à revolução do Haiti (1789-1804),

Samara Feitosa

já que ela passou a ser pensada como a substituta para a colônia em revolução. Cuba passou a se dedicar totalmente à cultura da cana de açúcar, nos moldes coloniais, com mão de obra escrava, monocultura e latifúndio, ficando, assim, submetida às oscilações de mercado relativas ao valor do açúcar nos mercados estrangeiros. Um dos maiores compradores do açúcar cubano eram os Estados Unidos e, desde 1818, a Espanha autorizara o comércio direto com esse país, acarretando um forte investimento norte-americano na ilha. Esse investimento e a introdução de novas técnicas e ideias trouxeram os ideais críticos à colônia. No período, em Cuba, existia, pelo menos, duas grandes correntes contrárias ao império espanhol – a reformista, composta pela poderosa oligarquia cubana, ligada ao Partido Liberal (Partido Liberal Reformista), e os independentistas, radicais que propunham, como pode ser percebido pelo nome, a independência. Nesse movimento, encontravam-se nomes como Antônio Maceo, Juan Gualberto Gomes, Calisto Garcia, Máximo Gomes e José Martí, que posteriormente fundaram o Partido Revolucionário Cubano.

O primeiro movimento independentista foi a **Guerra dos Dez Anos** (1868-1878), na qual o latifundiário Carlos Manuel Céspedes iniciou o movimento dando liberdade aos seus escravos. Na sequência, Francisco Vicente Aguilera, Maceo Osório e outros fizeram o mesmo em suas fazendas. Entretanto, a maior parte dos latifundiários repudiou o movimento, já que temia os caminhos escolhidos, principalmente com a libertação dos escravos. Assim, em 1878, o Pacto de Zanjón encerrou o movimento, a burguesia cubana e o Império espanhol assinaram um tratado, orquestrado pelos Estados Unidos, que temiam perder seus interesses na ilha. Estima-se que em 1895 o país norte-americano já tinha investido em Cuba cerca de 50 milhões de dólares.

Entretanto, a política de monocultura a que a ilha se via obrigada a se submeter prejudicava fortemente não só a economia, mas também seu equilíbrio ecológico, visto que a cultura de cana-de-açúcar esgotava os solos, dificultando o convívio com outras produções. Além disso, o interesse pelo açúcar foi, pouco a pouco, excluindo os outros produtos da ilha. Em 1894, 85% das exportações cubanas eram de açúcar, o país tinha cerca de 500 engenhos, produções como café, fumo ou charque foram deixadas de lado para que o latifúndio ocupasse seu lugar e quase todos os produtos utilizados para consumo interno tinham de ser importados: de alimentos a roupas, passando pela madeira e por utensílios diversos. Esse foi o motivo pelo qual o Partido Revolucionário Cubano (PRC) começou a organizar um movimento anti-imperialista, que propunha a libertação não só da ilha, mas de toda a América Latina. Em 1895, iniciou-se a **Guerra de Independência de Cuba**, e José Martí, um dos fundadores do PRC, foi morto em combate, tornando-se um mártir do movimento. Dessa vez, os Estados Unidos posicionaram-se favoráveis ao movimento de independência e, entre abril e agosto de 1898, deu-se a Guerra Hispano-Americana, na qual os norte-americanos, buscando resguardar seus interesses econômicos, apoiaram os cubanos na sua independência.

Em janeiro de 1899, um governo militar norte-americano se instalou no país e teve o apoio da burguesia nacional vinculada à produção de açúcar. A independência de Cuba se formalizou por meio da Emenda Platt (1901) e do Tratado de Reciprocidade Comercial (1902). A emenda consistia na introdução de um adendo à constituição cubana que permitia aos Estados Unidos intervir nos assuntos internos cubanos, fixando bases militares em seus territórios. Já o tratado estabelecia o regime de tarifas entre os dois países e dava aos norte-americanos a prioridade de investimento de capital na indústria açucareira do país. Em 1903, o Tratado Permanente entre Cuba e os Estados Unidos deu a estes o direito de interferir na soberania nacional, inclusive de arrendar ou vender terras do território cubano para outros países, e em 23 de fevereiro de 1903, foi lhes dada a concessão para que instalassem uma base naval no território cubano, na Bahia de Guantánamo.

Assim, embora independente, o perfil econômico da ilha não foi alterado e os Estados Unidos continuavam investindo pesadamente na indústria açucareira da região, o que acirrou ainda mais o processo de expulsão dos camponeses, devido ao crescimento dos latifúndios e à degradação ambiental da ilha. Segundo Duarte (2013, p. 20):

> De 1913 a 1924 a participação norte-americana na produção açucareira passou de 39 para 60,3%. Os Estados Unidos controlavam nesse período, como proprietários ou arrendatários, 47,5% das terras dedicadas ao cultivo de açúcar, possuíam cerca de 75% da terra cultivável, a terça parte das ferrovias e a maioria dos portos.

Além disso, mais da metade das terras cultiváveis estava nas mãos de investidores estrangeiros, fazendo com que cerca de 85% dos pequenos agricultores cubanos vivessem sob ameaça de expulsão. Em contrapartida, uma boa faixa de terra cultivável se mantinha improdutiva, já que pertencia a estrangeiros, que as mantinham assim esperando sua valorização.

A dependência de um único produto de exportação apresentou problemas a partir de 1920, quando o preço do açúcar despencou no mercado internacional. A crise se aproximava a passos rápidos e as quedas nos preços passaram a ser frequentes, já que o cenário econômico mundial entrara em ritmo de recessão, como vimos anteriormente. Entre 1932 e 1933, as exportações caíram a um nível nunca visto, o que levou a uma catástrofe econômica – vários bancos quebraram e pequenos e médios negócios foram à falência. Nesse cenário, a dependência externa acentuava ainda mais a crise, já que Cuba tinha sérias dificuldades de exportar seu principal produto, mas precisava continuar importando o que consumia, visto não contar com uma produção interna suficiente para suprir sua própria demanda. Como já vimos, o latifúndio exportador se constituía no único produtor nacional, assim, uma burguesia nacional independente não teve condições de desenvolvimento, atuando, quando podia, como um sócio minoritário da exploração.

As condições de vida da população, que já eram difíceis, tornaram-se ainda mais graves. A maioria da população vivia uma situação próxima da miséria e a pequena parcela em boa situação estava de alguma forma atrelada ao capital estrangeiro. No campo, os camponeses ainda eram expulsos e nas cidades faltavam trabalho e comida.

Embora pouco desenvolvidos, os movimentos sociais, principalmente os ligados ao trabalho, começaram a organizar manifestações. Na verdade, o movimento operário, que iniciou sua articulação no fim do século XIX, estava ligado às duas indústrias presentes no país à época – a açucareira e a de tabaco – e foi desse grupo de indústrias que surgiram os primeiros movimentos.

Já em 1886, quando a mão de obra escrava foi abolida, os trabalhadores das indústrias de tabaco se uniram aos antigos escravos para fundarem uma união operária. Jornais como *Son los mismos* e *El acusador*, de teor socialista, passaram a circular, além de revistas como *El Obrero*, *El Comunista* e *El Procurador*. Em 1899, Diego Vicente Tejera havia lançado um manifesto com as principais ideias que fundaram o Partido Comunista Cubano. Em 1904 foi a vez do Partido Obrero de Cuba (Carlos Baliño), que se transformou, em 1905, no Partido Obrero Socialista. Em 1906 ocorreu a fusão de outros dois partidos – o Partido Obrero Cubano e o Partido Socialista Internacional –, que adotaram o nome de *Partido Socialista de Cuba*. Como podemos perceber, a profusão das ideias marxistas era grande no país.

Por isso, em 1907, uma greve entre os trabalhadores da indústria do tabaco, chamada de *huega de la moneda*, teve como exigência o pagamento em moeda norte-americana, já que a moeda cubana era forçada a constantes desvalorizações provenientes de pressões externas. Em 1914, os trabalhadores saíram às ruas protestando contra o alto custo de vida e exigindo a diminuição das jornadas de trabalho. Em 1917, iniciou-se um movimento para organização de uma greve geral, que protestava contra a ingerência norte-americana. Embora não tenha acontecido de fato, em 1918, a intervenção norte-americana provocou uma revolta e, em 1919, a greve, que se iniciou entre os trabalhadores da indústria do açúcar, culminou em uma greve geral.

Em 1923, Carlos Baliño foi lançado vice-secretário geral do Primeiro Grupo Comunista de Havana. Em 1925, congressos em Cienfuegos e Camaguey culminaram na constituição da Confederacion Nacional Obrera de Cuba (CNDC), ano em que também foi fundado o Partido Comunista de Cuba. Esses partidos, junto com o Diretório Estudantil Universitário e o Sindicato Nacional dos los Obreros de la Industria Azucarera (SNOIA), passaram a atuar na articulação das movimentações populares no país, que eram cada vez mais frequentes.

Em 1930, cerca de 200 mil trabalhadores fizeram uma paralisação de 24 horas convocada pela CNOC, na qual reivindicavam melhores salários e o respeito aos direitos democráticos do país. Em 1933, organizaram-se para pressionar modificações na Emenda Platt e, em 1940, conseguiram alterações na Constituição (embora estas não tenham sido colocadas em prática). Como podemos perceber, os partidos de orientação socialista atuavam de forma articulada e com bastante frequência, embora nem sempre conseguissem alcançar resultados efetivos.

Por isso mesmo, em 1952, três meses antes da eleição, Fulgêncio Batista[2], retornando de uma viagem a Miami, aplicou um golpe de Estado, temendo a vitória do Partido Ortodoxo (que defendia ideias anti-imperialistas), o qual, incapaz de contê-lo, viu parte de seus quadros apoiá-lo. Batista, com o apoio norte-americano, suspendeu a constituição de 1940, rompeu ligações com a URSS e passou o Partido Socialista Popular (criado com a fusão do Partido Revolucionário Cubano, Partido Comunista e o Partido de União Revolucionária) para a ilegalidade.

Em 1953, um grupo revolucionário se reuniu para derrubar Batista do poder, episódio que ficou conhecido como *Assalto ao quartel de Moncada*. Seu dirigente, Fidel Castro, alegou a ilegalidade do governo de Batista e a suspenção da Constituição de 1940, que o transformou em um ditador. Ao governo revolucionário caberia – enquanto o povo soberano assim quisesse – manter a legalidade, fazendo com que a Constituição voltasse a organizar o país. O movimento – composto pelos irmãos Castro (Fidel e Raúl) e mais 150 participantes – queria ainda que 30% dos lucros das empresas fossem repassados para os trabalhadores urbanos e, nos campos, 55% dos rendimentos da

---

2 *Batista já havia ocupado o cargo de presidente em dois momentos anteriores. Em 1933, no golpe contra Céspedes, autonomeou-se general, assumiu um governo provisório e, junto com seus aliados, governou com mãos de ferro, eliminando a oposição. Em 1940, assumiu novamente a presidência, dessa vez por meio de eleições fraudulentas. Numa tentativa de manter-se no poder, passou a fazer algumas reformas paliativas, investindo na expansão do sistema educacional, na construção de obras públicas e no crescimento da economia, sem, entretanto, abrir mão da utilização de uma forte repressão. Em 1944, quando terminou seu mandato, foi para Miami, de onde voltou em 1952 para aplicar um novo golpe.*

Samara Feitosa

cana-de-açúcar fossem distribuídos entre os colonos. Além disso, pretendia rever a posse de propriedades que, segundo eles, haviam sido conquistadas de forma ilegal, e resolver problemas como moradia, desemprego, reforma educacional, reforma agrária, entre outros pontos.

No entanto, o movimento fracassou e o grupo foi preso. Os irmãos Castro acabaram capturados dias depois. No julgamento, de cunho eminentemente político, Fidel abriu mão de uma defesa formal e, em seu lugar, fez um discurso de quatro horas, que terminou com a célebre frase: "Condenem-me, não importa. A História me absolverá". Condenados, são levados ao Presídio Modelo, na ilha de Pinos. Contudo, na posse de Batista, conselheiros políticos pressionaram o presidente para que perdoasse presos políticos e, assim, todos foram beneficiados pela anistia geral. Os irmãos Castro partiram, então, para o México, onde se encontraram com Che Guevara e Camilo Cienfuegos, passando a compor o **Movimento 26 de Julho**.

Entretanto, em Cuba, o descontentamento com o governo de Fulgêncio não podia mais ser desconhecido. A adesão popular ao movimento revolucionário aumentou na mesma medida em que aumentou a repressão para contê-la. Assim, enquanto Fidel Castro e os guerrilheiros estavam presos, como vimos, foi fundado o Movimento 26 de Julho. Utilizando o discurso de Fidel Castro – "A história me absolverá" –, esse movimento organizou manifestações convidando os participantes a juntarem-se a eles. De início, o grupo foi formado prioritariamente por estudantes e profissionais liberais, mas logo a classe operária e os camponeses se uniram ao movimento. Embora a princípio o grupo tivesse um caráter reformista, a situação social e econômica do país aos poucos foi fazendo o deslocamento da postura reformista para a contestação da ordem vigente, conseguindo articular boa parte da oposição ao regime de Batista em seu entorno.

Em dezembro de 1956, os irmãos Castro e mais 82 homens voltaram a Cuba em um barco (*Granma*), dispostos a tomar o poder, desembarcando na costa leste do país, próximo a Manzanillo. Atacados pela infantaria e pela Força Aérea, eles sofreram várias baixas e foram obrigados a se dispersar. Fidel, Raúl, Che e alguns outros revolucionários fugiram para a Sierra Maestra, de difícil acesso. Lá instalados, começaram a reorganizar a guerrilha junto com o grupo Celia Sanchez e as irmãs Abel e Haydee Santamaria, que já atuavam na Sierra. Tentando deter o avanço da guerrilha, Batista passou a atuar de forma violenta no território, confiscando alimentos, matando e estuprando camponeses, fazendo assim com que a guerrilha rapidamente multiplicasse seus adeptos.

Os guerrilheiros tomaram a Comandancia de La Plata em janeiro de 1957, que foi transformada em base de operações pelos rebeldes. Separando os guerrilheiros em colunas, Fidel organizou os ataques e as colunas passaram a ser lideradas por Cienfuegos, Che e Raúl. Enquanto isso, nas cidades, vários atos de insubordinação foram organizados pelo Movimento 26 de Julho. Em março de 1957, um grupo de guerrilheiros tentou assassinar Batista em Havana, sem, no entanto, alcançar sucesso. Embora frustrado, o plano repercutiu nos Estados Unidos, que, prevendo a queda eminente do ditador, impôs sanções econômicas a Cuba e retirou o embaixador de Havana. Essa retirada de apoio deixou Batista encurralado, já que não pôde mais contar com as armas e munições dos norte-americanos. Em abril de 1958, o movimento chamou uma greve geral, mas a forte repressão organizada por Batista desarticulou a ação e lançou uma grande ofensiva contra La Plata, sendo derrotado em Jigüe, Santo Domingo e Las Mercedes, enquanto várias das províncias centrais foram tomadas por Che e Cienfuegos.

Samara Feitosa

Em dezembro de 1958, novamente se articulou uma nova greve geral, agora convocada por Fidel e pela Frente Operária Nacional Unida (Fonu). Dessa vez o país parou por quatro dias e a organização nas cidades fez com que os guerrilheiros ocupassem dois importantes quartéis em Cuba: Cabaña e Columbia. Assustado, Batista fugiu da ilha em 1º de janeiro de 1959. Na semana seguinte, Fidel e seus homens entraram em Havana. Fidel assumiu o cargo de primeiro-ministro do governo revolucionário em plena Guerra Fria. Por isso mesmo, um posicionamento neutro não poderia ser tomado. Assim, Cuba alinhou-se com a posição da URSS. Em outubro de 1960, todas as empresas já estavam encampadas pelo Estado (pelo menos as mais importantes), e em três anos todas as propriedades agrárias acima de 67 hectares já tinham sido estatizadas, os antigos latifúndios já estavam sob posse do Estado e cerca de 190 mil camponeses haviam sido beneficiados com a redistribuição das terras.

Diante da orientação comunista tomada por Cuba, os Estados Unidos romperam relações diplomáticas em 1961 e iniciaram um bloqueio econômico ao país. Suspenderam a compra de açúcar cubano, organizaram uma forte campanha midiática contra o regime e "convenceram" outros países membros da Organização dos Estados Americanos (OEA) a também romperem relações com Cuba. O bloqueio ainda interferiu nas relações entre Cuba e outros países, que ficaram proibidos de exportar para o país qualquer produto que tivesse componentes ou materiais norte-americanos, bem como de reexportar mercadorias de origem norte-americana para a ilha. Os bancos de outros países não poderiam manter contas em dólares para Cuba ou para qualquer cidadão cubano e nenhuma instituição financeira internacional poderia conceder créditos a Cuba.

Em 15 de abril de 1961, foi organizada uma invasão à ilha. Composta por exilados cubanos e mercenários norte-americanos, a expedição chegou à Baia dos Porcos em abril de 1961, mas foi dizimada pelo exército cubano que, junto com a população, reagiu violentamente à tentativa de invasão. Diante do ataque, Fidel declarou Cuba um Estado socialista. Era preciso agora adequar a política econômica ao novo contexto político social ao qual se lançara. Então, um ponto fundamental era o desenvolvimento da indústria cubana, que, como vimos, ficara em segundo plano, já que o país era produtor de matéria-prima. Assim, Cuba e a URSS assinaram acordos de cooperação. A partir daí, o país passou a receber auxílio para a mecanização de suas colheitas, a exploração de níquel, a produção textil, entre outros. Foi organizado o 1º Plano Quinquenal para Cuba, que passou a ser pensada como aliada da URSS na América. Por isso mesmo, em 1962, a Crise dos Mísseis, no contexto da Guerra Fria, quase levou o mundo a uma guerra nuclear.

(4.2)
O QUE HÁ DE FRIO NA GUERRA FRIA?

"A política é quase tão excitante como a guerra e não menos perigosa.
Na guerra a pessoa só pode ser morta uma vez, mas na política diversas vezes".
(Winston Churchill)

De modo resumido, podemos dizer que o período da Guerra Fria se caracterizou por uma disputa de discursos e práticas belicistas, em que as duas potências, URSS e EUA, buscavam, ao mesmo tempo, expandir sua área de influência e conter a expansão de sua rival.

Samara Feitosa

Segundo Hobsbawm (1995), a grande peculiaridade desse período está no fato de que, embora não houvesse o perigo eminente de um conflito mundial, a retórica apocalíptica utilizada por ambas as partes tornou sua existência uma realidade cotidiana que assombrava a vida de todas as gerações que vivenciaram o período.

Na verdade, mesmo os que não acreditavam que qualquer um dos lados pretendia atacar o outro achava difícil não ser pessimista, pois a Lei de Murphy é uma das mais poderosas generalizações sobre as questões humanas ("Se algo pode dar errado, mais cedo ou mais tarde vai dar"). À medida que o tempo passava, mais e mais coisas podiam dar errado, política e tecnologicamente, num confronto nuclear permanente baseado na suposição de que só o medo da "destruição mútua inevitável" (adequadamente expresso na sigla MAD, das iniciais da expressão em inglês – mutually assured destrutivo*) impediria um lado ou outro de dar o sempre pronto sinal para o planejado suicídio da civilização. Não aconteceu, mas por cerca de quarenta anos pareceu uma possibilidade diária.* (Hobsbawm, 1995, p. 224, grifo do original).

Embora a prudência guiasse os passos de ambas as potências, em vários momentos o conflito pareceu, aos olhos dos que viviam o período, muito próximo. Declaradamente, ambos os países entraram em uma disputa armamentista como forma de marcar a supremacia. Os dois blocos, com orientações diferentes em termos ideológicos, utilizavam como discurso a satanização dos pressupostos que orientavam as práticas de seus opositores, de forma a parecer que o mundo estava dividido entre o bem e o mal; assim, independentemente de qual lado se estava, no outro estaria o mal. Essa tônica sustentava todas as relações sociais vivenciadas durante o período, de filmes a quadrinhos, passando pela moda e pelos esportes.

Alguns episódios marcantes desse período exemplificam bem como se davam as relações políticas, econômicas e culturais. Vale lembrar que a tensão era um dado presente que as autoridades envolvidas em qualquer atividade relativa à política externa tinham obrigatoriamente de levar em consideração. Entretanto, as relações cotidianas internas, principalmente nos territórios das duas potências diretamente envolvidas na Guerra Fria, também traziam impressas as marcas dessa tensão.

Exemplo flagrante do que acabamos de afirmar é a famosa caça às bruxas norte-americana. Também conhecido como *macarthismo*, essa política, implementada nos anos 1950 por um senador norte-americano, Joseph McCarthy, tinha como alvo a perseguição aos comunistas dentro do território norte-americano. O senador pregava que a única forma de combater o comunismo era por meio da eliminação dos comunistas dentro ou fora do país. A população, alarmada pelo tom apocalíptico dos discursos, passou a aceitar e a pedir políticas públicas mais efetivas para o combate à proliferação do "mal" comunista que assolava o mundo, e, embora o FBI (*Federal Bureau of Investigation*) e os agentes da CIA (Agência Central de Inteligência) tivessem como alvo prioritário os "espiões" russos que estavam atuando nos Estados Unidos, passaram a perseguir todos os indivíduos que demonstrassem ter posicionamentos de oposição às políticas definidas pelo Estado.

Assim, milhares de cidadãos norte-americanos foram denunciados como comunistas, simpatizantes da causa ou espiões. Depois da denúncia, um processo de investigação era aberto, os acusados tinham a vida pública e pessoal devassada, eram submetidos a longos e brutais interrogatórios e tinham a vida privada publicizada. Ainda que nada fosse comprovado, as suspeitas eram frequentemente consideradas verdadeiras, os acusados eram julgados e presos, perdiam seus empregos, enfim, tinham a vida destruída. Entre os casos, o mais famoso foi o do casal Rosenberg. Ligados ao Partido Comunista dos Estados Unidos da América, o casal foi acusado de espionagem. Segundo investigações da época, Julius e Ethel Rosenberg enviaram para a URSS informações secretas acerca do processo de fabricação das bombas atômicas. O casal foi julgado culpado e condenado à morte; embora instituições e autoridades internacionais se manifestassem pedindo por clemência, o casal foi executado na prisão de Sing Sing em 19 de junho de 1953.

Embora o trabalho tivesse como alvo os espiões, como explicamos, todos os que se opusessem às políticas implementadas pelo Estado passaram a ser alvo de desconfiança. Além disso, cidadãos que não tinham nenhuma ligação conhecida com os países e/ou partidos comunistas, mas declarassem ou demonstrassem discordância dos rumos tomados pelas políticas públicas, passaram a ser alvo de investigações. A área cultural foi uma das mais fortemente atingidas, quando educadores, sindicalistas, cientistas e artistas em geral acabam sendo envolvidos em processos. Alguns deles saíram dos Estados Unidos, como no caso de Chaplin; outros acabaram no ostracismo e com a carreira destruída.

Os casos de abuso, cada vez mais frequentes, começaram a incomodar a opinião pública norte-americana e alguns cidadãos passaram a fazer questionamentos acerca do respeito aos direitos individuais – pedra angular da democracia do país. Edward R. Murrow, jornalista da rede de televisão CBS, encabeçou o movimento e, por meio de uma série de reportagens e artigos, passou a denunciar as flagrantes violações de direitos ocorridas durante as investigações. Diante do clamor popular, McCarthy foi obrigado a recuar, mas, durante muito tempo, a "sombra" da espionagem e da traição à pátria persistiu no imaginário norte-americano.

Em 1962, outro evento acirrou ainda mais a tensão entre as duas potências. Conhecido como a *Crise dos Mísseis*, esse episódio envolverá Cuba, que há pouco tempo havia se declarado Estado socialista. Em 1961, os Estados Unidos instalaram na Turquia uma base com mísseis nucleares, o que causou enorme incômodo à URSS, já que os artefatos tinham potência suficiente para atingir o território russo. Em 1962, John Kennedy veio a público acusar a URSS da instalação, em solo cubano, de uma base para abrigar mísseis nucleares, o que, segundo o presidente, poderia ser considerado um ato declarado de guerra. Na União Soviética, Nikita Kruschev (primeiro-ministro soviético) respondeu dizendo que a instalação dos mísseis tinha apenas a intenção de impedir que os Estados Unidos tentassem novamente invadir o país como haviam feito anteriormente, ato que não seria mais tolerado, já que Cuba, como vimos, havia se declarado Estado socialista. Assim, as negociações foram abertas e durante treze dias a tensão aumentou.

Nos Estados Unidos, parte da população, profundamente afetada pela possibilidade de uma guerra nuclear, iniciou uma corrida para a construção de abrigos antiatômicos e estocagem de alimentos e água. Alguns, sem a possibilidade de construir abrigos, saíram da costa leste e buscaram o interior do país, imaginando que a distância poderia minimizar os danos causados pelos mísseis.

Secretamente, Kruschev propôs uma troca com os norte-americanos – caso retirassem os mísseis da Turquia, os de Cuba também seriam retirados. Assim, em 28 de outubro, Estados Unidos e URSS finalizaram as negociações e os mísseis foram retirados. Esse evento deu início a uma negociação entre as potências e, em 1963, os dois países mais a Grã-Bretanha assinaram um acordo no qual se comprometeram a não mais fazer testes atômicos na atmosfera, no alto-mar ou no espaço. Cinco anos mais tarde, o acordo foi ampliado e mais

60 países assinaram o documento, que ficou conhecido como *Tratado de Não Proliferação de Armas Nucleares* (1968). A principal ideia da expansão do acordo era evitar que outros países também desenvolvessem a tecnologia nuclear, visto que a expansão/proliferação de armamentos desse nível poderia levar ao desequilíbrio de forças entre as duas potências.

A disputa, no entanto, estava longe de terminar. A **Corrida Espacial** ainda se desenvolveria até aproximadamente meados da década de 1970. Considerada como estratégica na conquista pela supremacia, a conquista do espaço passou a ser um dos objetivos mais perseguidos pelas duas potências. Desde a década de 1950, os dois países declararam a intenção de enviar para o espaço satélites artificiais. Em outubro de 1957, a URSS conseguiu com sucesso enviar o primeiro satélite artificial em órbita, o *Sputnik I*. Com esse anúncio, os norte-americanos, sentindo-se pressionados, adiantaram o lançamento de seu satélite, o *Vanguard TV3*. A tentativa fracassada demonstrou que ainda havia muito a fazer, e somente em janeiro de 1958 o primeiro satélite norte-americano (*Explorer I*) entrou em órbita.

Era apenas o início. Ambos os países anunciaram, então, a intenção de realizar a primeira viagem espacial com tripulação humana. Na URSS, o programa Vostok e, nos Estados Unidos, o Mercury, foram lançados com o intuito de cumprir tal missão. Novamente, os russos realizaram primeiro a façanha e, em 12 de abril de 1961, Yuri Gagarin, tripulando o Vostok I, realizou o primeiro voo orbital com duração de 108 minutos. Correndo atrás do prejuízo, os norte-americanos lançaram, em maio, Alan Shepard ao espaço. Em 20 de fevereiro de 1962, John Glen foi o primeiro norte-americano a orbitar a Terra, tornando bem-sucedida a missão Mercury-Atlas 6. Estimulado pelo sucesso, John Kennedy anunciou que os Estados Unidos mandariam, até o fim da década, uma missão tripulada à Lua. Em 1963, Kennedy foi à assembleia das Nações Unidas e propôs que URSS e Estados Unidos trabalhassem juntos para tal intento. A proposta foi negada pelo premiê Kruschev, que, entretanto, mais tarde, viria a aceitá-la.

Em 1963, a URSS novamente saiu à frente e enviou a primeira mulher ao espaço – a cosmonauta Valentina Tereshkova – e, em 1965, foram novamente os soviéticos a conseguirem que um cosmonauta saísse da nave em órbita. Alexei Leonov ficou durante 12 minutos do lado de fora da *Vostok II*. Em 1966, foi a vez do norte-americano Edward White, astronauta do Projeto Gemini, que permaneceu durante cinco horas em trabalhos externos na nave em órbita.

A véspera de Natal de 1968 foi a data escolhida pelos Estados Unidos para a missão da *Apollo 8*, o primeiro voo tripulado em órbita lunar. Buscando recuperar a confiabilidade da população, o evento foi televisionado e é, até hoje, um dos programas mais assistidos da história da televisão. Em 20 de julho de 1969, os astronautas da missão *Apollo 11*, Neil Armstrong e Edwin Aldrin, foram os primeiros homens a pisar na Lua. Novamente o feito foi televisionado, tornando-se um dos mais marcantes acontecimentos da história do século XX.

Figura 4.1 – O astronauta Edwin "Buzz" Aldrin em solo lunar – 20 de julho de 1969

Crédito: NASA

A URSS decidiu, então, focar na criação de estações espaciais, e em 1971 lançou ao espaço a *Salyut I*. No mesmo ano, a *Soyus 11* foi a primeira nave tripulada a aportar em uma estação espacial. Em 1973, os Estados Unidos lançaram sua primeira estação, a Skylab.

O alto custo de cada missão tornou a disputa um problema para as economias de ambas as potências e, assim, em julho de 1975, soviéticos e norte-americanos criaram em conjunto um projeto único, uma missão espacial tripulada que recebeu o nome de *Apollo-Soyuz Test Project*, encerrando a Corrida Espacial.

Também estava ligada ao alto custo de manutenção, econômico, político e psíquico a tentativa de, em meados dos anos 1970, aplicar uma política de distensão, ou *détente*[3], em francês, que significa

---

3   Esse termo vem sendo usado, desde então, para designar a alteração de políticas externas de países que, embora não estejam em conflito declarado, encontram-se com suas relações diplomáticas cortadas. A retomada das negociações e a busca de termos de resolução/mediação dos conflitos são as marcas dessa política.

"relaxamento". Desde as negociações levadas a cabo para solucionar a Crise dos Mísseis, Estados Unidos e URSS foram, pouco a pouco, cedendo à necessidade de diálogo. Paulatinamente, reuniões e acordos foram definidos para que a diminuição das tensões possibilitasse a redução da postura belicista de ambas as nações. Durante a década de 1970, a Guerra Fria sofreu modificações. Na URSS, sob a gestão de Brezhnev, o discurso passou a ser de que os norte-americanos, finalmente, estavam reconhecendo que a URSS tinha o mesmo potencial bélico que eles, por isso mesmo uma política de apaziguamento e aproximação começava a se desenhar.

Enquanto isso, nos Estados Unidos, o foco foi a diminuição do perigoso potencial atômico e a necessidade de expansão do comércio. Tanto Nixon quanto Ford (presidentes do país à época) sofreram fortes pressões do Congresso norte-americano, que não estava convencido da sinceridade soviética na sua intenção de diminuir seu potencial nuclear. Outro ponto de discórdia referiu-se à clara violação aos direitos humanos que ocorria nos territórios soviéticos; assim, o Congresso norte-americano cobrou atitudes no sentido de um posicionamento mais firme, tanto do próprio país quanto das instituições internacionais atuantes na política externa. A década de 1970 ainda assistiria a vários episódios de conflitos internacionais, nos quais as duas grandes potências apoiaram lados opostos sem, no entanto, entrarem pessoalmente no combate; foi assim com a Guerra do Vietnã, da Síria, do Egito e em Israel.

Mesmo com todos os problemas, as negociações avançavam a ritmo lento. Desse modo, em 1986, nos Encontros de Cúpula de Reykjavík e de Washington (Intermediate-Range Nuclear Forces Treaty, 1987), Ronald Reagan (presidente dos EUA) e Mikhail Gorbachev (premiê russo) assinaram um documento em que consideraram encerrada a Guerra Fria.

Samara Feitosa

(4.3)
ENQUANTO ISSO, AO SUL DA AMÉRICA

*A utopia está lá no horizonte. Me aproximo dois passos,
ela se afasta dois passos. Caminho dez passos e o
horizonte corre dez passos. Por mais que eu caminhe,
jamais alcançarei. Para que serve a utopia? Serve para
isso: para que eu não deixe de caminhar.*

(Eduardo Galeano)

Não há como negar que as consequências da Guerra Fria se estenderam por todo o globo terrestre. Precisamos entender, no entanto, que cada localidade vivenciou essa experiência de forma diferente. A América Latina, de maneira geral, conheceu a influência da Guerra Fria sob a égide dos regimes militares.

Como já foi dito, a maior preocupação das potências hegemônicas era assegurar a não expansão da área de influência de sua opositora. Com relação às Américas, os Estados Unidos, à época, vivem a Revolução Cubana de forma traumática, ao mesmo tempo que assistem a uma onda de aproximação dos países "ao sul do Equador" com as ideologias de esquerda. Não podemos esquecer também que, como havíamos saído há pouco de uma guerra que alcançara proporções mundiais e como a fragilidade das instituições sociais tornara-se evidente, a procura por alternativas sociais aos modelos instituídos passou a ser cotidiana e, para muitos, o modelo comunista apareceu como uma possibilidade real. Buscando evitar essa aproximação, os Estados Unidos criaram uma série de mecanismos de "auxílio" aos países ao sul da América, desde financiamentos e políticas de desenvolvimento[4] até a intervenção "indireta" de apoio a golpes de Estado que tiveram como "pré-texto" a manutenção da ordem democrática.

Assim, a América Latina viveu uma série de intervenções militares que resultaram em ditaduras. As décadas de 1960, 1970, 1980 na América Latina foram marcadas por golpes e contragolpes, pela constituição de estados de exceção em quase todos os países e pelo retorno, lento e gradual, à democracia.

Resumidamente, Guatemala e Paraguai foram os primeiros a sofrer a intervenção norte-americana. Na Guatemala, a CIA, em 1954, organizou uma operação encoberta e auxiliou na derrubada do presidente Jacobo Arbenz Guzmán, que havia sido eleito por voto popular. No Paraguai, em 11 de julho de 1954, o general Alfredo Stroessner comandou um golpe contra o presidente Frederico Chávez e assumiu o poder. Em 31 de março de 1964, no Brasil, o presidente eleito, João Goulart, foi deposto pelo general Humberto de Alencar Castelo Branco. Em 1966, a Argentina assistiu à derrubada de Arturo Illia e, a partir desse ano, sucederam vários golpes e contragolpes no território argentino. Em 1968, uma junta militar, dirigida pelo general Juan Velasco Alvarado, depôs Belaúnde Terry e tomou o poder no Peru. Em 1973, no Uruguai, uma junta militar tomou o poder e, no Chile, Augusto Pinochet depôs Salvador Allende em setembro do mesmo ano.

Como vimos, a onda militarista atingiu a América do Sul de forma devastadora e, embora durante muito tempo os Estados Unidos não

---

4 Um dos exemplos mais conhecidos no território nacional foram as políticas da United States Agency for International Development (USAID), que tinham como objetivo estabelecer convênios de assistência técnica/científica e de cooperação financeira. São de conhecimento público os tratados assinados entre o Ministério da Educação e Cultura (MEC) e a USAID, pois havia uma forte influência dessa instituição na organização do aparato de segurança pública no território nacional. Sobre isso, confira Huggins (1998).

tenham reconhecido seu envolvimento direto nesses episódios, a redemocratização desses países e, consequentemente, a abertura de arquivos, antes considerados secretos, não deixou mais dúvidas sobre a participação norte-americana nessas ditaduras.

No Brasil, a queda do governo de João Goulart estava ligada às reformas implementadas após sua entrada para o governo. A situação política instável havia sido instalada após a renúncia do presidente eleito, Jânio Quadros, em agosto de 1961, que em carta de renúncia se dizia oprimido e traído. Entretanto, a transição para o governo Jango (como era conhecido João Goulart) não se deu de forma tranquila como apontavam os trâmites legais. Houve uma tentativa de subverter a ordem legal por parte das forças armadas, já que, no momento da renúncia, o vice-presidente encontrava-se em viagem oficial à China. O golpe só foi evitado pela rápida reação e mobilização de partidos políticos, que organizaram a "Campanha da Legalidade". Assim, sob clima tenso, Jango assumiu o governo e essa seria a característica marcante de sua gestão. Todas as tentativas de organizar um pacto social foram frustradas e, em 1964, Jango assumiu, cada vez mais, políticas públicas consideradas de "esquerda" pela parcela conservadora da sociedade.

As "reformas de base" e a possibilidade de mais uma liderança à esquerda na América preocuparam as elites conservadoras que, para evitar a entrada de "ideias exógenas", aceitaram a instalação de um governo militar. Assim, em 31 de março, os militares, liderados por Castelo Branco, destituíram Jango e assumiram o governo do país.

Muito embora se soubesse, mais tarde, que estava sendo orquestrada, em território norte-americano, uma intervenção direta (Operação Brother Sam), a iniciativa das forças armadas brasileiras na tomada do poder foi muito bem recebida pelas autoridades daquele país. A influência e o papel desempenhado pelo Brasil na América do Sul foram as principais preocupações do governo dos Estados Unidos, razão por que o embaixador norte-americano no Brasil, Lincoln Gordon, passou a ser, então, a figura de destaque no cenário político nacional, sugerindo nomes para ministérios, assessorias técnicas e afins, tendo voz ativa nas análises das políticas implementadas e nas iniciativas do novo governo. A princípio, nos discursos oficiais do governo recém-criado, a tônica foi a da manutenção da ordem. Todas as medidas seriam tomadas para que o Estado democrático de direito voltasse a atuar no Brasil o mais rápido possível, mas antes seriam necessárias algumas medidas de ajuste. Essas medidas começaram a acontecer no Ato Institucional n. 1. Nele, foram instituídos: eleição indireta para presidência; suspensão por seis meses das garantias legais e/ou constitucionais de estabilidade e vitaliciedade (atingindo, assim, todos os servidores públicos); poder concedido ao Executivo para decretar estado de sítio sem audiência prévia do Congresso, que só poderia se manifestar 48 horas após seu decreto; os três ministros militares e o presidente da república poderiam cassar mandatos legislativos federais e suspender direitos políticos por dez anos, sem direito a apelação judicial, entre outras coisas. Os atos institucionais passaram a ser a tônica do governo militar e, a partir de então, tornaram-se corriqueiros no estado de exceção.

Em julho de 1964, foi criado o Serviço Nacional de Informação (SNI), que, orientado pelos princípios da Doutrina de Segurança Nacional, atuava como instituição de vigilância na sociedade. Segundo essa doutrina, não havia como evitar o reconhecimento de que não se tratava mais de combater, para a manutenção da segurança da nação, somente inimigos externos (como no caso das guerras), mas havia a constatação de que existiam inimigos internos que precisavam ser eliminados (no caso, os comunistas). Por isso mesmo, uma série de instituições que já existiam no período anterior, como o Departamento de Ordem Social (Dops), foi reformulada; outras, como o Destacamento de Operações de Informações do Centro de Operações de Defesa Interna (Doi-Codi), foram criadas para auxiliar no combate aos inimigos internos. Junto com as instituições de segurança, um aparato jurídico foi construído para garantir a legalidade das operações efetivadas. Assim, em setembro de 1969, por meio da Lei de Segurança Nacional, passou a ser previsto, novamente, em território nacional, o uso da pena capital para vários crimes de natureza política e, embora essa prerrogativa legal nunca tenha sido utilizada oficialmente, é sabido que a prática recorrente da execução esteve presente durante todo o período do estado de exceção.

Paulatinamente, a América do Sul tornou-se uma área onde os governos militares garantiam a não expansão dos ideais comunistas. Para tanto, as ditaduras organizaram entre si mecanismos de colaboração e efetivação de atividades coordenadas à margem das leis para vigiar, sequestrar, torturar, assassinar ou desaparecer com militantes, exilados e opositores dos regimes militares instaurados na região. A *Operação Condor*[5] (como ficou conhecido esse acordo de cooperação) atuou nos países do Cone Sul (Argentina, Bolívia, Brasil, Chile, Paraguai e Uruguai), principalmente na década de 1970, e há bem pouco tempo sua existência não era reconhecida, bem como a influência que os Estados Unidos tiveram em sua formação.

---

5   Segundo a Comissão Nacional da Verdade, a Operação Condor teve características bem claras: as operações eram de natureza multinacional, atuando de forma transfronteiriça na busca de exilados estrangeiros. Para sua atuação, contavam com um aparato estatal, mas também se utilizavam de grupos extremistas, esquadrões da morte, ou sindicatos do crime; ainda segundo a Comissão, é possível afirmar com segurança que agentes da Operação Condor foram treinados em esquadrões das forças especiais do Exército dos Estados Unidos e que a CIA produziu e organizou o banco de dados utilizado para as comunicações da operação.

No contexto da Guerra Fria (1945-91) na América Latina, a Operação Condor (Plan Condor, Operativo Condor) foi o nome que se deu a um sistema secreto de informações e ações criado na década de 1970, por meio do qual Estados militarizados do continente americano (Argentina, Bolívia, Brasil, Chile, Paraguai e Uruguai) compartilharam dados de inteligência e realizaram operações extraterritoriais de sequestro, tortura, execução e desaparecimento forçado de opositores políticos exilados.

Sob a inspiração da doutrina de segurança nacional (DSN), de alcance continental naquele período, as ditaduras aliadas na Operação Condor elegeram, de forma seletiva, inimigos ideológicos, denominados "subversivos", como os alvos por excelência de suas práticas de terrorismo de Estado. (Brasil, 2014, p. 220)

O retorno da democracia à América Latina só começou a acontecer em meados da década de 1980[6]; no entanto, antes deixou marcas significativas nas sociedades nas quais as ditaduras militares atuaram. Embora não tenhamos números exatos, sabemos que na Argentina cerca de 20 mil pessoas foram assassinadas ou desapareceram durante o regime; no Chile, estimam-se 10 mil mortos e desaparecidos; no Brasil as cifras são menores – cerca de 400 mortos e desaparecidos –, entretanto, sabemos que muitos arquivos/documentos do período foram eliminados, dificultando um levantamento mais exato desse

---

6   *Não é coincidência que esse seja também o período em que se assitiu a uma mudança na estratégia usada pelos norte-americanos na busca do equilíbrio com as forças soviéticas. Dentro do contexto da Guerra Fria, o Golfo Pérsico passou a ser o grande calcanhar de Aquiles norte-americano. Nessa área, a influência soviética vinha avançando rapidamente. Episódios como a ascensão do aiatolá Khomeini no Irã, o Segundo Choque do Petróleo, bem como os conflitos entre árabes e judeus tornaram claro aos Estados Unidos que era necessário um maior investimento no Oriente para expansão da área de influência norte-americana. Por isso mesmo, o período assistiu a um recuo da intervenção do país na América Latina e seu deslocamento para o Golfo Pérsico, fato que fragilizou os governos ditatoriais e fortaleceu os movimentos pró-democráticos no Cone Sul.*

Samara Feitosa

número. O fim do século XX e o início do século XXI assistiu à constituição de várias Comissões da Verdade nesses países. Segundo Moraes (2012, p. 2-3):

> A instauração de comissões da verdade na América Latina após a vivência traumática de regimes autoritários que visava a apuração das violações dos direitos humanos ocorridos no período pode ser compreendida como um processo de implementação de uma justiça transicional. O objetivo dessas comissões era promover a reconciliação com o passado, o reconhecimento dos direitos das vítimas e o fortalecimento da estrutura democrática.

Assim, o processo de transição para a democracia na América Latina tem sido gradual e a construção das garantias formais relativas à cidadania, pouco a pouco, vem se fortalecendo numa caminhada lenta e efetiva de práticas que resultam no fortalecimento do Estado democrático de Direito.

Síntese

Veja o esquema a seguir, no qual sintetizamos o que estudamos neste capítulo.

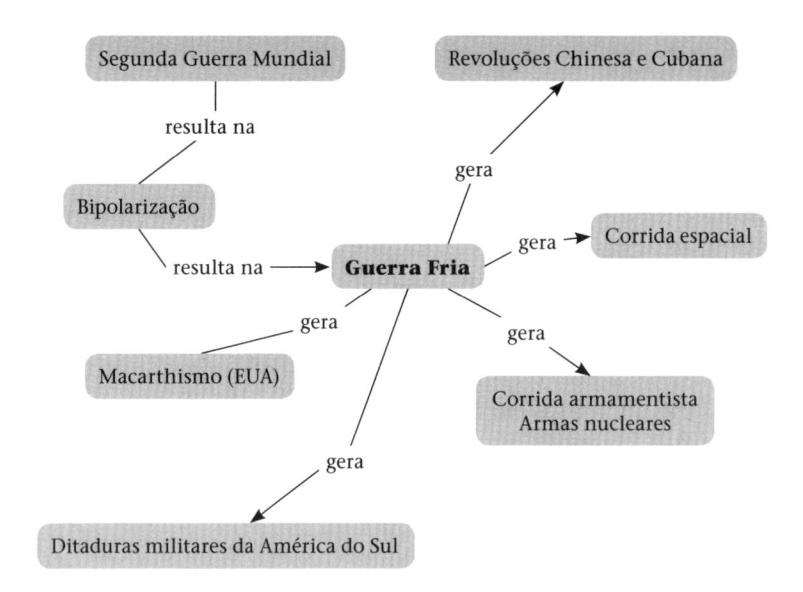

```
Segunda Guerra Mundial          Revoluções Chinesa e Cubana
        |                                    ↑
    resulta na                              /
        ↓                               gera
   Bipolarização                         /
         \                              /        gera →  Corrida espacial
      resulta na  →    Guerra Fria
                        /         \
                    gera          gera
                    /                \
   Macarthismo (EUA)                  Corrida armamentista
                     \                 Armas nucleares
                    gera
                      \
            Ditaduras militares da América do Sul
```

Indicações culturais

CHE. Direção: Steven Soderbergh. França; EUA; Espanha: Europa Filmes, 2008. 98 min.

DR. FANTÁSTICO. Direção: Stanley Kubrick. Reino Unido; EUA: Columbia Pictures do Brasil, 1964. 94 min.

O ANO em que meus pais saíram de férias. Direção: Cao Hamburguer. Brasil: Globo Filmes; Lereby Produções; Gullane Filmes, 2006. 104 min.

O ÚLTIMO Lobo. Direção: Jean-Jacques Annaud. França; China: Warner Bros. Pictures, 2015. 118 min.

TREZE Dias Que Abalaram o Mundo. Direção: Roger Donaldson. EUA: Europa Filmes, 2000. 145 min.

Samara Feitosa

Atividades de autoavaliação

1. A Emenda Platt de 1901, para o reconhecimento da independência de Cuba, permitia aos Estados Unidos:
   a) o direito de intervenção nos assuntos internos e instalação militares em Cuba.
   b) intervir e ocupar militarmente a ilha cubana durante as próximas cinco décadas.
   c) intervir diretamente na organização política/econômica das alfândegas em Cuba.
   d) direito a 50% do que fosse arrecadado em Cuba sobre a produção açucareira pelo prazo de cem anos.

2. A ascensão da URSS vinha se desenvolvendo desde a década de 1920, mas, a partir de 1945, a aceleração desse processo transformou a URSS em uma das grandes potências mundiais. Grandes avanços no campo econômico e técnico-científico contribuíram para esse reconhecimento. Um dos maiores exemplos desse cenário foi:
   a) o forte desenvolvimento da indústria automobilística, que, incentivada pelos recursos vindos do setor privado, passou a competir com as exportações norte-americanas nesse setor.
   b) o avanço do aparato científico/tecnológico ligado à política espacial e bélica, garantindo aos russos a primeira viagem em torno da Terra, realizada por Gagarin.
   c) o incremento da produção agrícola e a tomada da liderança nas exportações ligadas a grãos e sementes.
   d) o incremento das produções culturais, principalmente no que se refere ao cinema e música, que passaram a dominar o cenário europeu no período.

3. No pós-Segunda Guerra, consolidou-se uma nova ordem político-econômica mundial, que pode ser expressa como:
   a) um conflito político-ideológico entre duas grandes potências: URSS e Estados Unidos.
   b) a supremacia militar da Europa ocidental.
   c) a hegemonia econômica das nações tradicionais da Europa, como Inglaterra e França.
   d) a liderança mundial da China comunista como uma das nações hegemônicas mundiais.

4. A América Latina, nas décadas de 1950, 1960 e 1970, foi palco de diversas intervenções militares em países democráticos. Vários elementos podem ser considerados como motivadores desse processo, **exceto**:
   a) garantias para os interesses econômicos e políticos do capital estrangeiros nos países onde ocorreram as intervenções.
   b) interesses em aumentar o poder de controle do Estado sobre a sociedade civil.
   c) diminuição do espaço conquistado por sindicatos e partidos entre a sociedade civil.
   d) aumento do controle, pela sociedade civil, sobre as forças armadas.

5. Acerca da ditadura militar no Brasil, é possível afirmar:
   a) Garantiu, por meio de estatuto jurídico, a permanência das eleições diretas em todos os níveis para a eleição de cargos no Executivo e no Legislativo.
   b) Implementou reformas de base socialista, como reforma agrária, reforma urbana, expansão dos direitos trabalhistas, diminuição do contingente das forças armadas.

c) Criou mecanismos legais e formais para as restrições dos direitos democráticos, para a perseguição e a repressão aos movimentos sociais e a extinção de partidos políticos.

d) Organizou-se legalmente para inserir, na forma de direitos sociais, as demandas advindas dos movimentos sociais.

Atividades de aprendizagem

Questões para reflexão

1. Analise rapidamente a Revolução Chinesa relacionando-a ao processo do capitalismo norte-americano e à aproximação dos ideais socialistas da URSS.

2. No quadro a seguir, insira as principais ideias ligadas ao processo solicitado:

Processo	Principais líderes	Principais causas	Fases	Resultado final	Duração total do processo
Revolução Chinesa					
Revolução Cubana					

Após o preenchimento do quadro, reflita: Quanto eu sabia sobre esses processos revolucionários? Qual a influência deles na história do Brasil, principalmente no que se refere às úlitmas décadas do século XX e início do século XXI?

Atividade aplicada: prática

Chegou a hora de exercitar a construção de mapas conceituais, que, como você já deve ter percebido, é uma forma bastante eficiente de organizar seus conhecimentos. Então, vamos lá: em um mapa conceitual, articule os principais elementos que caracterizam a Guerra Fria. Mãos à obra.

Capítulo 5
As voltas que o mundo dá

"Nada é permanente, exceto a mudança".
(Heráclito)

Neste capítulo, vamos nos focar nas questões relativas à política e à economia no Oriente Médio. Veremos como essa parte do globo terrestre assumiu, aos poucos, importância à medida que o petróleo passou a ser a principal fonte de energia. Veremos ainda como tal fato, somado à queda do Muro de Berlim e ao fim da União das Repúblicas Socialistas Soviéticas (URSS), fez com que esse período ficasse conhecido como o final da "Era das Certezas".

Como vimos, a Segunda Guerra Mundial deixou como herança vários processos inacabados. Um dos mais traumáticos está ligado, sem dúvida, ao extermínio dos judeus pelo regime nazista. É bem verdade que a questão judaica já era, desde há muito tempo, um problema conhecido. Historicamente, a diáspora judaica[1] (66 a.C.) espalhou a população por todo o globo terrestre e a região, antes habitada pelos judeus, foi sendo pouco a pouco ocupada por outros povos.

Já no fim do século XIX, ressurgiu o projeto de constituir uma nação que pudesse servir de lar aos judeus espalhados pelo mundo. Theodor Herzl, um judeu austríaco, deu o nome de *sionismo* a esse movimento. Naquele momento histórico, a Palestina era dominada pela Turquia. Durante a Primeira Guerra, a Turquia se aliou à Alemanha e, no fim, os turcos foram expulsos da Palestina.

A Inglaterra, que havia prometido a independência aos árabes em troca do apoio na guerra, tinha também se comprometido com a causa judaica e estava, portanto, em uma situação delicada. Ao fim do

---

1   Em 66 a.C. os judeus se rebelaram contra o Império Romano, que havia invadido a Palestina três anos antes. Violentamente reprimidos, foram expulsos de seu território ficando, portanto, sem pátria. Esse episódio tornou-se conhecido como **diáspora**.

Samara Feitosa

conflito, confiantes nas promessas inglesas, vários judeus começaram a se mudar para a Palestina, comprando terras e se estabelecendo em grandes grupos, o que se acelerou pela escalada nazista na Alemanha. Entretanto, os árabes começaram a ficar preocupados com a ocupação judaica, principalmente porque muitos deles estavam perdendo suas terras para os judeus recém-imigrados. Assim, manifestações começaram a acontecer e, em 1936, estourou a primeira revolta árabe contra a ocupação judaica. A Inglaterra interveio acabando com a rebelião e armando 14 mil colonos judeus para que pudessem defender suas colônias.

Em 1939, a Inglaterra, diante da situação cada vez mais grave na Europa, anunciou a suspensão temporária das migrações, o que causou furor na comunidade sionista. Com o advento da Segunda Guerra, a situação ficou ainda mais grave, a deliberada perseguição alemã aos judeus aumentou o fluxo de migrações para a Palestina e a percepção de que o conflito entre árabes e judeus era inevitável tornou-se cada vez mais evidente.

A perseguição nazista aos judeus foi também o mote da intervenção da Organização das Nações Unidas (ONU) no pós-guerra.

A Segunda Guerra Mundial acabou criando condições políticas favoráveis ao projeto do sionismo. O principal motivo, que alinhou a opinião pública mundial ao lado da causa judaica, foi a revelação do maior genocídio da história, o extermínio de cerca de 6 milhões de judeus perpetrado pelo regime nazista, principalmente em campos da morte na Europa Oriental como Auchwitz-Birkenau, Chelmno, Majdanek, Treblinka e Sobibor. O horror do Holocausto acabou acelerando a imigração ilegal de judeus para a Palestina, principalmente daqueles oriundos da Europa Central e Oriental. A população judaica na região passou de 445 mil, em 1939, para 808 mil em 1946, de uma população total de 1,5 milhão e 1,97 milhão, respectivamente. (Magnoli, 2006, p. 422)

Como vimos, ao fim da guerra, as nações vencedoras celebraram entre si uma série de acordos acerca dos encaminhamentos a serem dados à política internacional. Assim, os Estados Unidos apresentaram à ONU, em 1948, a proposta de repartição da Palestina (metade ficaria com os judeus e metade com os árabes). Apesar de controversa, a proposta foi aceita. Entretanto, a resolução não resolveu o problema na Palestina, mas o agravou, mesmo porque a divisão que era facilmente programada nos documentos tornou-se inviável quando posta em funcionamento. Teoricamente, era possível dividir o território; mas como fazê-lo com pessoas reais ocupando-o? Na prática, o que aconteceu foi o acirramento do processo de expulsão dos árabes de territórios designados para os judeus e um forte movimento migratório para a área agora legalmente garantida.

    A princípio, caberia à Inglaterra o papel de mediar a divisão e o conflito, mas, diante do acirramento da violência, o país se declarou incapaz de cumprir tal função e abandonou a Palestina. Assim, em 9 de abril de 1948, milícias judaicas massacraram mais de cem mil árabes em uma aldeia vizinha de Jerusalém, provocando a fuga em massa de palestinos. Em maio, foi proclamado o Estado de Israel, imediatamente reconhecido pelos Estados Unidos e pela União Soviética. Na sequência, Israel, Egito, Síria, Transjordânia[2], Líbano e Iraque se posicionaram favoráveis aos árabes e passaram a reforçar as forças do Exército Árabe de Libertação, iniciando a disputa pelo território. A paz foi acertada em 1949, mas Israel havia se apoderado de um território muito maior do que aquele que havia sido estabelecido pela ONU, garantindo seu espaço por meio da fixação de cercas em torno de seu território. Assim, os palestinos expulsos de suas terras passaram

---

2 *A Transjordânia equivale, geograficamente, à Jordânia de 1942 (embora seja necessário frisar que as fronteiras atuais são diferentes das efetivas à época).*

a viver em acampamentos improvisados no Egito, na Jordânia e no Líbano.

No Egito, grupos de palestinos que desejavam reconquistar suas terras treinaram e se organizaram, sem que o governo egípcio interviesse; os chamados *fedayins* tinham a simpatia de muitos egípcios. Mesmo porque a conjuntura nacional egípcia, que havia se transformado recentemente em uma república, era marcada pelo nacionalismo anti-imperialista, o que fez com que surgisse entre as nações uma identificação espontânea, algo que não passou despercebido pelas nações ocidentais. Em 1956, o presidente recém-empossado do Egito, Gamal Abdel Nasser, nacionalizou o canal de Suez, fazendo com que Inglaterra, França e Israel se reunissem em uma operação internacional que visava à derrubada do governo egípcio.

Assim, Israel invadiu o Egito e Inglaterra e França atacaram a zona do canal de Suez. Como estratégia, o Egito afundou, na área do canal, vários navios para impedir o trânsito. Entretanto, o conflito foi alcançando proporções maiores. Vários países árabes, simpatizando com o Egito, iniciaram o processo de destruição de oleodutos que conduziam petróleo aos países ocidentais e a ameaça de falta do produto fez com que a reação internacional fosse rápida e violenta. A ONU organizou uma força militar para garantir a paz entre Israel e Egito, forçando-os a negociações, e em 9 de novembro assinaram um acordo de paz no qual o governo israelense concordava em se retirar do Sinai e da Faixa de Gaza; entretanto, a queda de Nasser, objetivo inicial do conflito, não se efetivou, ao contrário, seu prestígio aumentou. Segundo Magnoli (2006, p. 429):

> *O prestígio de Nasser cresceu enormemente e ele despontou como a grande liderança árabe capaz de enfrentar Israel; em consequência, o discurso do pan-arabismo ganhou força. A campanha também foi desastrosa para o*

sionismo, que se viu associado aos interesses do decadente imperialismo anglo-francês no mundo árabe. Por fim, a Campanha do Sinai foi o canto de cisne da França e da Grã-Bretanha como grandes potências mundiais. Doravante, elas não se moveriam mais com tanta liberdade no cenário político internacional.

Diante do cenário que se organizava, Israel percebeu a necessidade urgente de organizar uma força militar para evitar a resistência árabe que estava se formando, por isso mesmo reafirmou seus tratados com os Estados Unidos ao mesmo tempo em que Egito e Síria se aproximavam da União Soviética e passavam a receber dela recursos e treinamentos para a guerra que se aproximava. Embora durante 11 anos um conflito direto não ocorresse diplomaticamente, a tensão crescia e, na Conferência do Cairo, em 1964, a Liga Árabe declarou publicamente que seu objetivo final era o Estado de Israel. Foi criada, então, a **Organização para Libertação da Palestina (OLP)**, que tinha como braço armado o **Exército de Libertação da Palestina**, com unidades em vários países árabes. Entretanto, a Al Fatah, organização guerrilheira que agia desde 1958, continuava atuando de forma independente; suas ações partiam, em sua maioria, da Síria, já que esse país, desde 1961, era dirigido por um regime nacionalista e simpático à URSS.

Como consequência, Israel vinha ameaçando ataques à Síria, e em abril de 1967 acabou derrubando seis aviões da força aérea Síria em território desmilitarizado. Pressionado pelos sírios, Nasser enviou tropas para o deserto do Sinai e exigiu que a ONU desocupasse a área (que era policiada por tropas da ONU desde 1957).

Em julho de 1967, Israel tomou a iniciativa do ataque, apostando na vantagem da surpresa. Na madrugada de 5 de junho, aviões-caça israelenses atacaram as bases onde estavam os aviões egípcios, deixando-os praticamente sem força aérea, iniciando a **Guerra dos Seis Dias**.

Samara Feitosa

Na sequência, forças israelenses cruzaram a fronteira norte do Sinai. Em 7 de junho, os israelenses conquistaram Jerusalém; em 8 de junho, aproximaram-se do canal de Suez e acabaram capturando a fronteira da Cisjordânia; em 9 de julho, conquistaram as colinas de Golã; assim, ao fim da rápida ofensiva, Israel havia ocupado a Cisjordânia, Gaza, Jerusalém, as colinas do Golã e a Península do Sinai. Várias tentativas de levar paz à área foram iniciadas pela ONU, que votou a Resolução 242, na qual se exigia a retirada imediata de Israel das regiões ocupadas. Israel desconheceu a Resolução, mas o conflito foi cessado.

Diante da atitude israelense, a Liga Árabe, na Conferência de Cartum, aprovou a resolução dos três *nãos*: não ao reconhecimento de Israel; não à negociação e não à paz. Embora não solucionada a questão, o debate prosseguiu aberto e durante todo o período a tensão continuou aumentando.

Em 1973, num movimento surpresa, Egito e Síria atacaram Israel no feriado de Yom Kippur, aproveitando que boa parte do exército israelense estava de licença. A ofensiva rompeu a estratégia utilizada durante anos pela Frente – a guerra de atrito –, que consistia em bombardeios de artilharia às posições de Israel no canal de Suez e a rápida retirada das tropas posteriormente. Os árabes estavam conscientes da superioridade bélica de Israel, mas pretendiam, com essa tática, manter o inimigo em permanente estado de alerta para desgastá-lo.

O ataque de 6 de outubro, no entanto, fugiu a esse padrão; rapidamente os egípcios romperam a Linha de Bar-Lev e, nas colinas de Golã, os sírios avançaram lentamente. No entanto, as tropas israelenses se reorganizaram e começaram a reverter a situação. Preocupados com a generalização do conflito, Estados Unidos e União Soviética intervieram e uma trégua foi firmada em 22 de outubro. A guerra terminou com baixas significativas para ambos os lados, mas marcou, principalmente, a quebra da invencibilidade do exército israelense e a mudança da postura das potências internacionais com relação ao conflito. Ficava cada vez mais evidente para a Casa Branca que era necessário um acordo de paz duradouro na região. Assim, foram assinados acordos de desocupação entre Israel e Egito e entre Israel e Síria, fazendo com que o pan-arabismo, proposta original de Nasser, fosse colocado de lado. Entretanto, o movimento já havia deixado suas marcas, principalmente no fundamentalismo islâmico, fazendo com que surgissem grupos radicais como o Hamas (Movimento de Resistência Islâmica) e a Jihad (Guerra Santa), tornando evidente que a supremacia bélica israelense não era suficiente para manter a segurança de seus cidadãos.

Passaram a ser frequentes ações terroristas contra alvos israelenses, dentro e fora de Israel, e a cada ato o exército israelense respondia com ações de força redobrada, tornando mais difícil o controle do exército sobre as regiões ocupadas, principalmente na Faixa de Gaza. Foi assim que surgiu, em 1987, a Intifada, revolta palestina de resistência que envolvia boa parte da população, levando até mesmo crianças e jovens à batalha desigual, na qual palestinos armados com pedras revidavam o ataque do exército israelense, fortemente armado e treinado.

Figura 5.1 – Intifada, 1987

Crédito: Micha Bar Am/Magnum/Magnum Photos/Latinstock

Samara Feitosa

A pergunta que se repete ao longo de todos esses anos é se é possível a paz no Oriente Médio. Embora seja perceptível que desde a década de 1980 as potências internacionais tenham atuado no sentido de resolver o conflito, a situação na área ainda é extremamente delicada. Aos poucos a OLP abandonou as táticas terroristas e se encaminhou para negociações diplomáticas, mas grupos extremistas continuavam atuando e dificultando as negociações. A década de 1990 assistiu à assinatura de acordos entre árabes e israelenses mediados pelos norte-americanos, mas que deixavam de lado questões cruciais como o *status* de Jerusalém e a formação do Estado independente palestino. Por isso, em 2000, uma nova Intifada aconteceu, e Arafat (líder da OLP) apoiou o movimento. Em resposta, o exército israelense utilizou extrema violência, reocupando áreas já entregues aos palestinos, e Ariel Sharon (presidente de Israel) rompeu as negociações. Em 2003, a ocupação do Iraque pelos Estados Unidos e a morte de Arafat, em 2004, fizeram com que as negociações fossem reabertas. O governo israelense, fortemente pressionado pelos norte-americanos, voltou a elaborar um plano de desocupação da Faixa de Gaza. As idas e vindas das negociações forçaram todos os participantes a perceber que não havia nenhum lado com força suficiente para impor a paz, ao mesmo tempo que as negociações diplomáticas continuavam fracassando.

Não há um caminho fácil para a solução do impasse, o que tem feito com que várias instituições no mundo todo se dediquem a criar ações no sentido de buscar um caminho para a efetivação da paz no território. Amós Oz, escritor israelense, com vários livros dedicados ao tema, afirma que tanto judeus quanto árabes estão corretos, ambos têm razão em afirmar que aquele é o único território que podem chamar de "sua pátria". Por isso, sugere a necessidade de celebrar, entre os países, uma espécie de "divórcio" da paz.

Se há algo a esperar, isso é um divórcio justo e razoável entre Israel e Palestina. E os divórcios nunca são felizes, mesmo quando são justos. Especialmente esse divórcio específico, que será um divórcio bastante engraçado, porque as duas partes que se divorciam ficarão definitivamente no mesmo apartamento. Ninguém vai se mudar. Como este é muito pequeno, será preciso decidir quem fica com o quarto A e quem fica com o quarto B, e o que se fará em relação à sala de estar [...]. Muito inconveniente. Mas melhor do que o inferno vivo que todos estão enfrentando agora naquele país amado. Palestinos que são diariamente oprimidos, assediados, humilhados, que passam privações por causa do cruel governo militar israelense. O povo israelense que é diariamente aterrorizado por ataques terroristas impiedosos e indiscriminados contra civis, homens, mulheres, crianças, adolescentes, consumidores num shopping. Qualquer coisa é preferível a isto! Sim, um divórcio razoável. (Oz, 2004, p. 33-34)

(5.1)
O QUE É QUE A GASOLINA TEM A VER COM TUDO ISSO?

"Se o petróleo hoje representa um problema, esperemos que passem vinte anos: será um pesadelo".

(Jeremy Rifkin)

Desde a Revolução Industrial, a procura por fontes energéticas passou a ser uma das maiores preocupações da humanidade. A princípio, o vapor, produzido pela água ou pelo carvão, foi utilizado, mas a corrida pela procura de outras fontes era contínua. No início do século XX, o petróleo passou a ser a principal fonte de energia, o que o tornou um dos bens mais desejados do mundo. Entretanto, as nações que mais produzem petróleo, no Oriente Médio[3], estavam longe de pertencer ao grupo das mais ricas, pois, em sua maior parte, ainda estavam ligadas, como colônias, aos países europeus. Muito embora vários desses países tivessem passado por processos de independência política, não conseguiam assumir o controle de sua riqueza natural, já que empresas estrangeiras controlavam a produção do petróleo. Essa riqueza estava nas mãos de sete companhias internacionais, conhecidas como as *Sete Irmãs*[4]. Cientes da dependência cada vez maior de outras nações com relação à produção de petróleo, os países do Oriente Médio resolveram romper o cartel imposto pelas empresas estrangeiras e fundaram a Organização dos Países Exportadores de Petróleo (**Opep**)[5]. Aos poucos, a Opep se consolidou como uma grande organização e passou a ser a arma de negociação da região.

3   *O Oriente Médio é composto por 17 países: Arábia Saudita, Bahrein, Chipre, Egito, Emirados Árabes Unidos, Iêmen, Israel, Irã, Iraque, Jordânia, Kuwait, Líbano, Estado da Palestina, Omã, Qatar, Síria e a Turquia.*

4   *O cartel das Sete Irmãs era formado pelas seguintes companhias:*
    Royal Dutch Shell, atualmente chamada simplesmente de Shell.
    Anglo-Persian Oil Company (Apoc), mais tarde, British Petroleum Amoco, ou BP Amoco. Atualmente é conhecida pelas iniciais BP.
    Standard Oil of New Jersey (Esso). Exxon, que se fundiu com a Mobil, atualmente, ExxonMobil.
    Standard Oil of New York (Socony), mais tarde, Mobil, que se fundiu com a Exxon, formando a ExxonMobil.
    Texaco, que posteriormente fundiu-se com a Chevron, formando a ChevronTexaco de 2001 até 2005, quando o nome da companhia voltou a ser apenas Texaco.
    Standard Oil of California (Socal), que porteriormente formou a Chevron, que incoporou a Gulf Oil e depois se fundiu à Texaco.
    Gulf Oil, absorvida pela Chevron, posteriormente ChevronTexaco.

5   *A Opep resultou do Convênio de Bagdá (em 14 de setembro de 1960), no qual representantes da Arábia Saudita, Iraque, Irã, Kuwait e Venezuela assinaram o tratado. Nessa reunião, foram definidos os objetivos da nova instituição: a coordenação e a unificação das políticas petroleiras dos países membros, determinando melhores meios de salvaguardarem seus interesses ante as companhias petrolíferas. Posteriormente, outros países ingressaram na organização.*

Como já vimos, os países árabes vinham tentando conquistar o respeito das nações europeias já há algum tempo, mas derrotas como as sofridas na Guerra dos Seis Dias, ou na Guerra do Yom Kippur, tornaram cada vez mais evidente para os países árabes que a estratégia a ser usada devia ser diferente. Para os árabes, não havia mais como esconder a preferência norte-americana e europeia por Israel; assim, como instrumento de pressão, os países árabes resolveram reduzir a produção de petróleo, fazendo com que o preço do barril subisse drasticamente. O resultado desastroso foi sentido em todo o mundo. Na Europa, aproximadamente 80% de todo o petróleo consumido vinha do Oriente Médio, e o número subia para 90% quando se tratava no Japão. Assim, em 1973, quando se iniciou o embargo e a produção foi reduzida a 15% de sua capacidade, essas economias sentiram muito rapidamente os efeitos.

Enquanto na Europa vários países iniciaram um racionamento com rodízio na circulação de veículos durante certos períodos, o Japão foi obrigado a tomar medidas ainda mais drásticas, diminuindo sua produção, o que afetou a indústria e o transporte.

Um dos países menos atingidos pelo embargo foi, curiosamente, os Estados Unidos, pois era menos dependente do petróleo árabe, já que tinha em seu território consideráveis áreas produtoras e porque já havia tomado, anteriormente, precauções efetivas com relação a reservas. Contrariando o que a Opep esperava, os Estados Unidos se beneficiaram da desaceleração das economias europeias e japonesa – suas concorrentes diretas.

Para além disso, as companhias petrolíferas que formavam o cartel das Sete Irmãs também conseguiram altos lucros com a crise, pois eram as únicas a se manter comprando na alta de preços, além de alcançar o mercado negro, dominando-o, o que reforçava seu papel central nas negociações do petróleo.

Samara Feitosa

A crise atingiu, de forma mais efetiva, os países em desenvolvimento, que dependiam totalmente da produção árabe para manter a expansão de seus parques industriais, como era o caso da América Latina, que sentiu o embargo de forma mais visceral. No Brasil, por exemplo, o Milagre Econômico[6] que sustentava a política ditatorial dos governos militares foi colocado em xeque. O crescimento "forjado" da economia não conseguiu mais ser sustentado; a produção foi reduzida, o racionamento de combustível foi instituído e o país passou por um de seus piores momentos do ponto de vista econômico. No que tange à política nacional, esse também foi um período decisivo, os "anos de chumbo" foram marcados pelo recrudescimento da repressão, ao mesmo tempo que a insatisfação popular tornava-se cada vez mais evidente. Nesse sentido, a Crise do Petróleo trouxe para o Brasil[7] a necessidade de repensar os rumos a serem dados tanto na sua economia quanto na sua política.

---

6 Durante os anos de 1968 a 1973, o Brasil passou por um período de grande crescimento econômico. O governo ditatorial iniciou uma série de obras de infraestrutura e forte investimento em várias áreas da produção. Os resultados foram contraditórios; se por um lado o PIB aumentou, por outro, a inflação o acompanhou. Houve um claro aumento também na concentração de renda e das desigualdades sociais.

7 Martha Huggins, a esse respeito, afirma que a crise no Oriente Médio fez com que os Estados Unidos desviassem o foco principal das suas ações da América Latina para essa área e, além disso, deslocaram-se também os apoios econômicos e militares. Isso teve como consequência a fragilização dos governos militares na América Latina. Fato é que, a partir de meados da década de 1970, começaram a surgir no Brasil e nos países do Cone Sul movimentos reivindicando a redemocratização.

Figura 5.2 – Filas para abastecer, Brasil, 1973

Embora não tenham conseguido resolver da maneira esperada o conflito com Israel, os árabes, por meio do boicote, mostraram ao mundo que estavam aptos a entrar em pé de igualdade nas disputas internacionais de mercado e poder; e mais, que o petróleo, além de um produto econômico, era também uma arma política com forte peso na balança das negociações.

Por isso mesmo, o petróleo foi o mote de outras crises mundiais. Ele esteve por trás da deposição do xá Reza Pahlavi e da Revolução Islâmica no Irã (1979) e também da Guerra do Golfo, em 1991.

(5.2)
Um muro, uma queda e o fim das certezas

"A tristeza é um muro entre dois jardins".

(Khalil Gibran)

Já vimos que, ao fim da Segunda Guerra, o mundo, e particularmente a Alemanha, foi dividido em duas partes. A partir daí, as relações políticas e econômicas que se travavam estavam sempre, de alguma forma, articuladas a essa divisão. A tensão crescente na disputa entre comunistas e capitalistas teve, como também já apontamos, na construção do muro de Berlim seu marco físico e simbólico. Já dissemos anteriormente, mas nunca é demais recordar, que, junto com a divisão "ideológica", seguiu-se a separação entre o bem e o mal e, não importando o lado em que você estivesse, o mal, o inimigo que precisava ser combatido, era representado pelo lado oposto.

Já vimos também que, no fim dos anos 1970 e início dos anos 1980, principiou um processo de *détente*, mas tal processo demorou a dar frutos mais consistentes. De qualquer forma, foram os acontecimentos internos a cada uma das áreas de influência que determinaram o futuro da Guerra Fria.

Na URSS, a política de reforço às áreas de influência estava sob a égide do governo de Stalin, que se caracterizava, entre outras coisas, pela sua forte marcação personalista. Após a morte de Stalin, em 1953, Georgi Malenkov assumiu os dois mais importantes postos de poder soviético: o de primeiro-ministro da União Soviética e o de primeiro-secretário do Partido Comunista; na sequência, Nikita Kruschev assumiu a secretaria do partido. No ano seguinte, foi criada a **Komitet Gosudarstvennoi Bezopasnosti** ou Comitê de Segurança do Estado (**KGB**), como um contraponto à CIA (*Central Intelligence Agency*, ou Agência Central de Inteligência) norte-americana.

Malenkov desenvolveu uma política bem menos personalista e mais liberal que Stalin, buscando, principalmente, elevar o padrão de vida do povo soviético. Essa nova forma de gestão não agradou aos conservadores, que o derrubaram, colocando no poder Nikolai Bulganin; mas Kruschev iniciou sua escala ao poder durante o XX Congresso do Partido Comunista da União Soviética (PCUS). Para Kruschev, era essencial a "desestalinização" da União Soviética; por isso, durante o congresso, pronunciou o "discurso secreto", no qual muitos dos crimes e violências ocorridos durante o período de Stalin foram oficialmente reconhecidos. A intenção clara era criar um clima de aceitação da modernização e da reestruturação da URSS que ele pretendia instalar. Como resultado, em 1959, Kruschev assumiu também o cargo de primeiro-ministro e a nova política começou a ser instaurada.

Embora o foco ainda fosse a manutenção da Guerra Fria, os primeiros passos começaram a ser dados para a diminuição das tensões entre as duas nações. Assim, em 1971, o chanceler alemão Brandt visitou Moscou, Varsóvia e Praga e se iniciaram as negociações para que as duas Alemanhas pudessem reatar as relações diplomáticas. Em 1972, como já vimos, foi assinado, entre Estados Unidos e URSS, o **Strategic Arms Limitation Talks**, ou Conversações sobre Limites para Armas Estratégica (**SALT-I**), primeiro tratado a respeito da não proliferação das armas atômicas e de destruição em massa. Em 1979, foi assinado o SALT-2.

Entretanto, houve um recuo na posição das duas potências, já que a Guerra do Vietnã desequilibrou as relações de poder, fazendo com que, ao mesmo tempo que negociavam a redução de suas ações, as duas potências continuassem, muitas vezes de forma encoberta, aumentando sua área de influência. Assim, em meados de 1970, os soviéticos conseguiram importantes vitórias no continente africano e na Ásia (continentes que passaram por processos de descolonização). Em 1979, o Afeganistão, depois de um movimento revolucionário interno, declarou-se Estado socialista. Os norte-americanos optaram por não intervir diretamente, mas deram apoio militar (armas e treinamento) aos grupos de oposição ao regime, fazendo surgir o **Talibã** e a **al-Qaeda**.

A década de 1980 foi claramente dominada pelo avanço das políticas de cunho neoliberal[8], que estabeleceram novos parâmetros para a política e a economia mundial. Os tempos de crise econômica acabaram afetando as relações internacionais, reacendendo os antigos conflitos entre os blocos e evidenciando novas áreas de tensão. Foi o caso, por exemplo, do Iraque, governado por Saddam Hussein, que declarou guerra ao Irã, por conta de problemas relacionados aos limites territoriais entre os países.

Pensado como um combate rápido, o conflito se estendeu por oito anos, interferindo nas exportações petrolíferas da região. Os Estados Unidos, aliados do Iraque à época, aproveitaram o clima belicoso na região para intervir mais diretamente no Afeganistão, que, como vimos, estava sob domínio soviético. Foi esse o cenário do surgimento do programa **Guerra nas Estrelas**, criado por Ronald Reagan, presidente norte-americano à época. A ideia era instalar vários mísseis de longo alcance, que chegariam até o território soviético. Novamente, o clima voltou a ficar tenso entre as duas potências, mas a ascensão de **Mikhail Gorbachev** (1985) na URSS mudou totalmente os encaminhamentos dados à política interna e externa do país.

Gorbachev assumiu o poder após a morte de **Leonid Brejnev**. Durante a gestão de Brejnev, a URSS viveu um período de estagnação econômica e tecnológica – com exceção da indústria bélica –, as condições de vida da população deterioravam rapidamente e vários países do bloco começaram a demonstrar insatisfação com o direcionamento dado à política e à economia. Por isso, ao assumir, Gorbachev propôs que se colocasse em prática um projeto chamado **Perestroika** (reconstrução), que, associado à **Glasnot** (transparência), teria o papel de reorganizar a economia e a política soviética.

---

8   Mais à frente discutiremos esse tema com mais cuidado.

Na verdade, a decadência do poderio soviético já vinha sendo divulgada há algum tempo, e, em 1986, o episódio de Chernobil chocou o mundo. O vazamento do reator nuclear e as dificuldades encontradas para contê-lo tornaram evidentes os riscos que o mundo todo corria. Pela primeira vez ficou claro para todos que não se tratava somente de evitar uma guerra, mas que era necessário controlar essa tecnologia de forma mais efetiva.

Figura 5.3 – Vista atual do reator nuclear de Chernobil, Pripyat, Ucrânia. Ao redor do reator pode-se ver o "sarcófago" de chumbo, construído para conter a radiação

Crédito: Stefan Krasowski/Flickr/CC BY 2.0

Assim, um novo esforço foi empreendido no sentido de diminuir os riscos mundiais. URSS e Estados Unidos voltaram às negociações e assinaram, em 1987[9], o **Tratado de Forças Nucleares de Alcance**

---

9 *Muitos historiadores consideram essa a data que simboliza o fim do período da Guerra Fria.*

Intermediário (*Intermediate-Range Nuclear Forces* – INF), com o objetivo de eliminar os mísseis nucleares de médio alcance.

Internamente à URSS, novos episódios demonstraram as mudanças nos encaminhamentos político-econômicos. Em 1988, a **XIX Conferência do PCUS** aprovou uma nova divisão na estruturação da União. Desse modo, foram criados o Congresso dos Deputados do Povo e o Soviete Supremo; em 1989, as eleições levaram ao poder representantes que defendiam reformas mais efetivas. Aos poucos, a liberdade de expressão foi sendo recuperada e a insatisfação popular se tornou evidente. Logo começaram a surgir manifestações ligadas a movimentos independentistas das repúblicas soviéticas e, em 1989, ocorreu a queda do muro de Berlim, símbolo da bipolarização, evidenciando o fim da URSS.

Embora Gorbachev ainda tentasse manter a URSS, as eleições de 1991 elegeram Boris Yeltsin. Tentando evitar o fim da URSS, em agosto de 1991, um grupo radical deu um golpe de Estado, mas acabou derrotado. Como consequência, vários países da União proclamaram a independência, (Ucrânia, Belarus, Moldávia, Azerbaijão Usbequistão e Quirguízia, Tadjiquistão, Armênia, Turcomenistão, Casaquistão). Em dezembro do mesmo ano, Gorbachev renunciou ao cargo de secretário-geral, a bandeira vermelha da URSS foi arriada do Kremlin em Moscou e, no dia 26, foi oficializado pelo governo russo o fim da URSS. Boris Yeltsin, então, assumiu como presidente da recém-criada Federação Russa.

As antigas repúblicas que compunham a URSS passaram, então, a viver períodos de convulsão social na tentativa de recriar suas próprias identidades. Isso porque a antiga União não havia respeitado territórios, nacionalidades, religião, língua ou cultura para o estabelecimento de suas fronteiras, que eram mantidas pela repressão; assim, quando os mecanismos de opressão foram suprimidos, a construção das nacionalidades foi feita, em muitos lugares, por meio da agressão e do extermínio das minorias.

A consolidação dos processos de independência percorreu caminhos diferentes em cada uma das antigas Repúblicas. Na Hungria e na Polônia, por exemplo, os Partidos Comunistas locais, já na década de 1980, traçaram rotas para a liberalização do regime. Na Polônia, o **Sindicato Solidariedade**, liderado por Lech Walesa, levou a mudanças efetivas no sistema. Legalizado em 1989, o Solidariedade lançou Walesa a candidato à presidência; sua eleição legitimou o processo de transformação que ia, aos poucos, se desenhando.

Na Hungria, o caminho das transformações passou por modificações econômicas no primeiro plano, pois, desde a década de 1980, sua economia estava sendo liberalizada, permitindo o funcionamento de empresas privadas. Em 1989, o pluripartidarismo foi implementado e o ex-dissidente Arpad Goncz foi eleito presidente, garantindo a continuação das mudanças. Na Tchecoslováquia, com a queda do governo anterior, o ex-dirigente comunista Dubcek assumiu temporariamente o poder e em 1989 foram chamadas eleições, nas quais Vaclav Havel foi eleito presidente; na sequência, o país se separou, constituindo a República Federativa Tcheca e a Eslováquia. Esse episódio ficou conhecido como a *Separação de Veludo*.

Na Bulgária, as reformas se iniciaram em 1987, com a implantação do pluripartidarismo. Eleições presidenciais foram feitas já em 1990, acelerando o processo de abertura para o Ocidente. A Romênia abrigava, até 1989, um regime ditatorial e, na direção do país, Nicolau Ceauscescu foi conhecido internacionalmente pela repressão utilizada na manutenção do poder; por isso, com a queda do regime, o casal de ditadores foi condenado à morte e em 1990 novos partidos foram criados, eleições gerais foram convocadas e a transição foi sendo feita. Entretanto, vários episódios violentos marcaram o processo.

Já na região dos Bálcãs, conflituosa desde antes da Primeira Guerra, o processo de transição ocorreu de forma mais violenta. O Estado iugoslavo, criado no pós-Primeira Guerra, já era marcado por conflitos étnicos e religiosos, que foram refreados por meio da violência pelo governo do general Tito. Composto de vários povos (sérvios, croatas, bósnios), era também dividido pela religião – católicos ortodoxos e mulçumanos, que durante todo o período de Tito tiveram de conviver sem a possibilidade de mediação de seus conflitos. Assim, quando em 1980 Tito morreu, os conflitos nacionalistas e religiosos explodiram em todo o seu vigor. Enquanto na Eslovênia e na Croácia ocorreram eleições em 1989, na Sérvia os comunistas ainda se mantinham no poder. Quando os eslovacos se proclamaram independentes, eles passaram a ser atacados pelos sérvios. Na sequência, os conflitos passaram para a Bósnia, onde a minoria sérvia era perseguida. Em 1990, as Repúblicas da Sérvia, Croácia, Eslovênia, Montenegro, Bósnia-Herzegovina e Macedônia, embora fossem reconhecidas como independentes, dividiram um governo unificado, que tentava evitar que os conflitos se propagassem, mas a disputa entre sérvios e croatas recrudesceu e, em 1992, a região ingressou numa violenta guerra civil e na dissolução política total.

As milícias sérvias na Bósnia, dirigidas por Milosevic, Radovan Karadzic e Ratko Mladic, operaram em uma lógica de extermínio total e limpeza étnica de tamanha violência que mobilizaram as nações estrangeiras. Em 1994 foi assinado o primeiro tratado de paz intermediado pela Otan (Organização do Tratado do Atlântico Norte) e pela UE (União Europeia), mas não foi respeitado. Em 1995, a possibilidade de intervenção norte-americana fez com que fosse organizado um tratado de paz do qual surgiram duas repúblicas independentes: a Sérvia e a Croácia.

A Albânia, último país do continente europeu a abandonar o comunismo, teve suas primeiras eleições livres em 1996. Entretanto, a corrupção, as fraudes e a atuação do crime organizado levaram o país ao caos, fazendo com que boa parte de sua população iniciasse um forte movimento migratório rumo à Itália. Esse movimento iria agravar o já inflacionado xenofobismo do antigo continente, marcando a postura predominante das antigas nações europeias no início dos anos 2000.

(5.3)
MUDANÇAS E MAIS MUDANÇAS

"As pessoas têm medo das mudanças. Eu tenho medo que as coisas nunca mudem!".

(Chico Buarque)

Como já vimos, a dissolução da URSS pôs fim à Guerra Fria. Esse episódio fez com que as relações internacionais rearranjassem sua dinâmica, já que esta era orquestrada pela divisão do mundo nos dois blocos. Com o fim dessa divisão, mudanças radicais aconteceram. Entretanto, uma parcela significativa dessas mudanças já vinha sendo desenhada ainda no período da Guerra Fria e, aos poucos, introduziram o novo "tom" da organização política mundial.

O Irã viveu, em 1978, uma grande onda de manifestações contrárias ao seu governo. O governo do xá Reza Pahlavi era constantemente alvo de denúncias na Federação Internacional de Direitos Humanos, pelos métodos que utilizava para a manutenção do poder em seu país. Aliado dos Estados Unidos, o xá tentava implementar no Irã uma política de modernização ocidental, à qual ele dava o nome de *Revolução Branca*. Em seu reinado – uma monarquia totalitária – as características mais marcantes eram a forte repressão usada para manutenção do regime e o projeto de desenvolvimento econômico aos moldes ocidentais. A Revolução Branca foi acelerada pelo aumento do preço dos combustíveis efetivados pelo Primeiro Choque do Petróleo de 1973. Aproveitando-se desse episódio, o xá iniciou um projeto de modernização da sociedade – foram construídas estradas, hospitais, escolas, universidades, usinas siderúrgicas, entre outras coisas. Entretanto, essas transformações acirraram ainda mais as já bastante grandes diferenças sociais do país. Nas esferas de poder, a corrupção marcava as relações sociais, ao mesmo tempo que a grande ostentação da família imperial, como a dos representantes do governo em geral, desgastava cada vez mais a imagem do xá.

Assim, a forte tradição religiosa da população organizou, aos poucos, obstáculos às propostas do governo. Surgiu, então, um movimento de oposição reunindo todos os setores contrários à política do xá. Deslocando-se da cidade de Quom (considerada uma cidade sagrada), o movimento alcançou Abadan (distrito petrolífero) e chegou à capital Teerã. Violentos confrontos aconteceram, parte do exército do xá se uniu ao movimento e, com o recrudescimento dos combates, ele foi obrigado a deixar o país. Era o fim do governo de Reza Pahlevi.

Em 1º de fevereiro chegou ao Irã o aiatolá[10] Khomeini, principal líder oposicionista do xá, e em **11 de fevereiro** foi criada uma **República Teocrática Islâmica**, norteada pelos princípios tradicionais do islamismo. Com a ascensão de Khomeini ao poder, os Estados Unidos passaram a ser os principais inimigos da nova república,

---

10   Aiatolá – *Alto dignitário da hierarquia religiosa islâmica xiita.*

já que, para o fundamentalismo islâmico, esse país representava o que de pior poderia existir no Ocidente. As relações diplomáticas e econômicas entre os dois países ficaram estremecidas e o regime fundamentalista tornou-se cada vez mais distante do mundo ocidental. A retaliação do Ocidente, na mesma proporção do afastamento, tornava o diálogo entre os opositores cada vez mais difícil, razão por que a utilização de ataques terroristas passou a fazer parte da prática dos fundamentalistas, que não consideravam as formas ocidentais de negociação legítimos meios de demonstração de seus ideais.

No Irã, o novo governo propiciou o regresso de valores tradicionais do Islã; assim, costumes ocidentais que haviam sido difundidos durante todo o período do governo de Reza Pahlevi foram radicalmente proibidos. Música, cinema, vestimentas, uso de maquiagem, entre outras coisas, foram considerados crime. Castigos corporais para punição voltaram a ser utilizados e a conduta sexual dos indivíduos passou a ser pauta de intervenção do Estado islâmico; assim, o adultério, bem como o sexo praticado fora do casamento, eram agora considerados crimes puníveis com açoitamento e castigos corporais.

Na sequência, qualquer pessoa considerada oponente do governo islâmico passou a ser alvo de perseguições. Assim, líderes de outros grupos religiosos ou de posicionamento contrário ao Estado teocrático foram executados; homossexuais, prostitutas, artistas diversos foram condenados à morte e executados publicamente, bem como vários dos antigos ministros ou defensores do governo do xá.

Embora contra sua vontade, os Estados Unidos mantiveram uma representação diplomática na nova república iraniana, mas as relações entre os dois países eram extremamente tensas. Em 1974, Pahlavi (exilado no México) pediu ao governo norte-americano permissão para fazer um tratamento médico nos Estados Unidos. O aceite da solicitação fez com que, em Teerã, estudantes iranianos invadissem a embaixada norte-americana, tomando como reféns os 52 funcionários que lá se encontravam. Negociações diplomáticas foram iniciadas, mas a solução do problema estava longe de acontecer. O governo norte-americano tentou uma extração armada, que fracassou, e as negociações foram retomadas. O impasse teve fim na gestão de Reagan, depois de 444 dias de sequestro.

Esse episódio serviu de mote para a violenta propaganda norte-americana contrária aos árabes. O modelo de governo islâmico era apresentado como a excrecência do mundo moderno, devendo ser prevenido a qualquer custo. Além disso, os Estados Unidos passaram a apontar os conflitos entre árabes e judeus na Palestina como a grande ameaça à paz e às democracias mundiais.

Com o fim da Guerra Fria e da URSS, os radicalismos islâmicos foram os grandes vilões da humanidade. Movimentos como a Al-Qaeda de Osama bin Laden, o Grupo Islâmico Armado (GIA) argelino, o Wahhabismo da Arábia Saudita, o Hamas da Palestina, ou Gama'at Islamiya do Egito, responsáveis por ataques terroristas ao Ocidente ou por guerras civis no norte da África, foram apontados como os inimigos comuns das democracias ocidentais, devendo, portanto, ser eliminados a qualquer custo.

Para os árabes, entretanto, tratava-se de movimentos de resistência; heróis da causa islâmica lutando para a manutenção de seus ideais diante das grandes potências ocidentais, que não cansavam de tentar impor seus costumes e leis.

Por isso mesmo, a nova República Islâmica buscou seus aliados no mundo árabe. Esse foi um dos motivos da tensão que se estabeleceu entre Irã e Iraque.

O Iraque, que se tornara uma república em 1958 por meio de um golpe militar, ainda vivenciava conflitos internos, principalmente ligados às minorias curdas e xiitas em seus territórios. Chegando ao poder em 1968, o presidente Ahmad Hassan al-Bakr instaurou uma política de unificação em que as principais estratégias eram: a doutrinação em massa e a aniquilação de todas as forças opositoras, o que fermentou ainda mais o islamismo xiita iraquiano. Em 1979, com a doença de al-Bakr, tornou-se necessário preparar sua substituição.

Para todos, seu sucessor natural parecia ser Saddam Hussein, que estava ao lado de al-Bakr desde sua ascensão ao poder; entretanto, a instabilidade interna, bem como o quadro internacional (Revolução Iraniana), intensificou as tensões, principalmente porque o regime de Khomeini se aproximava cada vez mais da minoria xiita iraquiana.

No Iraque, o aiatolá Mohammed Baqir al Sadr, vinculado a Khomeini e decidido defensor da revolução Islâmica nos países árabes, iniciou uma intensa campanha na qual pregava a expansão da Revolução Islâmica em seu país e, obviamente, atacava constantemente as políticas desenvolvidas por Hussein. Aproveitando-se do episódio, Hussein passou a criticar diplomaticamente o Irã. Em junho de 1979, o Iraque, em operação contra dissidentes curdos, invadiu fronteiras iranianas e, a partir daí, as acusações de ambas as partes passaram para o cenário internacional.

No início de março de 1980, o Irã retirou de Bagdá seu embaixador e, no fim do mês, quando o ministro das Relações Exteriores iraquiano sofreu uma tentativa de assassinato, rapidamente o governo atribuiu a autoria aos iranianos, iniciando a expulsão de moradores iranianos no Iraque. Em abril, o governo do Irã retirou o corpo diplomático do país e ambos, Irã e Iraque, colocaram suas forças armadas em estado de alerta.

O restante dos países do Golfo se posicionaram favoráveis ao Iraque, já que temiam uma expansão do movimento islamista promovido pelo aiatolá. Pressionado, o Irã iniciou os ataques. Utilizando sua força aérea, o país atacou o território de Qasr-e-Shirin. Em resposta, o Iraque tomou

Zayn al-Qaws e outros territórios que o Irã havia anexado no Acordo de Argel[11]. Assim, depois de abandonar totalmente o Acordo de Argel, o Iraque anunciou que qualquer barco que passasse pelo rio Shatt al Arab deveria pagar ao Iraque uma taxa. Em setembro, batalhas navais passaram a acontecer no Shatt al Arab. A clara intenção do Iraque era reestabelecer suas fronteiras. Publicamente, o país declarou às outras nações árabes e à comunidade internacional que, antes de entrar em guerra, havia esgotado todos os recursos diplomáticos, mas que o Irã havia se mostrado irredutível. Esse argumento foi completamente aceito pela comunidade internacional, que acreditou na radicalidade do governo do aiatolá, cada vez menos aberto às negociações internacionais.

Se diplomaticamente o Iraque dominava o conflito, em termos bélicos a situação não era bem essa. O Irã tinha, no período da guerra, um exército muito maior do que o seu oponente. Somado a isso estava o forte poderio bélico constituído no período do governo do xá. Reza Pahlavi havia investido fortemente em armamentos e, com o apoio norte-americano, construiu bases aéreas capazes de rastrear mísseis – à época, os Estados Unidos consideravam essas bases aliadas e contrárias à URSS. Por todos esses motivos, o Irã acreditava que rapidamente encerraria o conflito. De fato, os avanços iranianos se deram com certa facilidade. O Irã intensificou os ataques ao sul do Iraque e passou a impedir seu acesso ao Shatt al Arab e ao Golfo

---

11 *Os Acordos de Argel podem ser entendidos em dois momentos:*
  Em 1975, Irã e Iraque assinaram um tratado encerrando as disputas territoriais sobre o Shatt al Arab e o Cuzistão.
  Em 1980, Saddam Hussein (Iraque) revogou o acordo de 1975, cedendo ao Irã um maior território no canal de Shatt al Arab. Em troca, o Irã deveria dar assistência militar aos curdos da fronteira.
  Como o Irã não cumpriu sua parte no novo tratado, o Iraque resolveu retomar todo o território.

Pérsico. Seu objetivo principal era a tomada de Basra, pensada como estratégica, principalmente porque atingiria a moral do regime de Hussein. Os iranianos apostaram, assim, num rápido desfecho da guerra. Entretanto, essa estratégia se mostrou equivocada e, muito embora tenha conseguido impedir o acesso ao canal, a guerra se estendeu.

Em fevereiro de 1986, o Irã tomou toda a Península do Fao, no sul do Iraque, porém, em abril, o território foi retomado pelas forças iraquianas. Embora estrategicamente a ofensiva não fosse tão importante, ela elevava o moral das tropas iraquianas que, desde o início do conflito, não conseguiam se impor ao Irã. Como já dissemos, o Irã detinha o maior exército e as melhores armas, mas a logística iraquiana era muito mais desenvolvida. Além disso, o Irã enfrentava problemas para a manutenção da guerra: a falta de fornecedores de armamentos para reposição – já que seu arsenal estava ligado aos Estados Unidos e fora adquirido durante o regime do xá – fez com que, durante o conflito, o país tivesse de começar a usar armamentos da Síria, Líbia, Coreia do Norte, China ou URSS, o que, claramente, interferiu em seu desempenho.

O Iraque, ao contrário, recebeu o apoio de toda a comunidade internacional e, assim, encontrou facilmente fornecedores, além de insumos financeiros que o mantiveram equilibrado durante todo o conflito.

Esse cenário foi abalado, no entanto, pela intervenção norte-americana. Regan, que até o momento se mostrara claramente em oposição ao regime do aiatolá, secretamente iniciou um diálogo para o retorno do fornecimento de armas ao Irã. Esse episódio estava ligado a uma tentativa de intervenção na Nicarágua,[12] ao mesmo tempo que buscava a libertação de reféns norte-americanos no Líbano. Apesar de parecer contraditória, a intervenção norte-americana pretendia manter o pluralismo geopolítico[13] na região.

O envolvimento norte-americano, entretanto, se deu do lado do Iraque, entendido como a opção "menos pior" no momento. Afinal, a postura claramente antiamericana do Irã deixara claro que, caso ganhasse a guerra, os Estados Unidos teriam dificuldades para acessar o petróleo produzido por eles.

Por conta da superioridade numérica do Irã, o Iraque rompeu com o Protocolo de Genebra e passou a utilizar armas de destruição em massa em seus ataques. Embora isso tivesse sido confirmado pela ONU, nenhuma medida efetiva de retaliação ao Iraque foi tomada. Diante desse cenário, e junto com outros países que compunham o Conselho de Segurança da ONU, os Estados Unidos não se posicionaram ou pressionaram o Conselho, ao contrário, continuaram apoiando a França e a China a venderem armas convencionais para o Iraque.

A entrada efetiva dos Estados Unidos no conflito deveu-se a um incidente com um dos navios norte-americanos: uma fragata foi

---

12   Os Estados Unidos financiavam na Nicarágua um grupo contrário aos revolucionários sandinistas, que, apesar de fortemente armados, não conseguiam derrotar as forças revolucionárias. Como perdeu o apoio do congresso, Reagan entrou em negociações ilegais com o Irã. Por meio dos contra na Nicarágua, passaria a fornecer armamentos para o Irã, assim, resolveria vários problemas de uma só vez: o financiamento dos contra na Nicarágua, a aproximação do governo do Irã e a manutenção de certo domínio no Golfo. Entretanto, a informação sobre as pretensões do presidente vazou e ele foi chamado a dar explicações, mas negou qualquer possibilidade de envolvimento com o Irã.

13   Essa estratégia norte-americana pretendia impedir o surgimento no Golfo de uma potência regional, já que naquele momento o país não estava próximo diplomaticamente de nenhum país árabe.

atingida por uma bomba iraniana, em retaliação à atuação da marinha norte-americana na área. Entretanto, ao mesmo tempo que enviou tropas para atuar na guerra, os Estados Unidos começaram uma campanha para que o Irã aceitasse um cessar-fogo mediado pelas Nações Unidas. Fortemente pressionado, o Irã concordou com, em julho de 1988, um plano de Paz. Nele, entretanto, as fronteiras foram mantidas como antes da guerra, o que desagradou fortemente ao Iraque.

No cômputo geral, o conflito foi desastroso para ambos os Estados, mas, para o Iraque, o aumento de seu potencial bélico se apresentava como uma vantagem e foi bastante útil quando, em 1990, invadiu o Kuwait, o que obrigou novamente os Estados Unidos a mudar sua política externa para a região.

No período da guerra entre Irã e Iraque, o Kuwait, assim como outros países, tentava manter uma posição neutra, mas diante do avanço dos conflitos essa possibilidade foi desaparecendo. Assim, o Kuwait apoiava o Iraque, em parte porque queria evitar o avanço da Revolução Islâmica, mas também por seu posicionamento geográfico contíguo ao Iraque. Historicamente, o Kuwait sempre foi uma zona de interesse iraquiano, por isso mesmo, à época do conflito, o país decidiu se aliar ao Iraque, buscando uma aproximação diplomática.

Finalizado o conflito com o Irã, restava ao Iraque uma imensa dívida a ser saldada com seus vizinhos, principalmente com a Arábia Saudita e o Kuwait. Saddam Hussein pretendia recuperar a economia de seu país forçando seus vizinhos a aumentarem o preço do petróleo, solicitando, para tanto, o apoio da Opep. Enfurecido com a resposta negativa da organização, Saddam passou a pressionar os Estados árabes, cobrando-lhes apoio e alegando que o Iraque, durante oito anos, sacrificara-se em uma luta contra o Irã para impedir o avanço da Revolução Islâmica.

Samara Feitosa

Em maio de 1990, em uma reunião da Liga Árabe, Saddam apresentou aos países vizinhos as "contas" de tal sacrifício: 1) as dívidas com a Arábia Saudita e com o Kuwait deveriam ser perdoadas; 2) a Opep deveria elevar o preço do petróleo; 3) o Kuwait deveria entregar ao Iraque duas ilhas que davam acesso ao porto iraquiano de Umm Qasr; 4) o Kuwait deveria indenizar o Iraque sobre o petróleo retirado de Rumailah.

Em resposta, a Liga Árabe sugeriu a Saddam a redução dos gastos iraquianos com o programa militar, o que foi negado veementemente, reafirmando a desconfiança da Liga com relação às pretensões expansionista do Iraque. Assim, ficou evidente que o apoio ao Iraque durante a guerra com o Irã não havia resultado no fim dos conflitos na área, mas em seu reinício. Afinal, durante o conflito, o Iraque teve a chance de adquirir tanto as armas necessárias para levar a cabo seu projeto expansionista quanto as táticas e técnicas mais eficientes para o cumprimento de seus planos. Além disso, o uso de armas de extinção em massa e a falta de punição para seu uso deram ao Iraque carta branca para utilizá-las em qualquer outro combate.

Assim, em agosto de 1990, as tropas iraquianas invadiram o Kuwait e Saddam anunciou a anexação de seu território. Na sequência, o Iraque deslocou tropas no território kuwaitiano em direção às fronteiras da Arábia Saudita. Esse fato fez com que os Estados Unidos iniciassem uma ação militar no Golfo, já que o pequeno exército saudita não seria capaz de deter o avanço iraquiano e, certamente, com a anexação da Arábia Saudita e do Kuwait, o Iraque despontaria como uma potência no Golfo, algo a ser evitado a todo custo.

Nesse sentido, a preocupação dos Estados Unidos e dos outros países era que, caso conseguisse seu intento, Saddam Hussein passasse a deter aproximadamente 50% das reservas mundiais de petróleo. Diante disso, os norte-americanos romperam relações diplomáticas com o Iraque e organizaram uma coalização militar contra Saddam Hussein.

O Conselho de Segurança da ONU foi acionado a pedido do Kuwait e, por meio da Resolução 660, condenou a invasão e determinou a imediata retirada das tropas iraquianas do território do Kuwait. Em 3 de agosto foi a vez da Liga Árabe se posicionar: usando como argumento a ideia de que a intervenção de uma potência estrangeira deveria ser evitada, a Liga solicitou a imediata desocupação do território kuwaitiano.

A princípio, a comunidade estrangeira acreditava que o forte bloqueio econômico orquestrado pela ONU seria suficiente para pressionar o Iraque a aceitar os termos de paz impostos, mas o conflito se manteve. Nos Estados Unidos, a população começou a pressionar o governo, pedindo para que não enviasse tropas do Golfo Pérsico, alegando que o acesso ao petróleo não justificava a morte de tantos cidadãos norte-americanos no combate. Por outro lado, as ações de Saddam Husseim, que mantinha, tanto em território iraquiano quanto no Kuwait, vários civis estrangeiros reféns, mantiveram uma boa parte da opinião pública favorável à intervenção militar.

Em outubro, buscando pressionar o Iraque, os Estados Unidos dobraram o número de soldados que seriam mandados ao Golfo, propondo que já não se tratava de apenas defender o território saudita, mas destruir totalmente a capacidade militar iraquiana. Pela primeira vez a ideia de que o Iraque vinha protelando as discussões, já que tinha o objetivo de utilizar armamentos nucleares que estavam sendo finalizados, surgiu na imprensa mundial. Diante dessa possibilidade, os Estados Unidos pediram ao Conselho de Segurança da ONU um prazo para que o Iraque se retirasse do Kuwait. Caso isso não ocorresse, todas as medidas cabíveis seriam tomadas para a finalização do conflito. Com o ultimato, Hussein aceitou negociar, mas insistiu que a questão da Palestina também entrasse para a pauta de negociações. Além disso, exigiu que a reunião atendesse a sua agenda de trabalho, que, segundo ele, era muito extensa, impossibilitando que a reunião acontecesse. Paralelamente, o governo israelense declarou não ter motivo ou interesse em se envolver com o conflito e que, portanto, a solicitação iraquiana não tinha fundamento.

O prazo estipulado pelo Conselho da ONU já havia sido esgotado e, diante da não desocupação do Kuwait até o dia 15 de janeiro, os Estados Unidos solicitaram ao Congresso a liberação do ataque.

O Iraque não responde a nenhuma das propostas e o rei Fahd permitiu a entrada de tropas norte-americanas em seu território. Essa operação contava ainda com forças do Egito, Marrocos e Síria, além do apoio do Conselho de Segurança da ONU. Teve início, então, a Operação Tempestade do Deserto, com o objetivo de retirar as tropas iraquianas do Kuwait e restaurar um governo legítimo em seu território; restaurar a segurança e a estabilidade no Golfo Pérsico; e retirar os cidadãos norte-americanos reféns no Kuwait. A força multinacional era composta por soldados de 34 países, dos quais 74% eram norte-americanos.

O forte ataque das forças aliadas destruiu aeroportos, refinarias de petróleo, reatores nucleares, além do palácio presidencial e da planta elétrica de Bagdá. As chamadas "bombas inteligentes" foram utilizadas em lugares estratégicos, visando o mínimo de dano possível à população civil. No entanto, ao longo da fronteira com a Arábia Saudita, o bombardeio convencional foi utilizado para acabar com as tropas iraquianas. Além disso, a marinha norte-americana efetivou um forte bombardeio na costa. Saddam respondeu com mísseis na base de Israel, tentando envolvê-los no combate e, assim, trazer para si a simpatia dos árabes, mas os israelenses não responderam ao ataque.

A ofensiva das forças de coalisão seguiu desmontando rapidamente a defesa iraquiana. Saddam resolveu, então, derramar petróleo de cinco tanques do Kuwait no Golfo Pérsico, o que o tornou ainda mais repudiado pela Liga Árabe. Isolado, Saddam aceitou negociar, mas com a condição de que fossem retiradas as 12 Resoluções da ONU de 1990. Nelas estavam incluídas reparações de guerra e a visita de inspetores da ONU para verificação da existência de armas de destruição em massa. A proposta foi negada e os Estados Unidos deram um ultimato a Saddam: caso a retirada das tropas do Kuwait não ocorresse até 23 de fevereiro, as tropas da coligação iniciariam um ataque por terra. Assim, em 25 de fevereiro Saddam ordenou a retirada das tropas do território kuwaitiano. Como a coalisão exigiu que Saddam aceitasse os termos da ONU, ele ameaçou colocar fogo nos poços de petróleo do Kuwait, entretanto, um acordo definiu o cessar-fogo e, em 27 de fevereiro de 1991, o conflito foi encerrado, sem que, entretanto, Saddam Hussein fosse retirado do poder.

A situação econômica iraquiana era desastrosa depois de quase uma década de conflitos armados, por isso a ONU passou a atuar como uma espécie de mediadora entre o Iraque e as outras nações. Em 1995, a ONU lançou um programa chamado "comida por petróleo", em que intermediava a compra de medicamentos e comida para a população iraquiana. Em contrapartida, a ONU queria participar mais diretamente do controle dos gastos do governo iraquiano, já que existiam suspeitas da manutenção, por parte de Saddam, do programa de desenvolvimento de armamentos nucleares. Em dezembro de 1998, as visitas de inspetores da ONU passaram a ser negadas pelo Iraque, reafirmando as dúvidas com relação ao cumprimento dos tratados assinados com a organização.

A situação, cada vez mais tensa, foi agravada pela declaração pública de que Saddam Hussein apoiava Osama Bin Laden e o atentado terrorista às torres gêmeas[14] nos Estados Unidos, deixando claro o apoio iraquiano às ações terroristas árabes em todo o mundo.

A tensão mundial era crescente; várias potências mundiais declararam guerra ao terrorismo e ações efetivas de "caça" ao terror se alastraram em todo o mundo. Assim, o presidente norte-americano pressionou a ONU para que as visitas de inspeção ao Iraque fossem retomadas, já que se entendia que o país apoiava o terrorismo mundial. Em seu ultimato, o presidente deixou claro que, caso a ONU não tomasse medidas efetivas, o país tomaria uma atitude, ainda que sozinho.

---

14 Em 11 de setembro de 2001, o mundo assistiu assustado ao maior ataque terrorista em território norte-americano. Eram quase 9 horas da manhã, em Nova Iorque, quando um avião, sequestrado por terroristas islâmicos, colidiu com um dos pontos turísticos mais famosos da cidade, uma das torres do World Trade Center. Aproximadamente 20 minutos depois, quando o mundo cogitava como um acidente desse poderia acontecer num centro urbano tão desenvolvido, um segundo avião colidiu com a outra torre. Não havia mais dúvidas, tratava-se de um ataque terrorista. As estruturas profundamente atingidas das torres ainda resistiram por algum tempo, mas logo na sequência o que restava dos edifícios veio abaixo.

Pouco tempo depois, um terceiro avião sequestrado caiu no Pentágono, centro da inteligência norte-americana, outro, o quarto avião, que deveria atingir o Capitólio, foi derrubado pelos seus ocupantes, que invadiram a cabine de comando e mataram os sequestradores. Ao todo, cerca de 3 mil pessoas morreram nos atentados. Posteriormente, Osama bin Laden, líder da Al Quaeda, assumiu a responsabilidade pelos atentados.

Uma séria crise da ordem mundial teve início. Assombrados pelo medo, cidadãos de todo o mundo passaram a clamar pelo extermínio do terrorismo, mesmo que para isso medidas extremas – como a supressão de direitos – tivessem que ser tomadas. Os extremistas passaram a ser pensados como os inimigos da humanidade e a Jihad islâmica, como uma doença a ser eliminada. Nos Estados Unidos, George Bush fez aprovar o USA Patriot Act, que concedeu ao seu governo a prerrogativa de invadir, espionar, prender sem dar direito à defesa ao julgamento indivíduos considerados suspeitos. Bush organizou ainda a Guerra ao Terror contra o Eixo do Mal – Iraque e Afeganistão (país onde estava bin Laden). Esses países seriam invadidos, seus governos derrubados e grupos estrangeiros passaram a intervir na sua administração interna.

Pressionado, Hussein autorizou a entrada dos inspetores da ONU, que durante meses procuraram armas de destruição em massa sem, no entanto, localizá-las. O prazo estipulado para as inspeções terminou e a ONU alegou necessitar de um período maior para dar seu parecer. Afinal, os serviços secretos norte-americanos e britânicos em operação no Iraque afirmavam ter provas de que havia no território a produção desses armamentos. A ONU afirmava que as provas apresentadas eram insuficientes e se posicionava contrária à intervenção militar, porém o presidente Bush deixou claro que entraria em guerra com ou sem o apoio do Conselho da ONU.

Em 17 de março de 2003, Bush deu a Saddam e sua família o prazo de 48 horas para que saíssem do território iraquiano e evitassem o confronto. Como Saddam não aceitou a proposta, no dia 19 de março os Estados Unidos iniciaram a invasão ao Iraque. Em 1º de maio, o conflito foi encerrado com a vitória dos aliados e a queda do regime de Saddam. Entretanto, a queda do regime não trouxe a paz ao Iraque, ao contrário, os grupos contrários que disputavam o poder dentro do país, aproveitando-se da instabilidade do momento, iniciaram combates internos e as tropas da coalizão viram-se em meio a uma possível guerra civil. Somado a isso estava o fato de que, embora derrotado, Saddam não havia sido feito prisioneiro e estava desaparecido dentro do Iraque, o que tornava o clima ainda mais tenso. As forças de coalizão iniciaram a busca por Saddam, que só seria encontrado em dezembro de 2003, em sua cidade natal, Tikrit. Preso, foi levado a julgamento por crimes contra a humanidade cometidos durante todo o período de seu governo, condenado e sentenciado à morte. Em 30 de dezembro de 2006, foi enforcado, enquanto seu país ainda convivia com a instabilidade política e com a guerra civil.

Samara Feitosa

Síntese

Para retormarmos o que estudamos neste capítulo, analise o esquema a seguir.

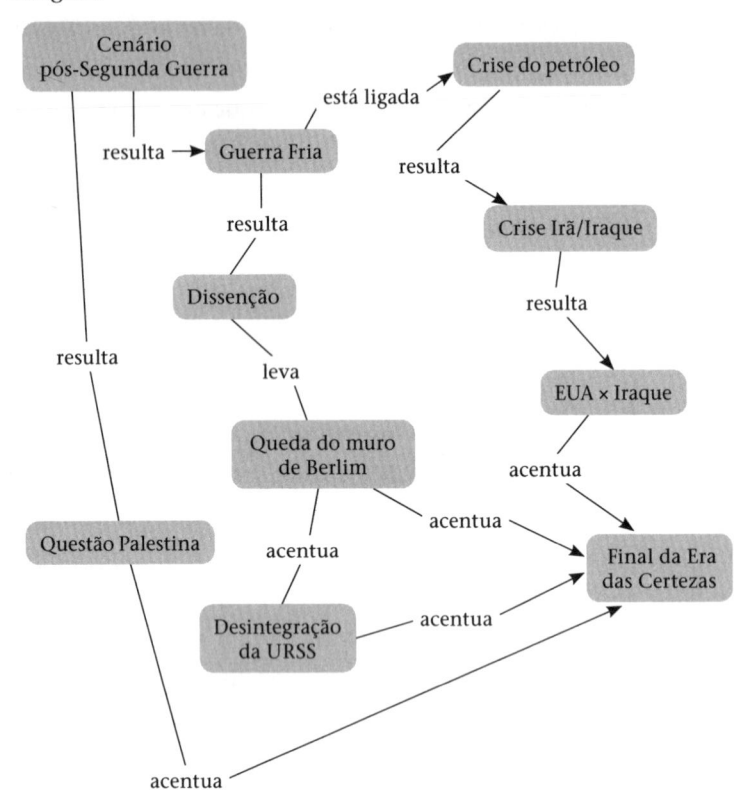

```
                Cenário
           pós-Segunda Guerra
                              está ligada →    Crise do petróleo
      resulta → Guerra Fria
                              resulta
                   resulta                     Crise Irã/Iraque
                 Dissenção                     resulta
  resulta
                    leva                       EUA × Iraque
              Queda do muro
               de Berlim              acentua
                                acentua
  Questão Palestina  acentua              →  Final da Era
                                              das Certezas
                  Desintegração    acentua
                    da URSS
      acentua
```

Indicações culturais

ARGO. Direção: Ben Afeck. EUA: Warner Bros. Pictures, 2012. 134 min.

CRASH – no limite. Direção: Paulo Raggis. EUA: Imagem Filmes, 2005. 113 min.

LIMOEIRO (LEMON TREE). Direção: Eran Riklis. Israel; França; Alemanha: IFC Films, 2008. 106 min.

MAD Max. Direção: George Miller. Austrália: Warner Bros. Pictures, 1980. 145 min.

Atividades de autoavaliação

1. Para muitos, o movimento sionista foi apontado como uma das principais causas da tensão entre árabes e judeus e, embora não existisse nenhuma prova concreta acerca disso, o movimento ainda era perseguido e acusado de ter como objetivo final a colonização da Palestina. Sobre o sionismo, é possível afirmar:
   a) Foi um movimento organizado pelos árabes, em meados do século XIX, tendo por objetivo a resistência à ocupação da Palestina pelos judeus.
   b) Foi um movimento organizado com o objetivo de implementar uma política de extermínio dos judeus, principalmente no Oriente Médio.
   c) Foi um movimento orientado pelas sagradas escrituras, que prega a oposição entre árabes e judeus, afirmando que a diferença religiosa entre os dois povos é insuperável e que apenas o extermínio total dos inimigos pode levar à paz.
   d) Foi a busca dos judeus pela Terra Prometida e a criação de seu Estado Nacional.

2. Com relação aos conflitos entre judeus e árabes, pode-se afirmar:
   i) A década de 1960 acirrou ainda mais os conflitos, tornando-os mais violentos por conta da Aliança militar entre Egito, Síria e Jordânia.

Samara Feitosa

ii) Intensificaram-se após a partilha da Palestina pela ONU, dando origem ao Estado de Israel e à guerra de fixação das fronteiras entre Israel e os países árabes.

iii) Relacionaram-se principalmente com a criação da Opep e as pressões norte-americanas com relação à fixação da cotação do preço do petróleo.

Assinale a alternativa que apresenta a(s) afirmativa(s) correta(s):

a) Apenas i.
b) Apenas i e ii.
c) Apenas ii.
d) Apenas ii e iii.

3. "O petróleo continua sendo um recurso básico para a moderna sociedade industrial, apesar de ter sofrido um relativo declínio nas últimas décadas. Em 1971, representava cerca de 68% da energia consumida no mundo, mas em 2007 essa proporção tinha baixado para cerca de 34%, uma porcentagem ainda significativa e maior que a de qualquer outra fonte de energia isoladamente. Se somarmos o petróleo ao gás natural, geralmente associado a ele e que sozinho representa cerca de 20% do consumo energético mundial, teremos um total de 54% da energia produzida pela humanidade, com essas suas fontes fósseis em conjunto" (Vizentini, 2012, p. 75).

Pautado na afirmação de Vizentini, o petróleo e o gás natural são as principais fontes de energia usadas na atualidade. Sobre eles, pode-se afirmar:

a) Na atualidade, o uso de combustíveis fósseis já está superado por outras fontes de energia.
b) O consumo de combustíveis fósseis tem reduzido nas últimas décadas, mas ainda se mantém como a maior fonte de energia da atualidade.
c) O consumo de combustíveis fósseis tem crescido em razão geométrica, enquanto sua produção se mantém estável nas últimas décadas.
d) A descoberta de fontes inesgotáveis de combustível fóssil tornou o problema energético obsoleto na atualidade.

4. Com base no que você acabou de estudar e na análise da charge a seguir, assinale a alternativa correta:

Crédito: Ivo Viu a Uva

Samara Feitosa

a) A invasão ao Iraque impetrada pelos Estados Unidos tinha como um de seus elementos de fundo a busca pela neutralização da política expansionista que o Iraque vinha desenvolvendo.

b) A invasão do Iraque pelos Estados Unidos resultou de um acordo entre Ocidente e Oriente na busca da construção da paz baseada na tolerância e no respeito mútuo.

c) A invasão do Iraque pelos Estados Unidos estava ligada à dependência iraquiana aos Estados Unidos no que tange à produção de alimentos e matérias-primas.

d) A invasão do Iraque pelos Estados Unidos foi uma resposta à tentativa do país, somada às Nações Unidas, de estabelecer uma zona livre de conflitos no território iraquiano.

5. Acerca do Oriente Médio, é possível afirmar:

a) É uma das regiões mais pobres do mundo, visto ser marcada por disputas territoriais e religiosas históricas e por não produzir ou possuir nada de interesse econômico em nível mundial.

b) É território de disputas religiosas históricas, como a que envolve árabes e judeus.

c) Está estrategicamente localizado na área de contato entre África, Ásia e Europa e historicamente é marcado pelo espírito de tolerância e respeito entre os povos.

d) Embora seja uma área conflituosa, suas disputas têm tido, ao longo da história, caráter local, sem, até o momento, nenhuma intervenção de países ou organizações externas.

Atividades de aprendizagem

Questões para reflexão

1. Reflita brevemente sobre a criação da Opep e o Choque do Petróleo de 1973.

2. No quadro a seguir, insira as ideias mais importantes acerca do processo apresentado:

Processo	Principais ideias	Consequências
Glanost		
Perestroika		

Atividade aplicada: prática

Crie um plano de ensino a respeito do capítulo que acabamos de estudar. Nele, você deve inserir: conteúdos, objetivos de ensino, número de aulas, metodologias de ensino e avaliação. Mãos à obra.

Samara Feitosa

Capítulo 6
Para onde vamos, afinal?

"Quem, de três milênios, não é capaz de se dar conta, vive na ignorância, na sombra, a mercê dos dias, do tempo".

(Johann Goethe)

Neste sexto e último capítulo, veremos como economia e política caminham lado a lado – aqui especificamente exemplificada pela junção do neoliberalismo e do Estado mínimo – e, ainda, como esse entrelaçamento orienta práticas e políticas quando nos referimos ao direito às diferenças ou aos direitos humanos.

Como já vimos, o fim dos anos 1990 e o início dos 2000 trouxeram uma série de modificações para o cenário econômico, político e cultural, as quais alcançaram todo o globo terrestre. Não que isso seja, necessariamente, uma novidade, levando-se em consideração que o período histórico que usualmente é denominado *contemporaneidade* é um dos mais "movimentados" historicamente. Parafraseando Hobsbawm (1977), é tranquilamente possível pensar que a *contemporaneidade* teve seu tempo encurtado pela abundância de eventos importantes do ponto de vista histórico e, talvez, por isso mesmo, movimentos como a Revolução Francesa e a Revolução Industrial ainda estejam tão presentes em nossos pensamentos e em nossas práticas. Paradoxalmente, as mudanças flagrantes que marcaram o período nos fazem pensar, novamente parafraseando um grande pensador, Karl Marx, que diz: "tudo que é sólido, desmancha no ar" (Marx; Engels, 1998).

Talvez valesse a pena frisar que o século XX se apresentou como um período de modificações aceleradas. Foram tantos os acontecimentos marcantes nesse período que, certamente, acompanhá-los não é tarefa fácil.

De qualquer modo, algumas das questões que surgiram nestes últimos cem anos encontram-se ainda sem respostas; muitos dos

Samara Feitosa

modelos que antes eram utilizados para análises sócio-históricas, hoje são pensados como insuficientes e incapazes de abarcar a complexidade das relações sociais vivenciadas. Problemáticas como direitos humanos, questões ambientais, desigualdades sociais, entre várias outras, presentes cotidianamente nas nossas reflexões, são resultantes das transformações vividas no último século, e parece cada dia mais urgente que sejamos capazes de dar a elas respostas efetivas – as quais, se não conseguirem solucioná-las totalmente, sejam ao menos capazes de nortear o caminhar.

(6.1)
Um olho na economia, o outro na política

"A tecnologia moderna é capaz de realizar a produção sem emprego. O diabo é que a economia moderna não consegue inventar o consumo sem salário".

(Herbert de Souza – Betinho)

Não há como entender as últimas décadas de nossa história sem compreender a relação existente entre política e economia. De fato, as transformações políticas estão imbricadas aos rumos econômicos de cada período. Assim, se a crise de 1929 foi resolvida, nos Estados democráticos, por meio da criação do *Welfare State*[1], em outros países a centralidade do Estado ocorreu por meio do totalitarismo

---

1   Basicamente, trata-se do Estado de Bem-Estar Social, em que o Estado passou a ser responsável pela garantia de padrões mínimos de educação, saúde, renda, trabalho, seguridade social, entre outras coisas. Vale lembrar que não se trata de assistencialismo do Estado, visto que se reconhecem essas necessidades como direitos sociais e, por isso mesmo, é dever do Estado garanti-los.

que alcançou países como Alemanha, Itália, mas também Portugal, Espanha e URSS e, como já foi visto, a solução das tensões desse período desembocaram na Segunda Guerra Mundial.

Portanto, olhar para as transformações que a economia apresentou ao longo do tempo é também uma forma de compreender as mudanças políticas e socioculturais do período.

Por isso mesmo, entender minimamente as propostas neoliberais se faz necessário para compreendermos as mudanças mundiais das últimas décadas.

O neoliberalismo é uma releitura dos ideais do liberalismo econômico – *laissez faire* – que, como já vimos, orientou durante muito tempo as práticas políticas dos Estados nacionais. Para o liberalismo, o mercado tinha leis de funcionamento próprias, as quais eram suficientes para mantê-lo funcional, tornando inócuas ou mesmo prejudiciais ações que viessem de fora e se interpusessem em seu funcionamento.

O neoliberalismo como prática econômica de Estado começou a tomar corpo no fim da década de 1970 e início dos anos 1980. Para seus defensores, a economia deveria ser liberalizada, a prática do livre-comércio reforçada, enquanto o Estado deveria diminuir o máximo possível sua intervenção nas relações que se estabelecessem no mercado.

Originariamente, a ideia era de se constituir como uma alternativa para os modelos econômicos já conhecidos: o liberalismo clássico e a economia planificada pelo Estado que, segundo esses teóricos, tinham vícios de formação. Na prática, entretanto, o neoliberalismo acirrou os mecanismos do liberalismo clássico, apregoando principalmente a liberalização econômica, as privatizações e as desregulamentações, bem como o mercado aberto. Para esses pensadores, o funcionamento da economia exigia a competição efetiva entre os indivíduos que, só assim, encontrariam estímulos para desenvolver todo o seu potencial, por isso mesmo acreditavam que o clima de "estufa" criado por um Estado de Bem-Estar Social impediria o bom desenvolvimento econômico. Compreendendo a riqueza como o resultado do trabalho individual, apontavam que as desigualdades sociais são necessárias para o funcionamento do mercado e que, portanto, sua eliminação total seria disfuncional para a economia.

De maneira geral, costuma-se dizer que o neoliberalismo teve como seus componentes principais as teorias forjadas por duas escolas: a austríaca e a de Chicago.

Em 1947, num encontro entre economistas na Suíça, foram apresentadas fortes críticas à maneira como as economias vinham sendo gestadas. Para esse grupo, as políticas ligadas ao Estado de Bem-Estar Social eram, em últimas instâncias, "cerceadoras" das liberdades individuais, além de criarem um ambiente econômico falso. A Mont Pèlerin Society – sociedade de economistas criada a partir do evento – passou então a se dedicar à difusão dessas ideias e ao combate do modelo de desenvolvimento econômico vigente.

Friedrich August von Hayek, expoente desse grupo, publicou, em 1944, um de seus livros mais famosos. Em *O caminho da servidão*, Hayek (2010) afirmava que o Estado de Bem-Estar Social levaria ao colapso da civilização, já que o protecionismo do Estado, principalmente aos trabalhadores, era um restritor das liberdades, um criador de dependência e, em última instância, um acomodador de situações. Suas principais críticas nesse livro estavam relacionadas às políticas implementadas na Inglaterra pelo Partido Trabalhista, que vencera as eleições em 1945 e trazia como princípios as propostas de Estado de Bem-Estar Social. Por isso mesmo, essas críticas orientaram a campanha do Partido Conservador, que elegeu, posteriormente, Winston Churchill para primeiro-ministro.

Nos Estados Unidos (Escola de Chicago), Milton Friedman foi o grande nome do movimento. Esse economista criticou abertamente a política institucionalizada por Roosevelt no *New Deal*. Segundo esse pensador, o New Deal de Roosevelt só prolongaria a crise econômica e social, principalmente porque orientava investimento em áreas pouco rentáveis economicamente, procurando manter postos de trabalho, o que claramente diminuiria a eficiência da economia e a produção de riquezas na sociedade. Friedman afirmava que esse tipo de medida não levava em conta a eficiência econômica, mas sim a eficiência política, que em última instância tem por trás de si intenções eleitoreiras. Para ele, qualquer regulamentação que inibisse as ações das empresas teria consequências negativas para economia; claramente contrário à estipulação de um piso salarial, afirmava que isso aumentaria o desemprego, desestimularia a produção, tendo como efeito o recrudescimento da pobreza.

Como vimos, o que a princípio buscava se apresentar como uma alternativa ao modelo liberal clássico, rapidamente radicalizou seus pressupostos, organizando o escopo teórico de práticas políticas que foram implementadas no fim do século XX. Assim, nos anos de 1980, na Inglaterra, Margaret Thatcher iniciou uma série de reformas econômicas que tinham o neoliberalismo como escopo teórico. Principiando com a privatização de empresas estatais, Thatcher fez, ainda, alterações na legislação trabalhista, principalmente nos tópicos ligados aos sindicatos; o principal objetivo era a redução do "tamanho" do Estado, que, segundo os neoliberais, era consequência direta de sua política protecionista. Para eles, reduzir o tamanho do Estado significava também uma redução nos impostos pagos. A aplicação das políticas neoliberais pelo governo Thatcher teve como resultado a estabilização da libra esterlina, a redução da carga tributária e a dinamização da economia na Inglaterra; por outro lado, aumentou drasticamente a desigualdade social, segundo dados do período; o tão propalado crescimento econômico atingiu somente a parcela mais rica da sociedade; todos os indicadores ligados à qualidade de vida das classes trabalhadores regrediram drasticamente e o nível de desemprego manteve-se elevado.

Nos Estados Unidos, foi Ronald Reagan (1980), pelo Partido Republicano, que implementou as políticas de cunho neoliberal. Utilizando-se do já conhecido discurso de que era necessário antes fazer o lucro crescer para depois reparti-lo, o governo de Reagan fez uma drástica mudança nos gastos públicos, principalmente os relativos aos programas sociais. Novamente, a tônica da redução do Estado estava presente: era preciso diminuí-lo para que se reduzisse a carga de impostos e o caminho traçado não destoasse muito do já apresentado – enfraquecimento dos sindicatos, privatizações, diminuição dos direitos sociais –, assim também como não destoavam muitos os resultados obtidos: o recrudescimento das desigualdades sociais.

Mesmo assim, os ventos neoliberais alcançaram vários países no globo terrestre, trazendo resultados próximos ao que apontamos anteriormente, tornando claro que a aplicação dessas políticas recrudesceu as desigualdades sociais e econômicas da América Latina à África subsaariana.

Há que se lembrar, também, que a globalização acompanhou de muito perto as práticas neoliberais. Primeiramente entendida como um processo de liberalização de fluxo (principalmente de capitais) entre os países, a globalização teoricamente proporcionaria a rápida transferência de capitais e tecnologia dos países mais ricos para as economias em desenvolvimento; entretanto, o processo inverteu a rota, rapidamente o capital fugiu dos países mais pobres, escoando para os centros já ricos e desenvolvidos.

O resultado foi o aumento mundial nos índices que marcavam desigualdades, desemprego, saúde, degradação ambiental, violência, entre outros.

(6.2)
DIFERENÇAS E DIVERSIDADES

"A diversidade é o grande poder da evolução, pois desde o início perpetua a vida em ambientes hostis e caóticos".

(William E. Marques)

Para que a problemática relativa às diferenças e à diversidade se torne mais compreensível, vale a pena apresentarmos, ainda que rapidamente, o processo de independência dos países africanos e asiáticos.

Sem dúvida, o surgimento dessas nações como países livres e não mais como colônias, ligadas política, econômica e culturalmente a metrópoles, reaqueceu as questões ligadas às identidades, ao nacionalismo e ao lugar ocupado pelas nações no cômputo geral das relações de poder mundial.

Como já vimos, a partir da metade do século XIX, por conta das necessidades demandadas pela Revolução Industrial, a Europa se voltou para a Ásia e a África buscando mercado consumidor e matérias-primas. A disputa por esses mercados desembocou na Primeira Guerra, que, como vimos, iniciou o processo de deslocamento da hegemonia mundial do velho continente para os Estados Unidos, processo finalizado pela Segunda Guerra e que também teve como resultante a bipolarização do mundo.

Vimos também que a crise de 1929 repercutiu em todo o mundo e também chegou às colônias. O nacionalismo, uma das características marcantes no período, trouxe à tona nessas localidades o desejo de independência e a necessidade de rompimento dos laços com as metrópoles. Esse sentimento atingiu os países que ainda não haviam alcançado sua independência política, os quais, apoiados pela Carta da Organização das Nações Unidas (ONU) – documento em que se reconhecia o direito dos povos à autodeterminação –, passaram a exigir que o documento assinado por muitas das nações que mantinham colônias sob seu domínio fosse respeitado.

Em 1955, na Indonésia, 29 países que recentemente haviam conquistado sua independência se reuniram na Conferência de Bandung. Dessa reunião foi organizado um documento com dez princípios norteadores:

1. respeito aos direitos fundamentais, de acordo com a Carta da ONU;
2. respeito à soberania e à integridade territorial de todas as nações;
3. reconhecimento da igualdade de todas as raças e nações, grandes e pequenas;
4. não intervenção e não ingerência nos assuntos internos de outro país (autodeterminação dos povos);
5. respeito pelo direito de cada nação defender-se, individual e coletivamente, de acordo com a Carta da ONU;
6. recusa na participação dos preparativos da defesa coletiva destinada a servir aos interesses particulares das superpotências;
7. abstenção de todo ato ou ameaça de agressão ou do emprego da força contra a integridade territorial ou a independência política de outro país;
8. solução de todos os conflitos internacionais por meios pacíficos (negociações e conciliações, arbitragens por tribunais internacionais), de acordo com a Carta da ONU;
9. estímulo aos interesses mútuos de cooperação;
10. respeito pela justiça e pelas obrigações internacionais.

Esse panorama influenciou diretamente os movimentos de independência nos continentes africano e asiático.

A **Índia** do século XIX reconhecia a rainha Vitória – rainha da Inglaterra – como imperatriz indiana. A complexa organização de castas, bem como a grande diversidade religiosa e cultural presente no país, dificultavam a organização de um movimento de resistência à dominação estrangeira, tornando todas as iniciativas contrárias ao domínio específicas e particulares a um grupo. Por isso, a dominação inglesa se dava com certo sucesso.

Somente a partir da década de 1920, Mahatma Gandhi e Jawarharial Nerhu iniciaram um movimento de independência que conseguiu dar unidade ao processo. Contando com o apoio do Congresso, da burguesia e da intelectualidade local e estrangeira, o movimento pró-independência da Índia começou a ganhar corpo. Gandhi usava como princípio de suas ações duas premissas básicas: a desobediência civil[2] e a não violência[3] como modos de enfrentar a dominação inglesa.

De certo modo, a perda do poderio militar e econômico da Inglaterra criou um clima mais favorável ao processo que se desenvolvia. Por meio de ações e mobilizações coletivas, como a **Marcha pelo**

---

2   Categoria definida por Henry D. Thoreau que foi aplicada por Gandhi na Índia e no Paquistão e por Martin Luther King nos Estados Unidos. Por meio dessa categoria se organizavam os protestos políticos pacíficos que se opunham a determinações jurídicas, partindo-se da ideia de que o que era exigido estava na esfera da injustiça e/ou da imoralidade e ilegitimidade.

3   Primado a partir do qual se prega a não utilização de qualquer método violento na solução de conflitos, sejam eles pessoais, sociais ou políticos.

Sal[4], Gandhi e seus seguidores tornaram a tensão entre Inglaterra e Índia cada vez mais visível, trazendo para si o apoio e a simpatia das nações estrangeiras. Assim, em 1947, a Inglaterra, pressionada, reconheceu a independência indiana. Entretanto, a grande rivalidade religiosa existente no país impossibilitava a criação de uma única república.

Fundou-se, então, a União Indiana, dirigida por Nerhu – Partido do Congresso com a maioria hinduísta, e a União do Paquistão (ocidental e oriental), dirigida por ali Jinnah, da Liga Muçulmana e com maioria islâmica. Essa repartição, entretanto, provocou o deslocamento de mais de 12 milhões de pessoas. Apesar de todos os esforços empreendidos por Gandhi e seu grupo, o processo de independência foi seguido de graves conflitos civis na Índia. Os choques entre muçulmanos e hindus deixaram mais de 200 mil mortos, acirrando ainda mais o conflito religioso, que somente foi arrefecendo com o passar do tempo. Mesmo assim, em 1948, Gandhi foi assassinado por um radical hindu. Nesse período, o Ceilão preferiu tornar-se independente, formando uma república com maioria budista que passou a se chamar *Sri-Lanka* e, em 1971, o Paquistão Oriental tornou-se um novo Estado Independente que se autodenominou *Bangladesh*.

A **Indonésia** – arquipélago formado por mais de 17 mil ilhas – esteve, desde o século XVII, sob domínio da Holanda. Durante a Segunda Guerra Mundial, o arquipélago foi invadido pelos japoneses,

---

4 *Gandhi e seus seguidores saíram em uma marcha de 300 quilômetros, do interior da Índia até o mar. Chegando ao litoral, Gandhi tomou uma porção de sal em suas mãos, desobedecendo às leis britânicas que detinham o monopólio da produção do produto na Índia. O gesto simbólico teve imensa importância, já que o sal era o componente fundamental, à época, para a conservação dos alimentos e, sem ele, a Índia ficaria sempre atrelada à compra do produto.*

o que levou à organização interna de um movimento de cunho nacionalista, dirigido por Alimed Sukarno. Para o movimento, a oportunidade de independência estava posta pela quebra da hegemonia dos neerlandeses. Com o fim da guerra e a derrota dos japoneses, Sukarno e seus aliados declararam a independência da Indonésia, fato não aceito pelos neerlandeses que, com o apoio dos aliados, tentaram retomar sua colônia. Teve início, então, a guerra pela independência. Conhecida como *Revolução Nacional da Indonésia*, o conflito durou mais de quatro anos, marcado por levantes políticos internos e intervenções diplomáticas externas. Somente sob forte pressão da ONU, a Holanda aceitou a independência dos territórios da República dos Estados Unidos da Indonésia, em 22 de dezembro de 1949. Entretanto, um golpe militar, em março de 1966, dirigido pelo general Suharto, derrubou o governo eleito e Suharto foi levado ao cargo de presidente, ficando no poder até 1998, quando, pressionado pela grave crise econômica, foi obrigado a renunciar. Somente em 2004 a Indonésia levou ao poder seu primeiro presidente eleito por voto popular.

A **Indochina** encontrava-se sob domínio francês desde 1887, quando, em 1940, a França foi ocupada pelos nazistas e o domínio sob a Indochina caiu. Em 1941, os japoneses ocuparam o território, com as bênçãos do general Pétain – que, como vimos, colaborou com os nazistas na França. Na Indochina, um movimento de resistência nacionalista, liderado pelo Viet Minh (Liga revolucionária para a Independência do Vietnã), formou-se e passou a lutar contra o domínio japonês. Ho Chi Minh – líder do Viet Minh –, com a derrota do Japão, declarou a independência da República Democrática do Vietnã (norte). O governo francês não reconheceu o movimento e partiu para a recolonização do território, ocupando a região do Camboja, do Vietnã do Sul e do Laos. A Guerra na Indochina se estendeu até 1954, quando os franceses foram, finalmente, derrotados. Nesse mesmo ano, na **Conferência de Genebra**, a França reconheceu a independência da Indochina, que ficou dividida entre Laos, Vietnã do Sul, Vietnã do Norte e Camboja. Pela Conferência, Camboja e Laos ficaram proibidos de manter em seus territórios bases militares. Com relação aos Vietnãs, deveriam realizar eleições, no prazo de dois anos, para decidir ou não pela unificação. No Vietnã do Norte, Ho Chi Minh, líder comunista, estava no poder, enquanto no Vietnã do Sul, o Rei Bao Dai e seu primeiro-ministro Ngo Dinh Diem comandavam o país.

Em 1955, Diem assumiu o poder por meio de um golpe de Estado, tendo, para tanto, o apoio dos Estados Unidos. Estabeleceu-se então, no Vietnã do Sul, um governo impopular de caráter autoritário e, em 1956, Diem decidiu suspender as eleições acordadas na Conferência de Genebra. Em oposição ao governo de Diem, organizou-se a Frente de Libertação Nacional, que, contando com o exército guerrilheiro vietcongue, tinha como objetivo unificar o Vietnã do Sul ao Vietnã do Norte. Assim, em 1959, os vietcongues atacaram uma base militar norte-americana no Vietnã do Sul, o que deu início à intervenção externa na guerra. Os Estados Unidos passaram a atuar em favor do Vietnã do Sul, enquanto o Vietnã do Norte atuava com os vietcongues. Embora contassem com a supremacia militar, os norte-americanos não conseguiram derrotar os vietcongues, que, em 1963, já dominavam boa parte do território do Vietnã do Sul. Mesmo assim, os Estados Unidos não aceitavam iniciar as negociações de paz, principalmente porque o clima de tensão da Guerra Fria estava em seu auge, já que John Kennedy fora assassinado.

A tensão aumentou quando, em 1964, os Estados Unidos iniciaram bombardeios no Vietnã do Norte, alegando terem sido atacados em Tonquim. Ainda assim os norte-americanos não conseguiram vitórias consistentes e, em 1968, foram convencidos a iniciar as conversações de paz. Não chegando a termos satisfatórios, os conflitos continuaram. Em 1970, Nixon autorizou a invasão do Camboja e, em 1971, o Laos também foi invadido.

Esses episódios tornaram as já contínuas manifestações antiguerra que aconteciam no território norte-americano mais acirradas, pois desde pelo menos 1968 a opinião pública norte-americana questionava as decisões do Congresso na manutenção da guerra, principalmente porque a imprensa passara a divulgar as violações constantes aos tratados internacionais de guerra e o número de mortos entre os soldados norte-americanos não parava de crescer.

Assim, em 1973, foi assinado o Acordo de Paris; nele, as tropas norte-americanas se retirariam do conflito; em troca, os prisioneiros de guerra norte-americanos seriam liberados e o Vietnã do Sul faria eleições.

Com a retirada das tropas norte-americanas, rapidamente os vietcongues dominaram o Vietnã do Sul. Em 1975 foi declarada a vitória do Vietnã do Norte, a reunificação se deu no ano seguinte e o Vietnã adotou o regime comunista, ficando sob influência da União das Repúblicas Socialistas Soviéticas (URSS). Antes disso, em 1975, movimentos de resistência, sob influência do comunismo chinês, tomaram o poder no Laos e no Camboja.

Nas **Filipinas**, o processo de independência se deu pela intervenção norte-americana no pós-Segunda Guerra; antes disso esteve sob domínio espanhol. Em 1949, a **Birmânia** se tornou independente da Inglaterra e, em 1957, a **Malásia** alcançou sua independência, tornando-se membro da Comunidade Britânica.

No continente africano, no início do século XX apenas três Estados eram independentes: a Etiópia, a Libéria e a África do Sul; assim, o período pós-Segunda Guerra conheceu um processo acelerado de descolonização nesse continente, muitos deles por meio de violentos conflitos.

O **Egito** esteve sob domínio francês até 1881, quando passou a fazer parte das colônias inglesas. A tensão no território foi grande, razão por que, em 1914, a Inglaterra decidiu tornar o Egito um protetorado[5]. Em 1936 cessou o domínio inglês, entretanto, o Canal de Suez continuava sob domínio da Inglaterra. A situação ambígua do Egito o tornou palco de disputas ferozes durante a Segunda Guerra Mundial. O general Rommel (alemão) atuava na área buscando conquistar o importante canal que estava ligado à Inglaterra. Em 1942, a reconquista do Egito fez parte do avanço dos aliados, que culminou na derrota do Eixo. Os aliados empossaram o Rei Faruk, o que descontentou parte da população egípcia. Em 1952, o general Naguib depôs o rei e proclamou a República, assumindo o poder. Em 1954, Gamal Abdel Nasser substituiu o general Naguib e permaneceu no poder até 1970, quando foi substituído por Anwar al Sadat. Sadat iniciou uma reaproximação do Egito com a Arábia Saudita, bem como com os demais países árabes, que, como vimos anteriormente, passaram por vários problemas.

A **Argélia** esteve dominada pelos franceses desde 1830. Vários franceses, em especial a partir de 1880, migraram para o território argelino, ocupando principalmente as terras mais produtivas e férteis, que passaram a ser destinadas às vinícolas. Esses colonos franceses na Argélia ocupavam os mais altos postos e tinham grande influência nas decisões da metrópole, por isso consideravam os nativos inferiores. Quando da ocupação nazista na França, o general Pétain passou a dirigir os destinos da Argélia, motivo pelo

---

5 *Área de dominação estrangeira, mas que goza de certa autonomia decisória. A autoridade metropolitana é reconhecida pela presença de um representante consultivo na área.*

qual houve as primeiras manifestações de independência. Em 1945, devido à forte crise econômica pós-guerra, a Argélia viveu uma série de manifestações lideradas por muçulmanos, grupo religioso predominante na região, mas o movimento foi rapidamente sufocado pelos franceses.

A derrota francesa na **Indochina** (1954) serviu de incentivo ao movimento que se organizava na Frente Nacional de Libertação. Em meados de 1954, iniciou-se a Guerra de Independência. Um marco desse conflito foi Batalha de Argel, na qual a população civil foi alvo dos ataques franceses. Nela, os líderes da Frente foram aprisionados e levados a Paris, onde foram mantidos presos até 1962, o que aumentou a insatisfação dos argelinos, que passaram a organizar manifestações públicas de apoio ao movimento de independência. Em 1958, quando o marechal De Gaulle chegou ao poder na França – após a derrota dos nazistas –, iniciou-se o processo de negociação e foi assinado o tratado de paz com a Argélia, sendo então um governo provisório instituído com sede no Cairo (Egito). Em 1962, o Acordo de Evian foi assinado, no qual a França reconhecia a independência da Argélia, pondo fim à guerra.

A ocupação do **Congo** (Zaire à época) pela Bélgica se deu a partir da fundação da Sociedade Internacional de Exploração e Civilização da África (1867). A princípio, o território era definido como uma possessão da Bélgica e se instalou como colônia a partir de 1908. O domínio belga se manteve até a Segunda Guerra Mundial. Quando no pós-Guerra os movimentos de emancipação se disseminaram no continente africano, a Bélgica, em 1960, na **Conferência de Bruxelas**, concedeu ao Zaire sua independência, que a partir de então passou a se chamar *República do Congo*.

Na sequência, a província de Catanga iniciou internamente um movimento independentista, que não foi reconhecido pela recém-inaugurada república; assim, teve início uma guerra civil. Catanga foi financiada por grupos internacionais que ainda tinham interesses econômicos no Congo, principalmente mineradoras que financiavam tropas mercenárias belgas na área. Em 1960, o então presidente do Congo, Kasavubu, retirou o primeiro-ministro Lumumba do poder. As declarações e posturas de Lumumba, o qual declarou que a África e o Congo só seriam independentes quando, além da independência política, obtivessem também a independência econômica, desagradaram a elite congalense, que temia posturas mais nacionalistas por parte do primeiro-ministro. Lumumba então se declarou líder do novo governo e o Congo passou a ter dois governos. Nesse ínterim, o coronel Mobutu interveio tomando o poder, dissolvendo o governo e mantendo Kasavubu no poder – intervenção financiada pelo governo norte-americano. Lumumba foi aprisionado, levado para Catanga e assassinado em 1961. Esse episódio acirrou ainda mais os conflitos internos, o que fez com que Mobutu desse um golpe e assumisse o governo do Congo como ditador de 1965 a 1997. Com o apoio norte-americano, Mobutu exterminou a oposição, principalmente as ligadas à esquerda, instalando um dos governos mais violentos do continente africano.

Uma boa parte do continente africano estava ainda sob domínio português. Esse domínio estava ligado às Grandes Navegações, iniciadas no século XV. No período neocolonial do século XIX, Angola, Moçambique, Guiné-Bissau, São Tomé e Príncipe e Cabo Verde ainda eram possessões portuguesas.

Em **Angola**, o Movimento Popular pela Libertação de Angola (MPLA) foi fundado em 1956. Sob a liderança do poeta Agostinho Neto, o MPLA desencadeou, a partir de 1961, um movimento de luta pela independência angolana. Na sequência, dois novos movimentos juntaram-se à luta: a Frente Nacional de Libertação de Angola (FNLA) e a União Nacional para a Independência Total de Angola (Unita). Em 1974, foi assinado o **Acordo de Alvor**, no qual Portugal reconhecia a independência de Angola e entregava o poder a um governo de transição composto por MPLA, Unita E FNLA. Mas as divergências entre os grupos levaram a uma guerra civil e à invasão do país por tropas do Zaire (hoje Congo) e da África do Sul. Essa intervenção teve o apoio norte-americano.

O MPLA, único movimento que se manteve fiel aos princípios socialistas, solicitou então a ajuda de Cuba e, em 1976, derrotou as forças de oposição, tornando-se um país comunista.

Em **Moçambique**, a Frente de Libertação de Moçambique (Frelimo) foi criada em 1962, iniciando as lutas pela independência. Em 1969, Samora Machel assumiu a liderança do movimento e, a partir daí, a guerrilha foi inserida na luta pela conquista da independência. O movimento se manteve e alcançou, cada vez mais, o apoio popular. Em 1975, Portugal reconheceu a independência da República Popular de Moçambique.

O Partido Africano para Independência da **Guiné e Cabo Verde** (PAIGC) foi fundado em 1956 por Amilcar Cabral. O PAIGC encabeçou o movimento de independência a partir de 1961. Já em 1973, mais da metade do território estava dominado pelo movimento; porém Amílcar foi assassinado. A liderança foi assumida por Luís Cabral, que declarou a independência da República Democrática Anti-imperialista e Anticolonialista da Guiné. No ano seguinte, Portugal reconheceu a independência da Guiné e, em 1975, reconheceu a independência de Cabo Verde, São Tomé e Príncipe, terminando o ciclo de movimentos independentistas das colônias portuguesas na África.

Na Europa, a crise colonial só acirrava os já graves problemas portugueses. O governo ditatorial de Oliveira Salazar, que havia chegado ao poder em 1932, terminou em 1970, quando de sua morte.

Samara Feitosa

Assumiu o governo Américo Tomás, mas, em 1974, a Revolução dos Cravos derrubou o governo ditatorial. Assumiu o governo a Junta de Salvação Nacional e, em 15 de maio de 1974, o General Antônio de Spínola foi nomeado Presidente da República. Seguiu-se um período de grande agitação popular, mas em novembro de 1975 a situação já estava resolvida. Foi convocada uma Assembleia Constituinte que, em 25 de abril, aprovou a nova Constituição.

O ciclo de movimentos independentistas nos continentes africanos e asiáticos fez ressurgir, sob outro enfoque, discussões que vinham sendo desenvolvidas desde a Revolução Francesa. Como já vimos, essa Revolução, que tinha como *slogan* as palavras *liberdade, igualdade* e *fraternidade*, embora trouxesse em seu bojo transformações evidentes, não alcançou a todos. Desde sua declaração de intenções até as práticas advindas do processo em si, tornava-se claro que a liberdade, a igualdade e a fraternidade existiriam para os já pensados como iguais e livres – uma condição que não alcançava uma boa parcela da população francesa à época, quiçá o restante do globo terrestre.

De qualquer maneira, os pressupostos apresentados na Declaração dos Direitos do Homem e do Cidadão tiveram, como primeiro resultado, os processos independentistas das Américas, onde vários pressupostos da Revolução foram questionados e postos à prova.

Como já vimos também, os continentes asiáticos e africanos, ocupados no ciclo neocolonial, trouxeram em seus movimentos de independência ideais ligados às novas propostas de organização social. Os pressupostos das democracias participativas, mas também os ideais comunistas, e a somatória desses elementos deram aos movimentos de independência do século XX outro padrão de realização. Efeito claro foi o surgimento da necessidade de respeito à diversidade apresentada por esses povos. Acompanhando os movimentos de independência veio o clamor pelo reconhecimento das identidades, que não era, nem pretendia ser, a do modelo europeu tradicional de nação. Assistiu-se à emergência das diferenças e à exigência da equidade.

De maneira geral, essas novas nações movimentaram-se no sentido do reconhecimento das diferenças culturais, econômicas, políticas e sociais e que elas não tivessem como resultado um tratamento desigual perante as nações tradicionais.

(6.3) DIREITOS HUMANOS PARA HUMANOS DIREITOS?

"A morte de cada homem diminui-me, porque eu faço parte da humanidade; eis porque nunca pergunto por quem dobram os sinos: é por mim".

(John Donne)

Historicamente, podemos pensar que as questões relativas aos direitos humanos estão presentes desde há muito tempo; vários autores defendem a ideia de que essa problemática está presente desde a constituição da humanidade, entretanto, a extensão de quem estava sendo considerado humano e, portanto, poderia ser alcançado por alguma espécie de direito, é muito variável.

Grosso modo, podemos pensar que os ideais do Iluminismo, da Revolução Francesa, os movimentos de independência já traziam consigo princípios de reconhecimento de que há uma classe de direitos a que todos os indivíduos deveriam ter acesso, independentemente de sua cidadania.

Entretanto, a Primeira Guerra evidenciou a preocupação com a necessidade de se organizar documentos que normatizassem a condução das nações com relação as suas práticas internas. A grande questão é como dar parâmetros para as ações das nações sem questionar as questões ligadas à soberania do Estado Nacional. Parecia, ao mesmo tempo, necessário e paradoxal que algo já presente em documentos históricos importantes[6] precisasse novamente ser alvo de discussões e consensuamento, mas as evidências apresentadas pela Primeira Guerra deixaram a questão no ar. O fim de Segunda Guerra terminou com todas as dúvidas acerca da necessidade urgente de que algo além das discussões se fazia necessário. O extermínio em massa utilizado como projeto político para a construção de uma nação tornou claro que o que era considerado autoevidente (que todos os humanos têm direitos) na verdade não era tão evidente assim.

Por isso mesmo, após a Segunda Guerra, e com a publicização dos horrores do Holocausto e do uso das bombas em Hiroshima e Nagasaki, um grande movimento no sentido de que providências deviam ser tomadas para que algo assim não se repetisse começou a tomar corpo. Para muitos, era razoável pensar que em situações de guerra muitos dos "suportes legais" que regulam as relações sociais sejam flexibilizados, mas a questão do limite dessa flexibilização não pode estar atrelada à vontade de dirigentes específicos – um acordo coletivo precisava ser discutido e firmado.

A ONU, como já vimos, surgiu nesse contexto. Pensada como uma instituição internacional capaz de, minimamente, criar mecanismo de garantia para a preservação da humanidade, teve como uma de suas principais ações a **Declaração Universal dos Direitos Humanos** de 1948. Apesar disso, a Declaração não é um tratado, ou

---

6   Exemplos disso foram a Declaração de Independência dos Estados Unidos e a Declaração dos Direitos do Homem e do Cidadão.

seja, não se apresenta como uma Resolução que deve ser cumprida, mas é entendida como um documento norteador das práticas e, no âmbito do direito internacional, tem caráter normativo.

Com base nela, uma série de direitos passa a ser pensada como aplicável a todos os povos do mundo, independentemente da disposição do soberano ou ainda de razões do Estado.

Já em seu preâmbulo, a Declaração deixa claro que a dignidade humana é o fundamento da justiça, da liberdade e da paz no mundo; na sequência, estabelece que as necessidades essenciais que a humanidade compartilha, independentemente das diferenças entre os grupos ou indivíduos, constituem-se em direitos. Assim, a Declaração se divide em uma série de grupos de direitos. Do art. 1º ao 21º, encontram-se os direitos civis e políticos, entre as quais vale destacar: direito à vida e à liberdade (art. 3º); igualdade de todos perante a lei (arts. 2º e 7º); presunção de inocência (art. 9º); liberdade de associação (art. 20) e liberdade de religião (art. 18). Um segundo grupo relativo aos direitos sociais vai do artigo 22º ao 27º; embora muitos analistas entendam que esses direitos poderiam ter sido mais destacados, a declaração assegura o direito ao trabalho (art. 23), o direito ao repouso e ao lazer (art. 24), o direito à segurança social (arts. 22 e 25) e o direito à educação (art. 26).

Logo após a Declaração, a ONU começou a organizar um movimento conjunto entre as nações para que o documento não ficasse apenas como uma carta de intenções, por isso mesmo se iniciaram as negociações para o Pacto dos Direitos Civis e Políticos. Essas negociações duraram anos e vários foram os impasses ligados às perspectivas políticas dos grupos hegemônicos; isso porque a Guerra Fria ditava o tom das relações internacionais do período. Assim, no fim foram instituídos dois tratados diferentes: o Pacto Internacional dos Direitos Civis e Políticos e o Pacto Internacional dos Direitos Econômicos,

Sociais e Culturais. Em 1949, a ONU iniciou o processo de formulação do Pacto dos Direitos Civis e Políticos, mas sua conclusão se deu em 1966 e ainda foram necessários mais dez anos para que houvesse acordos com relações às ratificações, entrando em vigor, portanto, em 1976.

Em 1966, o Pacto dos Direitos Sociais, Econômicos e Culturais – esse com a aprovação do bloco socialista – foi assinado. Nele, os Estados participantes se comprometeram a adotar medidas e esforços para a assistência e a cooperação internacional, a fim de que recursos fossem disponibilizados para assegurar os direitos garantidos no Pacto. Outro ponto a ser frisado é que o Pacto entende como tendo o mesmo grau de importância tanto violações aos direitos econômicos, sociais e culturais quanto os relativos aos direitos civis e políticos; declara ainda que os direitos econômicos, sociais e culturais devem ser entendidos como direitos, não como benesse ou generosidade dos dirigentes.

A partir de então, a ONU passou a organizar uma série de Convenções que buscam nortear a agenda dos direitos humanos – razão por que irá chamar-se **Convenção para a Prevenção e Repressão do Genocídio**. Pela convenção, *genocídio* é entendido como atos cometidos com a intenção de exterminar totalmente, ou em partes, grupos raciais, étnicos e religiosos ou, ainda, medidas que visem impedir nascimentos no interior de determinados grupos ou a transferência coagida de crianças nascidas de um grupo para outro.

Em 1979, a ONU implementou a **Convenção sobre a Eliminação de Todas as Formas de Discriminação contra a Mulher** (ratificada pelo Brasil em 1984). Para a Convenção, discriminação contra a mulher consiste em:

toda distinção, exclusão ou restrição baseada no sexo e que tenha por objeto ou resultado prejudicar ou anular o reconhecimento, gozo ou exercício pela mulher, independentemente de seu estado civil, com base na igualdade do homem e da mulher, dos direitos humanos e das liberdades fundamentais nos campos político, econômico, social, cultural e civil ou em qualquer outro campo. (PGE-SP, 2016a)

Ao ratificar as Convenções, os Estados participantes estão assumindo o compromisso de cumprir os acordos feitos; nesse caso, o Brasil, em 1984, assumiu a responsabilidade de, progressivamente, eliminar todas as discriminações ligadas ao gênero e garantir a efetiva igualdade entre eles. Para tanto, a Convenção prevê a possibilidade da criação de medidas afirmativas (ou ações afirmativas)[7], tendo como objetivo o aceleramento do processo de extinção das desigualdades.

Em 1965, a ONU promoveu a **Convenção sobre a Eliminação de Todas as Formas de Discriminação Racial**, numa tentativa de visibilizar que, apesar de todos os horrores vividos durante a Segunda Guerra, as questões raciais estavam longe de terem sido resolvidas. Exemplos claros disso eram os movimentos negros norte-americanos ou a resistência ao *apartheid* na África do Sul; por outro lado, a década de 1960 viu ressurgir na Europa o neonazismo, evidenciando que ações urgentes eram necessárias. Assim, a ONU, por meio da convenção, buscou expandir sua atuação e consolidar um aparato especial de proteção destinada a pessoas ou grupos vulneráveis, merecedores de atenção especial. Esse sistema irá abranger, como vimos, grupos étnicos, mas todos os grupos pensados como vulneráveis, entre eles

---

7 Medidas afirmativas – medidas temporárias que visem à aceleração do processo, também entendidas como medidas compensatórios, que têm como objetivo remediar as desvantagens históricas advindas de práticas discriminatórias.

crianças, idosos, mulheres, vítimas de tortura, entre outros, passaram a ser contemplados por ações de intervenção, ocupando durante anos as agendas mundiais.

A **Convenção contra a Tortura e outros Tratamentos Cruéis, Desumanos ou Degradantes**, de 1984, veio ao encontro dessas ações. Essa convenção, em seu artigo 1°, define *tortura* como todo ato pelo qual

> *dores ou sofrimentos agudos, físicos ou mentais, são infligidos intencionalmente a uma pessoa a fim de obter, dela ou de terceira pessoa, informações ou confissões; de castigá-la por ato que ela ou terceira pessoa tenha cometido ou seja suspeita de ter cometido; de intimidar ou coagir esta pessoa ou outras pessoas; ou por qualquer motivo baseado em discriminação de qualquer natureza; quando tais dores ou sofrimentos são infligidos por um funcionário público ou outra pessoa no exercício de funções públicas, ou por sua instigação, ou com o seu consentimento ou aquiescência.* (PGE-SP, 2016b)

A Convenção constituiu, ainda, um Comitê contra a Tortura, que, a partir de então, passou a fiscalizar os Estados participantes no tocante aos crimes dessa natureza, definindo que não há nenhum estado "excepcional" que legitime essa prática. Por ela ainda fica definido que, se houver motivos para que se desconfie de que algum indivíduo, ao ser extraditado, será em seu país vítima de torturas, o Estado participante não deverá extraditar, expulsar ou devolver a pessoa para o outro Estado.

Em 1989, a **Convenção sobre os Direitos das Crianças**, após longo período de debates (aproximadamente 40 anos), foi assinada. A compreensão de que as crianças deveriam ser alvo de um documento específico por sua singularidade e fragilidade, embora até pudesse ser reconhecida, ainda suscitava debates acalorados, principalmente porque a própria definição do que é criança não é consensual. O reconhecimento dessa categoria como um sujeito de direito causou – e ainda causa – sérias polêmicas. Aos mais resistentes, a polêmica está ligada à possibilidade de as crianças terem suas opiniões ouvidas e respeitadas, já que ainda não podem ser consideradas indivíduos autônomos. O argumento utilizado pelos defensores do documento é que eram necessárias medidas e ações concretas no sentido de proteção a esse grupo específico, já que está entre os mais vulneráveis da humanidade.

No fim, o documento garante às crianças direito à educação, à liberdade de expressão, de pensamento, de crença, à proteção especial do Estado, entre outras coisas. O documento estabelece ainda que a criança não poderá ser retirada de seus pais ou separada do ambiente familiar contra a sua vontade ou contra a vontade dos pais, exceto se estiver sofrendo maus-tratos ou seu bem-estar estiver correndo risco.

Outro ponto importante diz respeito ao trabalho infantil. Segundo a Convenção, as crianças não podem ser obrigadas a trabalhar, e o trabalho, quando houver, deve ser regulamentado com idades mínimas, horários especiais, condições de trabalho privilegiadas, e nunca apresentar qualquer possibilidade de dano à saúde física, mental ou moral da criança.

Buscando a efetivação dessas Convenções, a ONU estabeleceu uma série de órgãos institucionais que têm como função implementar, analisar e fiscalizar as convenções e os tratados relativos aos direitos humanos, são eles: Alto Comissariado das Nações Unidas para os Direitos Humanos (OHCHR), o Conselho de Direitos Humanos das Nações Unidas (UNHRC/CDH) e o Comitê de Direitos Econômicos, Sociais e Culturais (CDESC).

Apesar de reconhecidos em uma série de documentos internacionais e/ou nacionais, a garantia do respeito ou da implementação

Samara Feitosa

de direitos pensados como fundamentais e universais está longe de ser efetivada. O Brasil ratificou todos os Tratados e Convenções propostas pela ONU, e mesmo que nas últimas décadas tenha desenvolvido ações e políticas públicas no sentido de efetivar, no território nacional, os acordos internacionais dos quais é signatário, está longe de alcançar a expansão do Estado de Direito a todos os seus cidadãos. Há uma considerável parte da população que ainda não conseguiu compreender a importância do estabelecimento de ações efetivas do Estado no sentido de eliminar as desigualdades sociais e estabelecer um padrão de comportamento em que a discriminação pela diferença seja entendida como incorreta. Um longo caminho ainda resta para a compreensão de que, embora tenham sido usadas como sinônimos, *desigualdade* e *diferença* não são equivalentes e que é possível e desejado tratar dos "diferentes" igualmente.

(6.4)
Temos saída?

Considerando a periodização clássica da história, que didaticamente a divide em quatro idades, estamos vivendo a Idade Contemporânea, que começou, ainda segundo essa periodização, com a Revolução Francesa. Entretanto, se fôssemos convidados a reconstruir ou a colaborar com a construção dessa divisão, será que nos manteríamos ainda na Idade Contemporânea?

Senão, vejamos: ao construir uma periodização, alguns elementos são levados em conta. Precisamos de um marco inicial – um evento simbolicamente significativo – e um marco final – também dado por um evento significativo. Ao olharmos o período determinado por esses marcos, é preciso que, de uma forma mais geral, consigamos dar a ele certa identidade, certo ritmo, certa definição que ajudem a compreender o período criado. Ou seja, é preciso que se destaquem elementos que possam ser pensados como relevantes para o período que estamos definindo. Pensando nisso, a pergunta que fazemos é: Será que ainda estamos na Idade Contemporânea?

Embora não se possa negar a relevância para o nosso cotidiano de momentos como a Revolução Francesa e a Revolução Industrial, será que conseguimos, tranquilamente, afirmar que temos muito em comum com os franceses de 1789? Certamente que os pressupostos que deram origem ao movimento revolucionário ainda estão presentes e que, em vários sentidos, ainda hoje são perseguidos, já que os ideais revolucionários aglutinados nas palavras de ordem – *liberdade, igualdade e fraternidade* – são ainda, em grande parte, ideais a serem alcançados.

Mas é verdade, também, que muito mudou. Países que, no início da Idade Contemporânea, estavam "engatinhando" em seu processo de desenvolvimento, hoje estão amadurecidos e buscam papéis centrais nas disputas econômicas e nas políticas mundiais. Pressupostos que antes eram considerados utópicos e/ou inalcançáveis fazem parte de ações cotidianas de indivíduos, grupos sociais ou nações.

Talvez a questão a ser posta não seja exatamente se estamos ou não ainda na Idade Contemporânea, mas se os ideais que orientaram uma boa parte das ações humanas nesse período ainda fazem sentido. O que conseguimos, como humanidade, construir? O que falta? Talvez essas respostas possam nos orientar para onde iremos.

Samara Feitosa

Síntese

De acordo com o que estudamos neste capítulo, veja o esquema a seguir para retomar os assuntos abordados.

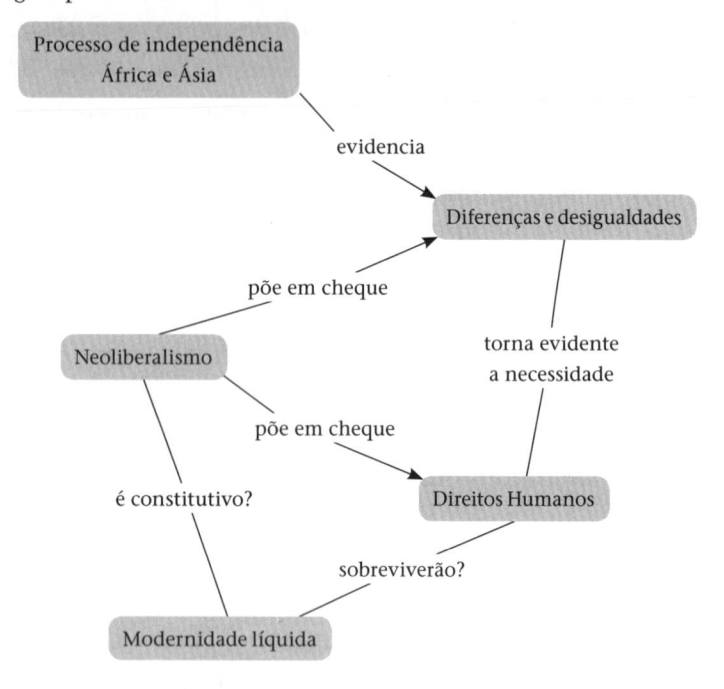

```
Processo de independência
África e Ásia
        │
        │ evidencia
        ▼
    Diferenças e desigualdades
        │
  põe em cheque
        │           torna evidente
 Neoliberalismo    a necessidade
        │
   põe em cheque
        │
é constitutivo?    Direitos Humanos
        │
      sobreviverão?
        │
  Modernidade líquida
```

Indicações culturais

DIAMANTE de sangue. Direção: Edward Zwick. EUA; Alemanha: Warner Bros. Pictures, 2007. 143 min.

HOTEL Ruanda. Direção: Terry George. Reino Unido; África do Sul; Itália: Lions Gate Films, 2004. 117 min.

OU TUDO ou nada. Direção: Peter Cataneo. Reino Unido: 20th Century Fox, 1997. 91 min.

SEGUNDA-FEIRA ao Sol. Direção: Fernando Leon de Aranda. Itália; França; Espanha: Warner Sogefilms, 2002. 113 min.

Atividades de autoavaliação

1. "[...] qualquer balanço atual do neoliberalismo só pode ser provisório. Este é um movimento ainda inacabado. Por enquanto, porém, é possível dar um veredicto acerca de sua atuação durante quase 15 anos nos países mais ricos do mundo, a única área onde seus frutos parecem, podemos dizer assim, maduros. Economicamente, o neoliberalismo fracassou, não conseguindo nenhuma revitalização básica do capitalismo avançado. Socialmente, ao contrário, o neoliberalismo conseguiu muitos dos seus objetivos, criando sociedades marcadamente mais desiguais, embora não tão desestatizadas como queria. Política e ideologicamente, todavia, o neoliberalismo alcançou êxito num grau com o qual seus fundadores provavelmente jamais sonharam, disseminando a simples ideia de que não há alternativas para os seus princípios, que todos, seja confessando ou negando, têm de adaptar-se a suas normas" (Sader; Gentili, 2008, p. 22).

Levando em consideração o seu conhecimento e o que os autores apresentam, é possível afirmar que o neoliberalismo:

i) limita os gastos do Estado-Nação, procurando eliminar o déficit público.
ii) restringe a atuação do capital estrangeiro e impede o livre fluxo dos capitais entre os países.
iii) propõe a redução do tamanho do Estado.
iv) restringe o poder do mercado diante do Estado-Nação.

Marque a alternativa que apresenta a resposta correspondente:

a) As afirmações i e iv estão corretas.
b) As afirmações i e ii estão corretas.
c) as afirmações ii e iv estão incorretas.
d) Todas as afirmações estão corretas.

2. No que se refere ao neoliberalismo, marque a alternativa **incorreta**:

a) Restrição da intervenção do Estado na economia, no controle alfandegário e no fluxo de capitais.
b) Apoio total à política de monopólios, principalmente os ligados a bens e recursos naturais.
c) Diminuição da atuação do Estado na criação e na manutenção de obras de infraestrutura e ações sociais.
d) Afirmação da autonomia do capital privado e fim da tutela da classe trabalhadora.

3. "Cremos como verdades evidentes, por si próprias, que todos os homens nasceram iguais, que receberam do seu Criador alguns direitos inalienáveis; que entre esses direitos estão a vida, a liberdade e a procura da felicidade; que é para assegurar esses direitos que os Governos foram instituídos" (Declaração de Independência dos Estados Unidos da América – 1776, UEL, 2016).

Essa declaração inspirou-se nos ideais do:

a) Iluminismo.
b) Neoliberalismo.
c) Positivismo.
d) Relativismo.

4. "Não há caminho para a Paz. A Paz é o caminho".
"Olho por olho, e o mundo acabará cego".
"O fraco jamais perdoa: o perdão é uma das características do forte".

Essas frases foram ditas por Mahatma Gandhi, que pregava como caminho para a independência indiana:

a) o princípio da desobediência civil e da não violência.
b) a Revolução Armada, de ideais comunistas.
c) a Guerra Civil para unificação dos diversos matizes religiosos que existiam na Índia.
d) a passividade como forma de resistência.

8. Com base no que foi estudado neste capítulo, pode-se afirmar que:

a) questões relativas aos direitos humanos já estão suficientemente garantidas no país, que, além de leis específicas, conta com a participação e aceitação efetiva da população no que tange à defesa desses direitos.
b) apesar de já contar com um corpo de leis considerável acerca do tema dos direitos humanos, a efetivação desses direitos em território nacional ainda precisa avançar muito.
c) o Brasil se posiciona, diante das instituições internacionais de direitos humanos, como contrário a suas disposições e não reconhece a maior parte dos acordos internacionais.
d) há certa facilidade em aplicar dispositivos legais acerca dos direitos humanos no território nacional, já que, historicamente, nosso país nunca conheceu grandes desigualdades sociais.

Samara Feitosa

Atividades de aprendizagem

Questões para reflexão

1. Reflita brevemente sobre as duas propostas apresentadas nas questões 1 e 2 das Atividades de autoavaliação e dê sua opinião sobre os dois posicionamentos.

2. Observe a charge.

PLANO NACIONAL

— O QUE É DIREITOS HUMANO?
— É UM LANCE DE TORTURA, SEI LÁ...

Crédito: Frank

Agora, pense sobre a importância e o alcance dos direitos humanos na atualidade.

Atividade aplicada: prática

Com base no que foi discutido neste capítulo e em sua experiência, organize um plano de aula com o tema *direitos humanos*. Como a temática é extensa, busque o assunto que julgar mais relevante ou com o qual tenha mais afinidade. Fica ao seu critério escolher a etapa – fundamental ou médio – e a série. Não se esqueça de utilizar mais de um tipo de metodologia e inserir alguma forma de avaliação. Mãos à obra.

Considerações finais

Querido leitor! Você acompanhou, neste livro, reflexões sobre momentos importantes da Idade Contemporânea. Como dissemos no início, eventos como a Revolução Francesa ou a Revolução Industrial, embora possam parecer muito distantes temporalmente, são marcantes na constituição da identidade desse período histórico.

Vimos como ideais, ideias, posturas e afins, que se originaram nesse período, são constantemente trazidos à tona e utilizados como exemplos quando se faz necessária a construção de modelos orientadores. Concomitante a isso, foi possível perceber que muitos dos problemas sociais, políticos, econômicos, culturais, entre outros, que emergiram nesses momentos, ressurgem na atualidade sob novas roupagens.

Isso deixa claro que, para entendermos a sociedade em que vivemos, é necessário o exercício da reflexão histórica. Cenários atuais não se constituem da noite para o dia, mas são construídos processualmente e resultam de configurações que entrelaçam estruturas políticas, econômicas, culturais, entre outras, mas e principalmente da atuação de sujeitos históricos envolvidos nesses processos.

Essa é, sem dúvida, a grande lição que podemos tomar: a compreensão de que o que acontece em sociedade não está no terreno da natureza, mas no campo das construções históricas, que é condição necessária para a atuação em sociedade; só assim é possível "fazer história".

Referências

ANDERSON, P. Modernidade e revolução. **Novos Estudos** – Cebrap, n. 14, p. 2-15, 1986.

APPLEBAUM, A. **Gulag**: uma história dos campos de prisioneiros soviéticos. São Paulo: Ediouro, 2004.

ARON, R. **Paz e guerra entre as nações**. Tradução de Sergio Bath. São Paulo: Imprensa Oficial do Estado; Editora Universidade de Brasília; Instituto de Pesquisa de Relações Internacionais, 2002. (Coleção Clássicos Ipri, 4).

ARTHMAR, R. Os Estados Unidos e a economia mundial no pós-Primeira Guerra. **Estudos Históricos**, Rio de Janeiro, v. 1, n. 29, p. 97-117, 2002. Disponível em: <http://bibliotecadigital.fgv.br/ojs/index.php/reh/article/view/2156/1295>. Acesso em: 24 maio 2016.

BEAUD, M. **História do capitalismo**: de 1500 aos nossos dias. São Paulo: Brasiliense, 1987.

BERMAN, M. **Tudo que é sólido desmancha no ar**: a aventura da modernidade. São Paulo: Companhia das Letras, 1986.

BERNARDO, J. **Labirintos do fascismo**: na encruzilhada da ordem e da revolta. Porto: Edições Afrontamento, 2003.

BRASIL. **Relatório da Comissão Nacional da Verdade**: as estruturas do Estado e as graves violações de direitos humanos. Brasília: CNV – Comissão Nacional da Verdade, 2014. v. II. Disponível em: <http://www.cnv.gov.br/images/pdf/relatorio/volume_1_pagina_83_a_274.pdf>. Acesso em: 11 fev. 2015.

CANÊDO, L. B. **A descolonização da África e da Ásia**. 10. ed. São Paulo: Atual, 1994.

CASADO FILHO, N. **Direitos humanos e fundamentais**. São Paulo: Saraiva, 2012. (Coleção Saberes do Direito, v. 57).

CHAUVEAU, A.; TÉTART, P. **Questões para a história do presente**. Bauru, SP: EDUSC, 1999.

COGGIOLA, O. **A Revolução Chinesa**. 2. ed. São Paulo: Editora Moderna, 1985.

_____. **Segunda Guerra Mundial**: um balanço histórico. São Paulo: Xamã, 1995. (Série Eventos).

CONVENÇÃO contra a tortura e outros tratamentos ou penas cruéis, desumanos ou degradantes. Assembleia Geral das Nações Unidas, 1984. Disponível em: <http://pfdc.pgr.mpf.mp.br/atuacao-e-conteudos-de-apoio/legislacao/tortura/convencao_onu.pdf>. Acesso em: 12 fev. 2016.

CONVENÇÃO sobre a eliminação de todas as formas de discriminação contra a mulher. Assembléia Geral das Nações Unidas, 1979. Disponível em: <http://www.pge.sp.gov.br/centrodeestudos/bibliotecavirtual/instrumentos/discrimulher.htm>. Acesso em: 12 fev. 2016.

CORNELSEN, E. L. Os descaminhos da poesia a serviço do nazismo. **Revista Contingentia**, Porto Alegre, v. 4, n. 2, p. 22-42, nov. 2009. Disponível em: <http://seer.ufrgs.br/index.php/contingentia/article/view/10173/6773>. Acesso em: 24 maio 2016.

CURSO MOODLE. Espaço de teste Zélia Gattai. 2010. Disponível em: <http://www.moodle.ufba.br/mod/book/view.php?id=74558&chapterid=19334>. Acesso em: 2 fev. 2016.

DECLARAÇÃO de Direitos do Homem e do Cidadão. Comissão de Direitos Humanos da Universidade de São Paulo. In: FERREIRA FILHO, M. G. et. al. **Liberdades Públicas**. Traduzido do espanhol por Marcus Cláudio Acqua Viva. São Paulo: Saraiva, 1978. Disponível em: Disponível em: <http://www.direitoshumanos.usp.br/index.php/Documentos-anteriores-%C3%A0-cria%C3%A7%C3%A3o-da-Sociedade-das-Na%C3%A7%C3%B5es-at%C3%A9-1919/declaracao-de-direitos-do-homem-e-do-cidadao-1789.html>. Acesso em: 24 maio 2016.

DENAUD, P. **Iraque, a guerra permanente**: entrevistas com Tarek Aziz – a posição do regime iraquiano. Rio de Janeiro: Qualitymark, 2003.

DICIONÁRIO MICHAELIS ONLINE. Disponível em: <http://michaelis.uol.com.br/>. Acesso em: 24 maio 2016.

DUARTE, F. da R. **A Revolução Cubana e a busca pela democracia em Cuba**. 70 f. Monografia (Graduação em Ciências Econômicas) – Universidade Federal de Santa Catarina, Florianópolis, 2013.

ELIAS, N. **Os alemães**: a luta pelo poder e a evolução do habitus nos séculos XIX e XX. Rio de Janeiro: Jorge Zahar, 1997.

ENGELS, F. **A situação da classe trabalhadora na Inglaterra**. São Paulo: Global, 1986.

EVANS, R. J. **A chegada do Terceiro Reich**. São Paulo: Planeta do Brasil, 2010.

FERRO, M. **A Revolução Russa de 1917**. Tradução de Maria P. V. Resende. São Paulo: Perspectiva, 1974.

FLESCH, C. et al. Triunfo da mentira: um projeto político fundamentado em mentiras, farsas e supostas verdades. **Eclética**, p. 28-31, jul./dez. 2005. Disponível em: <http://puc-riodigital.com.puc-rio.br/media/7%20-%20triunfo%20da%20mentira.pdf>. Acesso em: 12 fev. 2015.

HAYEK, F. A. **O caminho da servidão**. São Paulo: Instituto Ludwig von Mises Brasil, 2010.

HITLER, A. **Minha Luta**. São Paulo: Moraes, 1983.

HOBSBAWM, E. J. **A era das revoluções**: Europa 1789-1848. Tradução de Maria Tereza Lopes Teixeira e Marcos Penchel. Rio de janeiro, Paz e Terra, 1977.

_____. **A era do capital** – 1848-1875. Tradução de Luciano Costa Neto. 3. ed. São Paulo; Rio de Janeiro: Paz e Terra, 2002.

_____. **A era dos Impérios** – 1875 a 1914. São Paulo: Paz e Terra, 1985.

_____. **Era dos extremos**: o breve século XX – 1914-1991. Tradução de Marcos Santarrita. 2. ed. São Paulo: Companhia das Letras, 1995.

HUGGINS, M. K. **Polícia e política**: relações Estados Unidos/América Latina. São Paulo: Cortez, 1998.

HUNT, L. **A invenção dos direitos humanos**: uma história. Tradução de Rosaura Eichenberg. São Paulo: Companhia das Letras, 2009.

MAGNOLI, D. (Org.). **História das guerras**. São Paulo: Contexto, 2006.

MANFRED, A. **A grande revolução francesa**. São Paulo: Ícone, 1986.

MARX, K.; ENGELS, F. Manifesto do Partido Comunista. **Estudos Avançados**, São Paulo, v. 12, n. 34, set./dez. 1998. Disponível em: <http://www.scielo.br/scielo.php?script=sci_arttext&pi d=S0103-40141998000300002>. Acesso em: 24 maio 2016.

MILZA, P. **Os últimos dias de Mussolini**. Rio de Janeiro: Zahar, 2013.

MORAES, J. V. Análise comparativa entre a comissão da verdade brasileira e a da Guatemala, da Argentina e do Chile. ENCONTRO DA ABCP, 8., 2012, Gramado. **Anais**... Gramado: Universidade Federal do Rio Grande do Sul, 2012. Disponível em: <http://www.cienciapolitica.org.br/wp-content/uploads/ 2014/04/5_7_2012_10_0_32.pdf>. Acesso em 24 maio 2016.

OZ, A. **Contra o fanatismo**. Rio de Janeiro: Ediouro, 2004.

PELLEGRINI, M. C. D'A. **O fascismo e as fases de Benito Mussolini**. 65 f. Monografia (Graduação em Relações Internacionais) – Faculdade de Economia da Fundação Armando Alvares Penteado, São Paulo, 2012. Disponível em: <http://www.faap.br/pdf/faculdades/economia/monografia/ rel-internacionais/2012/Monografia_Maria_Carolina_ Pellegrini.pdf>. Acesso em: 24 maio 2016.

PGE-SP – Procuradoria Geral do Estado de São Paulo. **Convenção contra a tortura e outros tratamentos ou penas cruéis, desumanos ou degradantes (1984)**. Tratado Internacional. Disponível em: <http://www.pge.sp.gov.br/centrodeestudos/ bibliotecavirtual/instrumentos/degrdant.ht>. Acesso em: 11 jun. 2016a.

PGE-SP – Procuradoria Geral do Estado de São Paulo. **Convenção sobre a eliminação de todas as formas de discriminação contra a mulher (1979)**. Tratado Internacional. Disponível em: <http://www.pge.sp.gov.br/centrodeestudos/bibliotecavirtual/instrumentos/discrimulher.htm>. Acesso em: 11 jun. 2016b.

REES, L. **O carisma de Adolf Hitler**: o homem que conduziu milhões ao abismo. Rio de Janeiro: Leya, 2013.

SADER, E.; GENTILI, P. (Org.). **Pós-neoliberalismo**: as políticas sociais e o estado democrático. 8. ed. São Paulo: Paz e Terra, 2008. p. 22.

SILVEIRA, R. de C. **Neoliberalismo**: conceito e influências no Brasil – de Sarney a FHC. 176 f. Dissertação (Mestrado em Ciência Política) – Universidade Federal do Rio Grande do Sul, Porto Alegre, 2009.

SONDHAUS, L. **A Primeira Guerra Mundial**: história completa. São Paulo: Contexto, 2013.

SZTOMPKA, P. **A sociologia da mudança social**. Rio de Janeiro: Civilização Brasileira, 2005.

UEL – Universidade Estadual de Londrina. **A Declaração de Independência dos Estados Unidos da América**. Disponível em: <http://www.uel.br/pessoal/jneto/gradua/historia/recdida/declaraindepeEUAHISJNeto.pdf>. Acesso em: 11 jun. 2016.

VERSIGNASSI, A. **Crash**: uma breve história da economia – da Grécia Antiga ao século XXI. São Paulo: Leya, 2011.

VIZENTINI, P. F. **História mundial contemporânea (1776-1991)**: da independência dos Estados Unidos ao colapso da União Soviética. 3. ed. rev. e atual. Brasília: funag, 2012.

Bibliografia comentada

ÁLVAREZ, V. C. **Diversidade cultural e livre-comércio**: antagonismo ou oportunidade? Brasília: Funag, 2015.

Conforme aponta o título, o livro busca responder a uma questão: Como os acordos comerciais – bi ou multilaterais – afetam políticas públicas nacionais de cunho preservacionista e/ou de promoção cultural? Aponta ainda para a construção de convenções internacionais voltadas à proteção e à promoção da diversidade cultural e pergunta: Como elas se relacionam com o cenário do comércio internacional?

AYERBE, L. F. **A Revolução Cubana**. São Paulo: Unesp, 2004.

Nesse livro, o autor traça a construção do projeto revolucionário cubano, colocando em destaque o papel da intervenção norte-americana na ilha. Discute também a organização social/política/econômica do pós-revolução, de forma a tornar claro como fatores objetivos e subjetivos tiveram importante papel no desenvolvimento do processo.

BRASIL. **Relatórios da Comissão Nacional da Verdade**. Brasília: CNV – Comissão Nacional da Verdade, 2014. Disponível em: <http://www.cnv.gov.br>. Acesso em: 24 maio 2016.

O conjunto de relatórios torna pública parte dos resultados do trabalho da Comissão Nacional da Verdade durante seu período de existência. Buscando cumprir seu papel em uma Justiça de Transição, a Comissão estabeleceu grupos de trabalho que pesquisaram, desde as perseguições políticas, as oposições ao governo militar, até as empresas e empresários que participaram/financiaram as ações desse governo.

CANÊDO, L. B. **A descolonização da África e da Ásia**. 10. ed. São Paulo: Atual, 1994.

Nesse livro, a autora procura discutir sobre o processo de descolonização dos continentes africanos e asiáticos, tendo como pano de fundo a questão: Trata-se de um verdadeiro processo de descolonização ou da mera troca dos exploradores? Qual lógica opera nesse processo? Como se organizam os nacionalismos na África e Ásia?

CASTELLS, M. **Fim do milênio**. São Paulo: Paz e Terra, 2007. v. 3.

Último dos três livros que compõem a coleção – junto com *A Era da Informação* e *Economia, sociedade e cultura* –, traz de forma encadeada temas já discutidos nos volumes anteriores, juntando os argumentos de forma a explicitar a sua leitura de mundo no final do século XX. Embora tenha o caráter de fechamento, o livro pode ser facilmente compreendido sem a leitura dos volumes anteriores (Mas recomendamos fortemente a leitura de todos! Fica a dica!).

DIMENSTEIN, G. **Democracia em pedaços**: direitos humanos no Brasil. São Paulo: Cia. das Letras, 1996.

Num tom jornalístico, o autor busca mostrar como, apesar de ter avançado em vários aspectos, o Brasil ainda tem um longo percurso a caminhar no que tange a efetivação dos direitos humanos. Apesar de ser signatário de vários acordos internacionais, o país ainda convive com e tolera cenários cotidianos de torturas e assassinatos em massa que ficam impunes. Assim, a questão que se põe é se de fato estamos em um Estado de direito ou em uma ficção que nos brinda com uma "democracia em pedaços".

ELIAS, N. **O processo civilizador**: uma história dos costumes. Jorge Zahar, 1995. v. 1.

Elias inicia o livro discutindo os conceitos de civilização e cultura, demonstrando que não se trata de algo universal nem mesmo atemporal. Com base nesse pressuposto ele passa a acompanhar o processo civilizatório (com foco principal na Europa) e como tal processo irá, de alguma maneira, recriar a própria ideia de civilidade.

ELIAS, N. **Os alemães**: a luta pelo poder e a evolução do habitus nos séculos XIX e XX. Rio de Janeiro: Jorge Zahar, 1997.

Nesse livro, Elias investida a construção – através dos séculos – da personalidade alemã, sua estruturação social e seu comportamento – público e privado –, demonstrando como essa construção está em consonância com a ascensão nazista no período entreguerras.

Samara Feitosa

FERNANDES, L. **URSS**: ascensão e queda. São Paulo: Anita Garibaldi, 1991.

Resultado do trabalho desenvolvido durante o mestrado do autor, apresenta o resultado de aproximadamente dez anos de pesquisas. Nele, o autor demonstra que, apesar de vivas nos debates, a ideologia e a retórica anti-imperialista da URSS já vinham apresentando sinais claros de desgaste e mostravam, de forma nem tão incipiente, um diálogo cada vez mais próximo com o mercado mundial.

FERREIRA FILHO, M. G. **Direitos humanos fundamentais**. 14. ed. São Paulo: Saraiva, 2012.

Esse livro traça um histórico dos direitos humanos fundamentais, fundamentando na análise jurídica sua constituição. A partir daí, passa a analisar as questões acerca das garantias constitucionais dos direitos humanos nas constituições nacionais, mostrando seus avanços, seus retrocessos, suas incoerências e sua consistência.

FERRO, M. **A Grande Guerra**: 1914-1918. Lisboa: Edições 70, 2008.

O autor esforça-se para apresentar a guerra para além de suas batalhas, conquistas e derrotas. Busca, antes, entender o processo que está por trás da chegada ao conflito, focando principalmente os interesses econômicos por detrás dos políticos, ao mesmo tempo que apresenta os esforços feitos para que as instituições sociais – leis, acordos, normas – acompanhassem o clima beligerante do período.

HOBSBAWM, E. J. **A era das revoluções:** Europa 1789-1848. Rio de Janeiro: Paz e Terra, 1977.

Nesse livro, o autor traça o caminho pelo qual se desenrolaram as revoluções burguesas, entrelaçando elementos do Renascimento, do Iluminismo e das grandes navegações. Ao mesmo tempo, aponta para o fato de que essas transformações não deram conta de atenuar os problemas sociais do período, criando, assim, um clima propenso aos grandes movimentos revolucionários.

HUNT, L. **Política, cultura e classe na Revolução Francesa.** Tradução de Laura Teixeira Motta. São Paulo: Companhia das Letras, 2007.

Nesse livro, a autora procura, além de apresentar e discutir os eventos marcantes da revolução, agregar a isso uma abordagem analítica da política e suas relações entre as práticas sociais e culturais do período.

KNIGHT, A. **Como começou a Guerra Fria:** o caso Igor Gouzenko e a caçada aos espiões soviéticos. Tradução de Ana Duarte e Carlos Duarte. Rio de Janeiro: Record, 2008.

Num estilo quase jornalístico, a autora narra a história de Igor Gouzenko, que, ao fim da Segunda Grande Guerra, deserdou levando consigo documentos secretos que foram revelados ao Ocidente, dando início, segundo a autora, aos movimentos de perseguição e espionagem que marcaram toda a Guerra Fria.

Samara Feitosa

MASSON, P. A. **Segunda Guerra Mundial**: histórias e estratégias. Tradução de Angela Corrêa. São Paulo: Contexto, 2010.

Os autores associam a narrativa histórica das grandes batalhas a uma análise do conflito, levando em consideração as estratégias estabelecidas por todos os contentores – sejam elas bélicas, econômicas, morais, subjetivas – levadas a cabo na busca da vitória ao fim do confronto.

OZ, A. **Contra o fanatismo**. Rio de Janeiro: Ediouro, 2004.

Nesse livro o autor busca desconstruir a ideia maniqueísta de que o mundo está dividido entre o bem e o mal, o certo e o errado, o árabe e o judeu. Para ele, esse fundamentalismo original que justifica os meios usados para o alcance dos fins desejados tem levado a sociedade a caminhos insolúveis. A solução não será fácil nem rápida, mas sem dúvida está assentada na eliminação dos fanatismos e na implementação diária da prática do diálogo e o convívio entre os diferentes.

PAXTON, R. O. **A anatomia do fascismo**. Tradução de Patrícia Zimbes e Paula Zimbes. São Paulo: Paz e Terra, 2007.

O autor procura desvelar o processo de construção do fascismo, tendo como foco principalmente a Itália e a Alemanha. Traça, de forma comparativa, o processo – formal, informal, jurídico, social – de chegada ao poder, deixando claro como ele (o movimento) é maleável e intercambiável, não se tratando de uma simples estrutura idealizada a ser aplicada à realidade e mostrando, ainda, como, para além das construções ideológicas, os indivíduos e seus papéis são essenciais na realização desses eventos.

POMAR, W. A Revolução Chinesa. São Paulo: Unesp, 2004.

O autor discute a Revolução Chinesa e sua repercussão no bloco socialista que se constituía no período. Pensada por muitos como impossível, contraditória ou, no mínimo, desencaixada, o autor vai desenhando o perfil e os rumos de uma revolução em um país de dimensões continentais, revolução que para ele ainda se encontra em processo.

SADER, E.; GENTILI, P. (Org.). Pós-neoliberalismo: as políticas sociais e o Estado democrático. Rio de Janeiro: Paz e Terra, 1995.

O livro reúne um conjunto de trabalhos que foram apresentados no seminário "Pós-neoliberalismo – As políticas sociais e o Estado democrático", realizado na Faculdade de Serviço Social da UERJ, em dezembro de 1994. Trata-se, então, de uma coletânea de textos que vão desde a palestra de abertura até os debates feitos nos grupos. Os temas perpassam de um balanço geral do neoliberalismo, seus pressupostos e suas práticas e as consequências da experiência de um neoliberalismo à brasileira.

SAID, E. A questão Palestina. São Paulo: Unesp, 2012.

Obra clássica sobre a situação da Palestina. Nela o autor aponta para o fato de que, embora durante algum tempo o mundo tenha imaginado que a Palestina seria a "última grande causa do século XX", outros eventos políticos mostraram e mostram não ser essa a realidade. Episódios como a libertação de

Mandela, o desmembramento do Leste Europeu e a guerra no Afeganistão dão mostras de que ainda há muitas causas a serem travadas, entre elas a causa Palestina, que persiste e se agrava cada vez mais.

SALINAS, S. S. **Antes da tormenta**: origens da Segunda Guerra Mundial (1918-1939). Campinas: Unicamp, 1996.

O autor busca traçar o caminho de ascensão de Hitler ao poder na Alemanha, levando em consideração as pesadas heranças da Primeira Guerra, as manobras diplomáticas e políticas necessárias para que seu caminho ao poder fosse assegurado.

THOMPSON, E. **A formação da classe operária inglesa**. Rio de Janeiro: Paz e Terra, 2004. v. 1.

Livro clássico acerca da classe operária, na verdade se apresenta como uma trilogia – "A formação da classe operária inglesa". *A árvore da liberdade* é o primeiro livro, seguido por mais dois volumes: *A maldição de Adão* e *A força dos trabalhadores*.

Neles, o autor vai, pouco a pouco, mostrando como a classe operária não pode ser pensada como única, ou mesmo como uma "coisa", trata-se antes de um processo, que vai se modificando e moldando ao passar do tempo.

TRAGTENBERG, M. **A Revolução Russa**. São Paulo: Unesp, 2007.

Nesse livro, o autor busca traçar o percurso histórico pelo qual percorreu o processo revolucionário russo. Partindo das relações sociais, políticas e econômicas da Rússia "feudal", apresentando a gênese do czarismo e como se deram as reconfigurações que levarão à Revolução de 1917.

Respostas

Capítulo 1

1. c
2. c
3. d
4. a
5. F, V, F, F

Capítulo 2

1. c
2. b
3. a
4. c
5. c

Capítulo 3

1. b
2. c
3. c
4. a
5. c

Capítulo 4

1. a
2. b
3. a
4. d
5. c

Capítulo 5

1. d
2. b
3. b
4. a
5. b

Capítulo 6

1. a
2. b
3. a
4. a
5. a

Sobre a autora

Samara Feitosa é graduada em História (1989) pela Universidade Federal do Paraná (UFPR) e em Ciências Sociais (2000) por essa mesma instituição. É mestre em Tecnologia (2004) pela Universidade Tecnológica Federal do Paraná (UTFPR) e doutora em Sociologia (2013) pela UFPR.

De 1997 a 2003, atuou como docente na UTFPR nas disciplinas de História e Sociologia e, de 2005 a 2007, como professora do quadro na rede estadual de educação do Paraná. Em 2007, assumiu o cargo de técnica pedagógica da disciplina de Sociologia no Departamento de Educação Básica dessa mesma secretaria, cargo que ocupou até 2010, quando se exonerou para terminar o doutorado.

Atuou como técnica pedagógica na hoje extinta ONG Projeto Não Violência, na qual ministrou aulas para docentes sobre temas relativos aos direitos humanos, diversidade, relações de gênero e prevenção de violência escolar. De 2012 a 2014, trabalhou como assessora da Comissão Estadual da Verdade do Estado do Paraná – Teresa Urban.

Atualmente, trabalha com a Formação Continuada de Professores – conteúdos e metodologias relativos às disciplinas de História e Sociologia e temas ligados a direitos humanos, prevenção à violência escolar, desigualdades sociais, relações de gênero, sexualidade, entre outros. É pesquisadora do Centro de Estudos em Segurança Pública e Direitos Humanos (CESPDH) da UFPR.

Ilustrações de capa baseadas em:

A liberdade guiando o povo

DELACROIX, E. **A liberdade guiando o povo.** 1830. 1 óleo sobre tela: color.; 260 × 325 cm. Museu do Louvre, Paris.

Shutterstock

patrimonio designs ltd/Shutterstock
Ivan Cholakov/Shutterstock
Ventura/Shutterstock
ZouZou/Shutterstock
Krzysztof Stepien/Shutterstock
daseugen/Shutterstock
BMCL/Shutterstock
Tribalium/Shutterstock
Grimgram/Shutterstock
tanais/Shutterstock
EdenExit/Shutterstock
Maurizio Biso/Shutterstock
Arkady Mazor/Shutterstock

Samara Feitosa

Este produto é feito de material proveniente de florestas bem manejadas certificadas FSC® e de outras fontes controladas.

Impressão: Gráfica Mona
Março/2019